vikram CHANDRA

Miłość i tęsknota w Bombaju

OPOWIADANIA

z języka angielskiego przełożył
Marek Fedyszak

Tytuł oryginału:
LOVE AND LONGING IN BOMBAY

Projekt okładki: Wydawnictwo Sonia Draga
Zdjęcia na okładce: Forum, Corbis

Redakcja: Karina Stempel
Korekta: Ewa Penksyk-Kluczkowska
Konsultacja merytoryczna: Krzysztof Iwanek

ISBN: 978-83-7508-077-3

Dystrybucja:
Firma Księgarska Jacek Olesiejuk Sp. z o.o.
ul. Poznańska 91, 05-850 Ożarów Mazowiecki
tel./fax (22) 721 30 00
e-mail: hurt@olesiejuk.pl
www.olesiejuk.pl

Sprzedaż wysyłkowa:
www.merlin.com.pl
www.empik.com

WYDAWNICTWO SONIA DRAGA Sp. z o.o.
Pl. Grunwaldzki 8-10, 40-950 Katowice
tel. (32) 782 64 77, fax (32) 253 77 28
e-mail: info@soniadraga.pl
www.soniadraga.pl

Skład i łamanie:
DT Studio s.c., tel. 032 720 28 78, biuro@dtstudio.pl

Katowice 2008. Wydanie I

Drukarnia: Abedik, Poznań

Nota redakcyjna

Przekład wspaniałej prozy Vikrama Chandry nastręcza wiele trudności zarówno tłumaczowi, jak i redaktorom opracowującym tekst. Dzieje się tak między innymi dlatego, że ten piszący po angielsku autor używa bardzo często wyrazów lub całych fraz z języków indyjskich. Pozostawienie tych słów w polskim przekładzie utrudnia polskiemu Czytelnikowi lekturę, jednakże ich tłumaczenie byłoby fałszowaniem stylu autora. Wplatanie słów z indyjskich języków do prozy w języku angielskim jest charakterystyczne dla wielu pisarzy z kraju Chandry i jesteśmy zdania, że w miarę możliwości należy ten aspekt ich stylu oddawać w polskim przekładzie.

Vikram Chandra jest znany polskiemu czytelnikowi dzięki wydanej w ubiegłym roku przez Wydawnictwo Sonia Draga powieści *Święte gry*, toteż podczas redakcji niniejszego tomu opowiadań postanowiono oprzeć się na doświadczeniach związanych z pracami nad tą powieścią i dążyć do tego, aby przyjęte rozwiązania były jak najlepsze.

Za kwestię nadrzędną uznano przybliżenie polskiemu odbiorcy realiów współczesnych Indii, w tym także za pośrednictwem warstwy językowej. Mając wybór pomiędzy umieszczaniem w tekście wyrazów z języków indyjskich w zapisie angielskim a ich spolszczaniem, podobnie jak w powieści, w *Miłości i tęsknocie w Bombaju* zdecydowano się na tę drugą opcję.

W tłumaczeniu kursywę zastosowano nie tylko w miejscach, w jakich zwykle używa się jej w polskich publikacjach, lecz także wyróżniono nią wyrazy wskazane przez autora, niezależnie od stopnia przyswojenia ich w polszczyźnie.

Wszystkie przypisy pochodzą od redakcji.

W kwestii spolszczania zastosowano wymienione poniżej reguły.

Jeśli indyjskie nazwy własne, imiona i nazwiska mają formę przyjętą w encyklopedii PWN, to w książce nadano im taką właśnie formę. Spolszczono natomiast większość tych nazw, imion i nazwisk, które w encyklopedii nie występują.

Spolszczono imiona i nazwiska postaci historycznych. Nie spolszczano imion i nazwisk postaci żyjących, np. aktorów, jednakże ich właściwą wymowę podano w przypisach i słowniczku. Spolszczono imiona i nazwiska postaci fikcyjnych.

Nie spolszczano tytułów filmów, ale podano w słowniczku lub w przypisach ich właściwą wymowę i polskie znaczenie.

Spolszczano cytaty i tytuły wierszy i piosenek, ale w słowniczku i przypisach podano ich angielski zapis i polskie znaczenie.

Do spolszczonych indyjskich nazw geograficznych dodano w przypisach i w słowniczku ich zapis przyjęty w angielszczyźnie.

Nie spolszczano nazw firm indyjskich, pozostawiając ich zapis w formie przyjętej w angielszczyźnie. Co za tym idzie, nie spolszczano imion i nazwisk indyjskich, jeśli występowały jako element nazwy firmy, z wyjątkiem sytuacji, gdy w skład nazwy firmy wchodziło nazwisko któregoś z bohaterów opowiadań. Nie spolszczano nazwisk, których elementem jest wyraz angielski.

Ze względu na to, że w języku polskim istnieje nieczytelne rozróżnienie na „Hindusa" (obywatela Indii) i „hindusa" (wyznawcę hinduizmu), które jest niesłyszalne w wymowie i powoduje dwuznaczność przymiotnika „hinduski" (może on znaczyć zarówno „indyjski", jak i „związany z hinduizmem"), zastosowano tu inne rozwiązanie. Użyto terminu „Indus" w odniesieniu do obywatela Indii i przymiotnika „indyjski" w odniesieniu do wszystkiego, co jest związane z Indiami jako krajem. Zastosowano natomiast termin „hindus" w odniesieniu do wyznawcy hinduizmu i przymiotnik „hinduski" w odniesieniu do zjawisk związanych z tą religią. Terminy te objaśniono również w słowniczku.

Czytelnikom należy się również wyjaśnienie w związku z przywołaniem w jednym z przypisów polskiego wydania *Kamasutry* w tłumaczeniu M.K. Byrskiego i niewykorzystaniem tego tłumaczenia w opowiadaniu *Kama* — w przekładzie profesora Byrskiego słowo *alaktaka* zostało przetłumaczone, a właśnie niewyjaśnianie znaczenia tego terminu odgrywa istotną rolę w fabule.

W zakresie przekładu, a w przypadku Chandry jest to „przekład przekładu", jak określają to niektórzy badacze jego twórczości, nie ma rozwiązań idealnych. Oddając tę książkę do rąk polskiego Czytelnika, mamy nadzieję, iż obrana przez nas strategia zostanie zaakceptowana jako posiadająca walory językowe i poznawcze.

Zespół redakcyjny

Moim pierwszym czytelnikom:
moim siostrom
Tanuji i Anupamie
oraz
Margo True

Podziękowania

Jestem wdzięczny, jak zawsze, moim rodzicom, Navinowi i Kamnie. Za przyjaźń, informacje, pomoc oraz inspirację na wielkie „dzięki" zasłużyli Eric Simonoff, Linda Asher, David Davidar, Jordan Pavlin, Nicholas Pearson, Lekha Rattanani, Vidhu Vinod Chopra, Vir Chopra, Sheela Rawal, Smruti Koppikar, Arun Subramaniam, komisarz wydziału kryminalnego policji w Bombaju Rakesh Maria, Mahesh Bhatt, Farah Khan, Sanjay Leela Bhansali, Vikram Chopra, Kathy i Glenn Cambor, Cece Fowler, Marion Barthelme, Claire Lucas, Christa Forster, Amy Storrow, Leslie Richardson, Susan Davis, David Harvey, Rifka Tadjer, Lu Wiu, dyrektor generalny policji w Bombaju A. S. Samra, zastępca komisarza policji w Bombaju Deepak Jog, Viral Mazumdar, podpułkownik w stanie spoczynku H. L. Saluja, pułkownik w stanie spoczynku N. B. Kanuga, Shelina Kukar, Comilla Shahani Denning, Namrita Shahani Jhangiani, Anuradha Tandon, generał brygady Harish Chandra, Shanti Chandra, generał brygady w stanie spoczynku Sudhir Arora, Anne Bogle, Rebecca Flowers, Paulette Roberts, Sanjay (Pinku) Desai, Pam Francis, Amy Georgia Buchholz, Jack Brandt, Leslie Nigham, Wendy James oraz Ashish Balram Nagpal.

Dharma

Niezwykłe, biorąc pod uwagę długość służby Subramaniama, było to, że wciąż przychodził do Fisherman's Rest. Gdy ja zacząłem tam bywać, on od sześciu lat był na emeryturze, po czterdziestu jeden latach urzędowania w departamencie planowania ministerstwa obrony, które zakończył w randze podsekretarza stanu. Byłem młody i właśnie zacząłem pracować w firmie wytwarzającej oprogramowanie komputerowe, której klimatyzowana centrala z wyposażeniem o bardzo opływowych liniach mieściła się tuż przy Fontannie Flory. Muszę przyznać, że gdy po raz pierwszy odezwał się w mojej obecności, zrobił to, żeby mnie zrugać. Przedstawiono mi go przy stoliku na balkonie, gdzie siedział z trzema innymi starcami; mój przyjaciel Ramani, który mnie tam zabrał, powiedział mi, że przychodzą tam co najmniej od chwili, gdy zaczęli pracować. Subramaniam miał białe włosy, był chudy i w zapadającym zmierzchu wydał mi się bardzo niski, niczym człowiek, który umilał sobie bezbrzeżną nudę życia w jakimś barze przy Sasoon Dock, tak więc określiłem go w myślach, oceniłem i zlekceważyłem.

Powinienem był wtedy zauważyć, że kelnerzy przynosili mu drinki nieproszeni i że inni rozmawiali w jego milczącej obecności, ale zawsze z twarzami zwróconymi ku niemu, perorowałem jednak o żałosnym stanie informatyki w Bombaju. Bar mieścił się na pierwszym piętrze starego domu wychodzącego na morze i nikt by się nie domyślił, że tam jest, z pewnością nie było tam żadnego szyldu, a z ulicy był niewidoczny. Na ścianach rozwieszono stare, co najmniej sprzed pół wieku, ryby-trofea, a na drzwiach toalety widniało zdjęcie górskiego strumienia, wycięte z jakiegoś, sądząc z wyglądu, brytyjskiego czasopisma. Gdy od morza nadciągnął wiatr, poruszył starymi kwiecistymi zasłonami i kalendarzem z tysiąc dziewięćset siedemdziesiątego pierwszego roku; zacząłem się już niecierpliwić, ale uprzejmość wymagała, bym przynajmniej postawił drinka mojemu przyjacielowi, który zrozumiał, jak bardzo samotny czuję się w Bombaju, i chyba próbował wprowadzić mnie w odpowiednie kręgi. Obserwowałem więc, jak okręt marynarki wojennej, chyba fregata, wykonuje zwrot w kierunku słońca, sączyłem swój gin (mimo wszystko, jak zauważyłem, doskonale wymieszany z wodą i sokiem cytrynowym) i przysłuchiwałem się ich rozmowie.

Ramani był tego dnia w Bandrze i opowiadał im teraz o bungalowie nad brzegiem morza, jednym z tych starych dwupiętrowych domów z okalającymi je balkonami, umieszczonym w ogrodzie pełnym palm i sadzawek z rybami. Stał on uparcie wśród wieżowców mieszkalnych i był pusty, odkąd ktokolwiek pamiętał, tak więc w opowieści wyjaśniającej to zapuszczenie wspaniałej nieruchomości roiło się oczywiście od duchów i nocnych krzyków.

– Powiadają, że nie da się go sprzedać – rzekł Ramani. – Ponoć nabył go jakiś *seth* z Gudźaratu i po niespełna miesiącu zmarł. Nikt go nie kupi. To fatalne miejsce.

– Cóż za nonsens – zauważyłem. – To wszystko przez rodzinne spory majątkowe. Sprawy w sądach ciągną się latami, a domy stoją puste, bo nikt nie pozwoli nikomu innemu w nich mieszkać. – Później mówiłem dość długo o przesądach, ignorancji i kondycji naszego nieoświeconego narodu, w którym wykształceni ludzie wierzyli w zjawy i upiory. – Nawet w epoce informatyzacji nigdy nie będziemy wolni – stwierdziłem. Ciągnąc dalej, myślałem, że jestem szczególnie dowcipny i bystry. Szybko i wprawnie obalałem wszystkie kontrargumenty.

Po jakimś czasie moja szklanka była pusta i przerwałem, by odszukać właściciela baru. W ciszy było słychać, jak fale uderzają o skały poniżej. Wtedy odezwał się Subramaniam. Pomyślałem, że ma cichy, przypominający szept głos, głos ministerski, tak mocno pobrzmiewały w nim intrygi, tajemnice i niuanse.

– Znałem kiedyś mężczyznę, który spotkał ducha – rzekł. Ja wciąż siedziałem plecami do stolika, ale reszta zwróciła się ku niemu wyczekująco. – Niektórzy ludzie spotykają swoje duchy, niektórzy nie. Ale wszyscy jesteśmy przez nie nękani. – Teraz ja też się odwróciłem i starzec patrzył wprost na mnie, a jego białe włosy wyraźnie odcinały się na tle bajecznej czerwieni zachodu słońca, oczy były jednak ukryte w cieniu. – Posłuchajcie – dodał.

W dniu, w którym generał brygady Dźago Antia skończył pięćdziesiąt lat, zaczęła go boleć amputowana noga. Wcześniej lekarze mówili mu o bólu fantomowym, ale przez dwadzieścia lat noga go nie rwała, kiedy więc poczuł skręcający ból dwa cale poniżej plastikowego kolana, potknął się nie z powodu paroksyzmu, lecz wskutek zaskoczenia. Było to tylko drobne potknięcie, ale oficerowie odwrócili się współczująco, gdyż chodziło o Dźago Antię, a przecież on nigdy się nie potykał. Młodsi wiekiem porucznicy zarumienili się z przejęcia, wiedzieli bowiem z całą pewnością, że Dźago Antia jest niezwyciężony, i ten drobny błąd oraz sposób, w jaki generał odzyskał równowagę, jak z powrotem wyprostował się niczym kij, przypomniały im o stalowej dyscyplinie widocznej w jego szarych oczach. Słynął ze swojego spojrzenia, z bezlitosnego ponurego gniewu, z umiejętności taktycznych oraz orientacji w terenie, z całej swojej kariery – od złotego medalu w Kharakwasli do czasów walk i medali w Lehu i NEFA*). Słynął z tego wszystkiego, ale to noga stanowiła istotę legendy generała i było w tym, w tej historii, coś okropnego, tak więc nigdy o tym nie rozmawiano. Antia gnał przez dżunglę i zawstydzał mężczyzn o dwadzieścia lat młodszych od siebie, tak jakby nigdy nie stracił nogi. Właśnie dlatego jego uprzejmość, wybredność, delikatność, z jaką operował nożem i widelcem, niespieszny uśmiech, wszystkie te sztuczki generała były naśladowane nawet przez kadetów w Akademii: pragnęli posiąść jego pewność siebie i uważali, że samotność Antii świadczy o jego geniuszu.

Kiedy więc wychodził z *bara khany*, jego żołnierze spoglądali za nim z szacunkiem i o dziwo, dzięki temu potknięciu jeszcze bardziej uwierzyli w moc generała. Urządzili to przyjęcie, żeby upamiętnić rocznicę mało znanej bitwy stoczonej przed półwieczem przez pułk – Antia nigdy by nie pozwolił na uroczystość ku swojej czci. Po wyjściu dowódcy siedzieli rozparci na kanapach, popijając ze szklanek, i opowiadali o nim rozmaite historie. Nazywał się Dźehangir Antia, ale od trzydziestu lat w ich opowieściach występował jako Dźago Antia. Niektórzy z nich nie znali jego prawdziwego imienia.

Tymczasem zaś Dźago Antia leżał w swoim łóżku pod moskitierą, z rękami płasko po bokach, z jedną nogą wyciągniętą jak struna, a drugą stojącą przy łóżku, i czekał, aż zmorzy go sen. Co wieczór myślał o tym, że przez całą

---

* Kharakwasla to miejscowość w stanie Maharasztra, gdzie znajduje się szkoła oficerska o nazwie National Defence Academy (Państwowa Akademia Obrony).
Leh to miasto w rejonie Ladakh w indyjskim stanie Dżammu i Kaszmir (właśc. wym. Dźammu i Kaśmir). O region ten walczono m. in. podczas wojny indyjsko-pakistańskiej w roku 1965. NEFA (North East Frontier Agency) to jeden z obszarów, o które rozegrała się w roku 1962 wojna chińsko-indyjska.

noc spada bezustannie, mknąc w zimnym powietrzu, po czym w którymś momencie ten obraz stawał się snem i generał spał, nadal spadając. Robił to, odkąd pamiętał, na długo przed szkoleniem spadochroniarskim i zrzutem pod Śrihat, ku działom wroga, na niebezpieczny teren. Wspomnienie tego skoku towarzyszyło mu od dawna i Dźago wiedział, dokąd go zaprowadzi, ale tej nocy w amputowanej kończynie wzmagał się ból i generał próbował go zwalczyć, wyobrażając sobie pęd powietrza na swojej szyi, łopot swojego ubrania, zupełną ciemność. To jednak nie zdało się na nic – wciąż był przytomny. Kiedy podniósł lewą rękę i odsłonił fosforyzującą tarczę zegarka, była czwarta. Dał za wygraną i przytroczył protezę. Poszedł do gabinetu, rozłożył mapy i zaczął opracowywać rozkazy operacyjne. Mapy poziomicowe były pokryte znacznikami i Dźago w myślach bez trudu poruszał się wśród gór, widząc oddziały, drogi zaopatrzenia, punkty etapowe. Walczyli z powstańcami i oczywiście wiedział, że wykonuje dobrą robotę, że jest skupiony, wiedział też jednak, że nazajutrz będzie odczuwał zmęczenie, i to napawało go złością. Gdy zdał sobie sprawę, że uciska dłonią plastikowy goleń był tak zły na siebie, że wyszedł na werandę i zrobił sto szybkich pompek, a rano, gdy za ponurym grzbietem gór wzeszło słońce, zaintrygowany *sahajak* zastał go spacerującego tam i z powrotem po ścieżce w ogrodzie.

– Co ty tu robisz? – zapytał Thapa. Dźago Antia nigdy się nie ożenił. Znali się od trzech dziesięcioleci, od czasu gdy Antia był kapitanem, i dawno już poniechali formalności wymaganych w kontaktach oficera z ordynansem.

– Nie mogłem spać. Nie wiem, z jakiego powodu.

Thapa zmarszczył czoło.

– W takim razie zjedz porządne śniadanie.

– Słusznie. Za dziesięć minut?

Thapa wykonał elegancki zwrot i odszedł zamaszystym krokiem. Był niskim, krągłym mężczyzną, niegrubym, lecz o dobrze rozwiniętej muskulaturze człowieka gór.

– Thapo? – zawołał Dźago Antia.

– Słucham.

– Nic, nic. – Przez chwilę generał chciał wspomnieć o bólu, ale później górę wzięło przyzwyczajenie; wyprostował plecy i tylko pokręcił głową. Thapa czekał przez jakiś czas, po czym wszedł do domu. Teraz Dźago Antia spojrzał na ostrą jak brzytwa grań odległego grzbietu i gdy odwrócił głowę, zobaczył szereg idących maleńkich postaci. Byli to zapewne drwale, a może niektórzy z tych, z którymi walczył. Zaangażowani, wytrzymali i dobrze wyszkoleni. Przyglądał im się. Czuł się lepiej. Słońce było już wysoko i generał zabrał się do pracy.

Ból nie ustąpił i Dżago Antia nadal nie mógł spać. Czasem miał pewność, że śni swój sen, i był wdzięczny, że spada z taką prędkością, czuł zimno na twarzy, mrok, później jednak wyczuwał coś, maleńki rozżarzony czubek szpilki, który wirował i rósł i w końcu stawał się jaskrawym wirem, który gwałtownie przywracał go do stanu bezsenności. Nie miał na to żadnego sposobu: obojętnie, jak bardzo dawał sobie w kość, jak bardzo eksploatował swoje ciało, nie potrafił zobojętnić swojego umysłu na ból fantomowy, tak więc doskonalona latami dyscyplina stała się bezużyteczna. W końcu przezwyciężył zawstydzenie i – w największej tajemnicy – poprosił pułkownika wojskowego korpusu medycznego o lekarstwo. Otrzymał – wraz z zaintrygowanym spojrzeniem – buteleczkę pełną żółtych tabletek, której ucisk czuł przez cały dzień w kieszeni na piersi. Jednak nocą te tabletki również okazały się środkiem niewystarczającym na ostry ból, ten zaś wydawał się teraz Antii jakąś bestią, warczącym cicho zwierzęciem, które ukrywało się, dopóki prawie zupełnie nie znieruchomiał, po czym wypadało z ukrycia, by kąsać jego ciało lub raczej wspomnienie tego ciała. Nie chodziło o to, że generał przejmował się porażką, nauczył się bowiem godzić z porażkami, ofiarami i stratami, ale o to, że już raz poskromił to ciało, to właśnie on wykonał cięcie *kukri*, ból wrócił jednak i go zaskoczył. Czuł się osaczony i doprowadzało go to do szału, a ponadto nie mógł nic z tym zrobić, nie było na to rady. Cierpiała więc na tym praca generała, wyczuwał też zaskoczenie ludzi ze swojego otoczenia. Fakt, że nie byli zawiedzeni, ale pełni zrozumienia, zawstydzał go bardziej niż cokolwiek innego. Nieproszeni, przynosili mu herbatę, zauważył, że jego bliscy współpracownicy rozmawiają między sobą szeptem, jego kwatera główna działała – jeśli to w ogóle możliwe – jeszcze sprawniej niż poprzednio, wszystko aż lśniło. Teraz jednak był zmęczony i gdy patrzył na mapy, czuł, że uchwycenie przebiegu bitwy – nie faktów, które były ważne, ale przecież banalne, lecz zasadniczej idei oraz energii walki, przechodzenia inicjatywy z rąk do rąk, ciągłych zmian w tym chaosie – wymaga wysiłku. Pewnego popołudnia siedział w swoim gabinecie, ból i ciągły szmer utrzymywały się tuż poza obszarem jego zainteresowania, zacinający deszcz uderzał o szyby i błysk pioruna uświadomił mu nagle, że ma opuszczoną szczękę, że gapi się bez celu przez okno na zielone zbocze góry, że stał się jednym z tych dowódców, jakimi gardził, człowiekiem, który z uwagi na swoje stanowisko pozwalał sobie na nonszalancję. Wiedział, że wkrótce popełni taki błąd, który doprowadzi do śmierci paru jego chłopców, i to było nie do przyjęcia; bez wahania zadzwonił do pułkownika korpusu medycznego i poprosił o zwolnienie ze stanowiska ze względów zdrowotnych.

Jazda pociągiem z Kalkuty do Bombaju trwała dwa dni i przeciągły rytmiczny stukot kół, szczęk szyn nocą przynosił coś w rodzaju ulgi. Dźago Antia siedział przy oknie w przedziale pierwszej klasy i obserwował, jak zmienia się pejzaż, przywołujący nie wiedzieć czemu wspomnienia piątej klasy i lekcji o uprawach na wyżynie Dekan. Thapa wziął tygodniowy urlop, żeby pojechać do rodziny w Dardżylingu, i później miał dołączyć do niego w Bombaju. Dźago Antia przywykł do samotności, lecz zwolnienie z najpilniejszych zobowiązań wywołało gwałtowny napływ wspomnień. Te mimowolne obrazy z przeszłości irytowały go, gdyż to wszystko wydawało się takie bezcelowe. Starał się spożytkować czas, czytając czasopisma NATO, ale nawet intensywne skupienie nie skryło bólu pulsującego w rytmie stukoczących kół i generał zdał sobie sprawę, że wspomina popołudnie w szkole, gdy wybiegli z lekcji historii, aby obserwować, jak dwa myśliwce przelatują nisko nad miastem. Gdy pociąg wjechał na dworzec Bombay Central, Antia czuł, że jest nie tylko spocony i brudny, ale również pokryty oleistą warstewką wspomnień, i pomaszerował przez tłum ku postojowi taksówek, marząc o tym, by wziąć prysznic.

Dom stał na kwadratowej działce w pierwszorzędnej dzielnicy mieszkalnej w Kharze, otoczony nowymi, kosztownymi budowlami w różowo-zielonych barwach pieniędzy miejscowych nuworyszów. Sam jednak był w sporej części ciemnobrązowy, pobrudzony przez dziesięciolecia przez morskie powietrze i monsunowe deszcze, i stojąc w przedwieczornym słońcu wśród drzew i zaniedbanych krzewów, wydawał się skupiać na sobie jego światło. W trzech kondygnacjach budynku, w eleganckich łukach na balkonach oraz w rzędach zakrytych okiennicami okien było coś wspaniałego, zwartego i intensywnego niczym woń oleju do czyszczenia broni na starej strzelbie, i taksówkarz westchnął:

– Teraz już się tak nie buduje.

– Nie, w środku dmucha wiatr, a utrzymanie kosztuje majątek – odparł Dźago Antia szorstko, gdy wręczał mu pieniądze. To prawda. Amir Khan, administrator domu, machał powoli z werandy. Był bardzo stary, miał chudą szyję i siwą brodę, co nadawało mu wygląd czapli, i zanim zszedł do połowy schodów, Dźago Antia zdążył wyciągnąć bagaże z samochodu i przynieść je do domu. W środku, słysząc dyszącego za swoimi plecami administratora, przystanął, żeby oswoić wzrok z ciemnością, ale miał uczucie, jakby przeciskał się przez coś materialnego i zdradliwego, bardziej przejrzystego od mgły, ale równie natrętnego. Dom nadal wyglądał niemal tak, jak go zostawił przed wielu laty, wyjeżdżając na studia w Akademii. Były tam kanapy z epoki wiktoriańskiej pokryte drukowaną tkaniną w kwiaty, na ścianie portrety jego dziadków i stryjów w złotych ramach. Generał nagle zauważył, jak w nim cicho, jakby zniknęła ulica i miasto za oknem.

– Zaniosę te torby na piętro – stwierdził.

– Nie można – rzekł Amir Khan. – Od lat jest zamknięte. Są tylko meble zakryte prześcieradłami. Nawet pańscy rodzice spali w dawnym gabinecie. Przenieśli do niego łóżko.

Dźago Antia wzruszył ramionami. Zresztą na parterze było wygodniej.

– Nie szkodzi. Przyjechałem tylko na kilka dni. Mam tutaj trochę do zrobienia. Zobaczę się również z Tariwalą.

– W jakiej sprawie?

– Chcę sprzedać ten dom.

– Chce pan sprzedać dom?

– Tak.

Amir Khan poczłapał do kuchni i Dźago Antia słyszał, jak stuka filiżankami i spodkami. Nie miał zamiaru korzystać z domu i nie widział żadnej innej możliwości. Jego rodzice nie żyli, odeszli jedno po drugim w ciągu roku. Był synem na odległość, spotykał się z nimi na urlopach w Delhi i Lakhnau podczas ich wakacji. Ilekroć się spotykali, daleko od Bombaju, zawsze widział w ich oczach dawne rozczarowanie i znużenie. Teraz to się skończyło i nie chciał już więcej myśleć o domu.

– Dobrze, niech pan sprzeda dom. – Amir Khan wrócił z filiżanką herbaty. – Niech pan go sprzeda.

– Sprzedam.

– Niech pan sprzeda.

Generał zauważył, że Khanowi trzęsą się ręce, i nagle przypomniał sobie popołudnie w ogrodzie, gdy kazał administratorowi rzucać piłki na lewą stronę, i swoje próby eleganckich ścięć oraz widoczne przez palmy słońce wysoko nad głową.

– Zrobimy coś dla ciebie – powiedział. – Nie martw się.
– Niech pan go sprzeda – odparł Amir Khan. – Mam go dosyć.

Dżago Antia próbował śnić o spadaniu, ale ból go nie opuścił, a poza tym zacinający deszcz głośno i nieustannie uderzał w szyby. Zaczął padać z nadejściem nocy i teraz białe światło błyskawicy mocno uwydatniło sprzęty w pokoju. Generał myślał o Akademii, o tym, jak w dwa tygodnie po przybyciu nazwano go Dżago. Jego współlokator zastał go w sobotę o piątej rano robiącego pompki na żwirze przed budynkiem i przecierając oczy, powiedział: „Widzę, że jesteś entuzjastą". Nigdy się nie dowiedział, skąd wziął się przydomek Dżago, ale po dwóch tygodniach nikt z wyjątkiem rodziców nie nazywał go już Dżehangirem. Kiedy zdobył złoty medal dla najlepszego kadeta, nawet generał brygady, który był komendantem Akademii, powiedział na trybunie: „Dobrze się spisałeś, Dżago". Wcześnie wyznaczono go do awansu i nigdy nie zawiódł pokładanych w nim nadziei. Myślał teraz o tym, a wiatr łopotał zasłonami i gdy Dżago po raz pierwszy usłyszał w oddali ten głos, sądził, że to złudzenie akustyczne, potem jednak znów go usłyszał. Głos był stłumiony odległością i deszczem, ale wyraźnie słyszalny. Generał nie mógł zrozumieć słów. Natychmiast oprzytomniał i przypiął protezę. Chociaż przypuszczał, że to Amir Khan mówiący do siebie, machający ścierką do kurzu w urojonym świetle jakiegoś dawno minionego dnia, poruszał się ostrożnie, z plecami przy ścianie. Na końcu korytarza zatrzymał się i znowu go usłyszał – cicho, lecz wyraźnie, nad sobą. Odnalazł schody i ruszył do góry, z napiętymi mięśniami ud, w półprzysiadzie. Teraz był naprawdę czujny, głos bowiem brzmiał zbyt młodo, by należeć do administratora. Na pierwszym podeście, w pobliżu otwartych drzwi, generał wyczuł gwałtowny ruch na balkonie okalającym dom; poruszając się po omacku, podszedł do narożnika. W ciemnościach wszystko jawiło się pod postacią cieni, czerni i jeszcze głębszej czerni. Rzucił spojrzeniem za róg ściany i upewnił się, że balkon jest pusty. Z plecami przy ścianie przesunął się dalej. Wtedy znowu usłyszał odgłos jakiegoś ruchu, nie wyraźne kroki, ale szmer stóp na ziemi, jednej za drugą. Zastygł w bezruchu. Cokolwiek to było, szło w jego stronę. W ciemności wytężał wzrok aż do bólu, ale nic nie widział. Później biały błysk pioruna przesunął się po trawniku, rzucając ostry cień filigranowej żelaznej balustrady najpierw na ścianę, a potem na jego brzuch, i w przeciągłym świetle Antia ujrzał na podłodze wyraźnie zarysowany kształt butów, jednego za drugim, plamy wody odznaczały się czernią. Na jego oczach na kafelku podłogi pojawił się kolejny ślad stopy, a potem jeszcze jeden, bliżej niego. Zanim znowu zrobiło się ciemno, generał był już w połowie schodów. Zatrzymał się, słyszał teraz tylko bicie własnego serca. Zmusił się do tego, by stanąć prosto, rozejrzeć się uważnie w poszukiwaniu martwego pola i linii ostrzału. Dawno temu nauczył się, że profesjonalizm to znacznie lepszy sposób na pokonanie strachu niż samokrytyka oraz zawstydzenie, i teraz odniósł to do problemu. Jedynym możliwym wnioskiem było to, że doznał złudzenia optycznego, zdołał więc znowu, spokojnie i z gracją ruszyć po schodach na górę. Lecz na podeście powiew powietrza omiótł mu kostkę niczym strumień chłodnego płynu i Dźago Antia zadrżał. Przenikliwy chłód rozlał się po jego udach i dosięgnął krocza tak nagle, że generał przez chwilę szczękał zębami. Potem zagryzł dolną wargę, lecz mimo swoich wysiłków, po jednym ledwie kroku znowu przystanął. Było tak zimno, że aż bolały go palce. Oczy mu zwilgotniały i nagle mrok zapełnił się cieniami. Ponownie usłyszał ten głos, odległy, smutny i cichy. Opadł z jękiem na poręcz i zsunął się po schodach, na sam dół, stukając protezą o ich stopnie. Przez całą noc ponawiał próby i raz dotarł na środek podestu, lecz strach pozbawił go władzy w nogach, tak że musiał zejść na dół na czworakach. O świcie siedział wstrząśnięty i słaby na pierwszym stopniu schodów, obejmując ramieniem gruby, okrągły, podnoszący na duchu słupek.

W końcu to szok w oczach Thapy wydobył generała z otępienia, w które popadł. Od trzech dni chodził, nieogolony i nieumyty, u stóp schodów, obserwując, jak światło kreśli złote kształty w powietrzu. Teraz Thapa wszedł przez drzwi od frontu i właśnie jego zwiotczała twarz oraz to, że zapomniał go pozdrowić, uświadomiły Dźago Antii, jak bardzo jest zmieniony, jak szokująco wygląda.

– W porządku – rzekł. – Nic mi nie jest.

Thapa nadal trzymał torbę w prawej dłoni i parasol w lewej i nic nie powiedział. Wówczas generał przypomniał sobie historię, która była częścią jego własnej legendy: kiedyś doprowadził do łez jednego porucznika z powodu plamy po herbacie na koszuli. Historia była zupełnie prawdziwa.

– Przebierz się i zamknij usta – polecił.

Woda pod prysznicem, bębniąc o głowę Dźago Antii, rozjaśniła mu umysł. Zrozumiał niedorzeczność tego, co działo się przez trzy dni, i był pewien, że to skutek wyczerpania. Niczego tam nie było, a najważniejsze to dostać się do szpitala, a potem sprzedać dom. Śniadanie zjadł z ochotą i poczuł się niemal wypoczęty. Wtedy do pokoju wszedł Amir Khan ze szklanką mleka na tacy. Przez trzy dni przynosił mleko zamiast herbaty, a teraz, gdy Dźago Antia kazał mu zabrać je z powrotem do kuchni, powiedział:

– Baba, musisz to wypić. Tak powiedziała Mamusia. Wiesz, że nie wolno ci pić herbaty. – I wyszedł, powłócząc nogami, przemierzając wskrzeszoną nagle epokę, gdy Dźehangir Antia, w samych majtkach, zwinnie i pewnie stąpał na opalonych nogach. Przez chwilę generał czuł, że czas przemyka obok niego niczym mroczna fala, później jednak otrząsnął się z tego uczucia i wstał.

– Zadzwoń po taksówkę – polecił.

Lekarze w Jaslok Hospital byli szorstcy i pewni siebie w swoim grzebaniu i poszturchiwaniu, a szum aparatury medycznej go uspokajał. Lecz Tariwala, siedzący w swoim niechlujnym gabinecie, rzekł otwarcie:

– Sprzedać ten dom? Nie, niemożliwe. W nim coś jest.

– Och, nie bądź niedorzeczny – odparł porywczo Dźago Antia. – To absurd.

Tariwala, bezzębny starzec w okrągłej czarnej mycce osadzonej równo pośrodku głowy, spojrzał na niego przenikliwie.

– A, więc ty też o tym słyszałeś.

– Niczego, do cholery, nie słyszałem – odparł Dźago Antia. – Bądź rozsądny.

– Ty sobie możesz być racjonalistą – stwierdził Tariwala – ale to ja sprzedaję domy w Bombaju. – Głośno popijał herbatę z poszczerbionej filiżanki. – W tym domu coś jest.

Gdy taksówka wjechała przez bramę, Thapa stał na ulicy i rozmawiał ze sprzedawcą warzyw i dwoma innymi mężczyznami. Kiedy Dźago Antia ściągał buty w pokoju dziennym, ordynans wrócił do domu i wszedł do kuchni. Zjawił się po kilku minutach ze szklanką wody.

– Jutro znajdę mojego kuzyna w banku przy Nariman Point – powiedział. – I ściągniemy kogoś do tego domu. Nie powinniśmy tu spać.

– Co to znaczy „kogoś"?

– Kogoś, kto potrafi tu zrobić porządek. – Okrągła twarz Thapy była surowa, wokół skroni widniały na niej białe półksiężyce. – Kogoś, kto wie.

– Co konkretnie wie? O czym ty mówisz?

Thapa skinął głową w kierunku bramy.

– Nikt na tej ulicy nie chce się zbliżać do tego miejsca po zmroku. Wszyscy wiedzą. Mówili mi, żebym tu nie nocował.

– Nonsens.

– Nie możemy z tym walczyć, *saab* – rzekł Thapa. Po chwili dodał: – Nawet ty nie możesz.

Dźago Antia stanął wyprostowany.

– Dzisiaj będę spokojnie spał. Ty też. I dość już tych bzdur.

Pomaszerował do gabinetu i położył się na łóżku, stopniowo rozluźniając ciało, a pod powierzchnią skupienia czuł w nodze pulsujący w równym rytmie ból. Noc nadeszła i minęła. W końcu pomyślał, że nic się nie wydarzyło, a za oknem zrobiło się szaro, ale wtedy znowu usłyszał to nieustanne wołanie. Odetchnął głęboko i wszedł do salonu. Thapa stał przy drzwiach, z ciałem odchylonym od schodów. Dźago Antia zrobił dwa kroki do przodu.

– Chodź – powiedział.

Szmer jego głosu rozległ się w pokoju i obaj drgnęli. Generał dostrzegł ściągniętą przerażeniem, pobladłą twarz Thapy i, tak jak robił tylekroć wcześniej, sam dał przykład. Poczuł, jak nogi niosą go daleko ku schodom, i nie obejrzał się za siebie, by sprawdzić, czy ordynans podąża za nim. Wiedział, że duma i zawstydzenie, które niosły go po schodach, poniosą i Thapę: dopóki przeglądali się wzajemnie w swoich oczach, jeden nie sprawiłby zawodu drugiemu. Antia wypróbował tę zasadę w ogniu karabinów maszynowych i okazała się słuszna. Wchodzili więc teraz, ordynans z boku, trochę cofnięty, po schodach. Tym razem Antia dotarł na podest i był w stanie pomaszerować dalej, na balkon. Posuwał się, posuwał się naprzód. Wtedy jednak zza rogu ściany dobiegł ów głos i generał znieruchomiał, czując burzącą się w żyłach krew. Zdumiało go to, jak dokładnie można było ten głos umiejscowić na balkonie. Mógł zrobić to w każdej chwili. Nie było to złudzenie akustyczne wywołane przez wiatr, halucynacja. Thapa nadal stał pod ścianą, z dłońmi na jej powierzchni, wydymając i ściągając usta, spoglądając dokładnie tam, gdzie znajdował się Dźago Antia. Głos się zbliżył i teraz generał słyszał, co mówi:

– Dokąd mam iść?

To pytanie zabrzmiało płaczliwie, niczym rozdzierająca czkawka, tak blisko, że Antia usłyszał, jak wstrząsa drobną postacią, która je zadała. Poczuł w krtani jakiś dźwięk, jęk, coś na kształt bólu, współczucia. Potem wyczuł, że ta istota zatrzymała się, i chociaż nic nie widział, miał wrażenie, że naciera na niego, wpierw z wahaniem, potem szybciej i znowu pyta: „Dokąd mam iść, dokąd?". Cofnął się szybko, potykając się, poczuł mocno na udach poręcz balkonu, po czym zaczął spadać.

Poniżej rozpościerała się mroczna otchłań nocy. Wypadli głową w dół z kadłuba samolotu w chłodną czeluść na wysokości tysiąca stóp i Dźago Antia rozkoszował się tym skokiem w rzeczywistość. Ćwiczyli wystarczająco długo i teraz nie odwrócił głowy, by sprawdzić, czy trzymają się blisko siebie, ponieważ znał swoich ludzi i ich umiejętności. Spadochron wystrzelił z łopotem. Szarpnęło nim, po czym leciał w przestworzach z nogami przyjemnie podtrzymywanymi przez uprząż. Jedynym elementem krajobrazu, który widział, był srebrzysty łuk rzeki daleko w dole, a następnie dość nagle ukazało się mnóstwo ciemnych drzew oraz pas pól. W mieście Śrihat nie było świateł, ale Antia wiedział, że jest tam, na wschodzie, znał też stacjonujących w Śrihacie broniących go przed nim żołnierzy i wyraźnie dostrzegł trudność zadania oraz ruchy wojsk w terenie poniżej*).

Potem poturlał się po ziemi i odpiął spadochron. Wokół panował kontrolowany zamęt nocnego zrzutu, z którego błyskawicznie uformował się jego batalion. Zebrał grupę dowodzenia i parę minut później pędzili w stronę swoich pierwszych celów. Teraz pocił się obficie, ciężki pistolet kołysał się u pasa. Czuł zapach nasion kardamonu, które żuł jego radiotelegrafista. Gdy tylko niebo poszarzało na wschodzie, ostry rozdzierający terkot erkaemów spłoszył ptaki z drzew. *Delta Brawo nawiązałem kontakt, odbiór.* Gdy Dźago Antia przycisnął kciukiem guzik słuchawki, radiotelegrafista, zarumieniony o brzasku dziewiętnastolatek, uśmiechnął się do niego. *Delta Brawo, przeszkody w sile jednego plutonu, wkraczam do akcji.* Kompania Alfa nawiązała walkę.

Z nadejściem dnia wkroczyli do płonącego miasta. Budynki były rozrywane wybuchami rakiet przelatujących nisko nad ulicami z odbijającym się od murów świstem. Teraz hałas rozbrzmiewał gromkim echem i trudno było poznać, skąd dochodzi, ale Dźago Antia nadal widział, jak to wszystko układa-

* Nawiązanie do wojny z roku 1971. Konflikt rozpoczął się od rewolty w Pakistanie Wschodnim przeciw dominacji Pakistanu Zachodniego. Powstanie wsparły Indie, co doprowadziło do otwartej wojny między Indiami a Pakistanem Zachodnim. Teatrem działań wojennych był Pakistan Wschodni. Miasto Śrihat (ang. Sylhet, bengalska wymowa: Śrihotto), które wspomina tutaj generał Antia, znajdowało się właśnie na tym obszarze. Konflikt zakończył się klęską Pakistanu Zachodniego, w wyniku czego Pakistan Wschodni ogłosił niepodległość jako Bangladesz.

da się na jego mapie, tu i ówdzie upstrzonej czarnymi plamami potu i pyłu oraz tynkiem odłupanym od murów przez kule. Zachowywał teraz lodowaty spokój, jego umysł nad wszystkim panował i gdy podekscytowany kapitan składał mu raport, słuchał w milczeniu. Niedaleko rozległ się głuchy huk granatu i kapitan wzdrygnął się, po czym zapłonął rumieńcem, widząc, że Dźago Antia jest tak opanowany, jakby spacerował po polu golfowym w Wellington, a nie ulicą błyszczącą od szkła, jego tysięcy ostrych jak brzytwa kawałków, nie, on był refleksyjny i spokojny. Kapitan wrócił więc do swoich chłopców z odrobiną leniwej czujności swojego dowódcy w chodzie, wyzbył się nerwowości i uśmiechnął do nich, a oni skinęli głowami i przykucnęli za popękanymi murami, licząc na siebie nawzajem i na Dźago Antię.

Teraz nad miastem rozbrzmiewał huk dział, a w pozostałościach warsztatu krawieckiego słychać było afektowany głos korespondenta BBC: „Oddziały indyjskiej brygady spadochronowej znajdują się ponoć na peryferiach Śrihatu. Żołnierze pakistańscy okopali się w..." – Dźago Antia patrzył na obłe kształty radia na krawieckiej półce, na dziwne białe pokrętła i tarczę sprzed dziesięcioleci, na ciemnobrązowe drewno i dreszcz przeniknął go na wskroś, szmer czegoś tak maleńkiego, że nie potrafił tego nazwać; mimo to zdekoncentrował go on i przeniósł z cielesnej powłoki i tego pokoju z fałdami sukna gdzie indziej, migotliwy obraz jakiegoś pomieszczenia, zasłon poruszających się w porywistym wietrze, uczucie zamętu, potrząsnął głową i przełknął ślinę. Przekręcił gałkę grzbietem dłoni, tak że głos urwał się z trzaskiem. Na zewnątrz poczuł, że walka zbliża się do krytycznego punktu, ostre smagnięcia karabinków automatycznych, grzechot pistoletów maszynowych i mocniejszy ogień Pakistańczyków, wznoszące się i opadające niczym fale, ale coraz głośniejsze, przypuszczalnie był to decydujący moment. Nauczył się czekać, co było najtrudniejsze w dowodzeniu; teraz raporty przychodziły szybko i Antia czuł, że natężenie walki osiąga apogeum; miał w rezerwie sześćdziesięciu ludzi i już wiedział, gdzie ich użyje. Pobiegli ulicą na wschód i przystanęli na jej pokrytym pyłem rogu (w pobliżu słychać było niesłabnący ryk erkaemu), a radiotelegrafista Dźang wskazał na dom na końcu ulicy, biały trzykondygnacyjny budynek z ozdobnymi pnączami na betonowej, teraz wyszczerbionej i podziurawionej fasadzie. „Wystarczająco wysoki" – rzekł Dźago Antia; potrzebował punktu obserwacyjnego, żeby widzieć miasto. Ruszył pewnie na drugą stronę ulicy i wtedy zniknęły wszystkie dźwięki na ziemi, pozostawiając po sobie niczym niezmąconą ciszę, nie pamiętał, jak nim rzuciło, ale teraz spadał w powietrzu, wyraźnie poczuł zderzenie z ziemią, ale znowu nie było żadnego odgłosu.

Po jakimś czasie, gdy go podnoszono, zobaczył nad sobą żołnierzy o wargach poruszających się łagodnie, choć ich twarze były wykrzywione z emocji, wydawali się pochyleni i przygięci sferycznym niebem. Kilka razy zamykał i otwierał oczy, szukając połączeń, które wydawały się przerwane. Wnieśli go do jakiegoś domu. Potem powoli odzyskiwał słuch, a zarazem zaczął odczuwać ból. Uszy bolały go mocno, ten ból sięgał głęboko tam, gdzie nigdy wcześniej go nie czuł. Ale usilnie próbował i wreszcie zdołał znaleźć, w sobie, pewną część swojego ja, poruszył się gwałtownie i go przytrzymali. Szczęka mu opadła i zapytał: „Co?".

Powiedzieli mu, że wszedł na minę. Teraz zmagał się z tym, myślał, czuł, jak wracają mu siły, zdołał „odnaleźć" ręce, wsparł się na nich i usiadł. Obdarzony zabójczym wąsem pielęgniarz próbował go pchnąć na łóżko, ale Dźago Antia odtrącił jego ręce i odetchnął głęboko. Po czym ujrzał swoją nogę. Poniżej prawego kolana ciało miał białe i oddzielone od kości. Poniżej kostki znajdowała się bezkształtna miazga i pielęgniarz szukał tętnicy, ale na oczach Antii czarna krew ściekała na podłogę. Na zewnątrz słychać było nieustającą strzelaninę. Patrząc na swoją nogę, uświadomił sobie, że nie wie już, gdzie są jego chłopcy. W głowie miał zamęt i szum i przez chwilę czuł się zagubiony.

– Utnij ją – powiedział. – Utnij.

– Ale... ale ja nie mam czym – odparł pielęgniarz, trzymając bezużyteczne bandaże, i Dźago Antia poczuł, że głowa płynie mu na bezkresnej martwej fali bólu; ból uniósł go daleko i Antia stracił wzrok, ból pozbawił go tchu, i Antia nie wiedział, co począć.

– Nie ma czasu. Utnij ją teraz – rozkazał, ale pielęgniarz dalej przykładał do rany bandaże. – Ty to zrób. Szybko – rzekł do Dźanga. – Wszyscy gapili się na niego i Antia zrozumiał, że nie zdoła ich do tego skłonić. – Daj mi swój *kukri* – dodał. Chłopak zawahał się, potem jednak ostrze noża wysunęło się z pochwy ze świstem, który Dźago Antia dosłyszał mimo nieustannego huku za oknem. Uspokoił się, chwycił nóż oburącz i na chwilę zamknął oczy. W uszach miał niesamowity szum morza, w jego krtani wzbierał szloch, Antia otworzył oczy i zdławił go, szarpnął ramionami, wznosząc *kukri* nad głowę, na przekór ciemności i wściekłemu żalowi, a potem uderzył nożem w nogę poniżej kolana. Zaskoczył go chrzęst kości. Przeciął ją za czwartym uderzeniem. Każde kolejne przychodziło mu łatwiej.

– No – powiedział, a pielęgniarz zatamował krew. Dźago Antia machnięciem ręki odmówił przyjęcia zastrzyku z morfiny i zobaczył, że radiotelegrafista płacze. Przez radio mówił spokojnym głosem. Przyjął meldunki, po czym posłał do walki odwody. Usłyszeli jego głos w całym Śrihacie. – A teraz – rzekł – dokończcie dzieła.

Pokój, w którym się obudził, miał popękany biały sufit. Długo nie wiedział, gdzie się znajduje: w Śrihacie (czuł ból pod prawym kolanem), w domu rodzinnym po upadku z balkonu czy w jakimś innym, nieznanym pokoju – wszystko wydawało się rzucone przed jego oczy bez ładu i składu, chwilami zapominał o upływie czasu i przyłapywał się na tym, że rozmawia z Amirem Khanem o krykiecie, po czym nagle był wieczór. W końcu zdołał usiąść w łóżku i jakiś lekarz zaczął koło niego skakać: nie było obrażeń, ziemia była miękka od deszczu, dzięki spadochroniarskim odruchom obrócił się w powietrzu i potoczył po ziemi, lecz był poobijany, nie można też było wykluczyć wstrząśnienia mózgu. Miał zostać w łóżku i odpoczywać. Gdy lekarz wyszedł, Thapa wniósł talerz z ryżem i *dalem* i stanął u stóp łóżka z założonymi z tyłu rękami.

– Dziś wieczorem porozmawiam z kuzynem.

Dźago Antia skinął głową. Nie było o czym mówić. Kiedy jednak dwa dni później przyszedł egzorcysta, nie był to śliniący się plemienny czarownik, lecz dyrektor sprzedaży z dużej firmy elektronicznej. Bez pośpiechu, ale i bez zwłoki położył swoją teczkę, zdjął czarne spodnie, białą koszulę i niebieski krawat i wykąpał się pod kranem pośrodku ogrodu. Następnie włożył białą *dhoti* i pomazał sobie czoło białym proszkiem, a tymczasem Thapa przygotowywał *thali* z niewielkimi kupkami ryżu oraz rozmaitymi rodzajami kolorowej pasty i małą *diję* z knotem pływającym w oleju[*]. Potem mężczyzna wziął od niego *thali* i powoli wszedł do domu. Gdy się zbliżał, Dźago Antia spostrzegł, że ma pięćdziesiątkę na karku, że jest krępy, że nie jest ani brzydki, ani przystojny.

---

* Rolę egzorcysty w indyjskim hinduizmie może odgrywać albo członek stanu kapłańskiego (*bramin*), albo plemienny znachor. Przed uczestnictwem w jakimkolwiek rytuale *bramin* winien dokonać rytualnej ablucji. Od osoby wykonującej rytuał wymaga się zazwyczaj, by nosiła tradycyjny strój, m. in. *dhoti*. *Dija* to gliniana lampka, a *thali* – taca. Przedmioty te używane są powszechnie w różnych hinduskich rytuałach. Ryż jest jedną z rzeczy składanych w hinduskiej ofierze, również tej dla duchów.

– Nazywam się Thaker – powiedział, zanim siadł po turecku na środku pokoju dziennego, na wprost schodów i zapalił lampkę. Był już wieczór i maleńki płomień migotał w ogromnej ciemności pokoju.

Gdy Thaker zaczął monotonnie śpiewać i garściami rozrzucać ryż z *thali* po pokoju, Dźago Antia na powrót poczuł dawne rozdrażnienie i był rozgoryczony tym, że pozwolił na to narastające wokół szaleństwo. Wyszedł do ogrodu i stał tam, a trawa ocierała się z szelestem o jego spodnie. Na horyzoncie rozciągał się ogromny wał chmur, masa ciemnych głów usypanych w wysokie na tysiące stóp sterty i na jego oczach bezgłośnie zamigotała srebrzysta strzała błyskawicy, a potem jeszcze jedna. Plecy zaczęły go lekko boleć i powoli pokręcił głową, przytłoczony pewnością, że już nic nie wie. Odwrócił się, spojrzał ze ścieżki do domu i w półmroku zobaczył maleńki błysk zapalonej przez Thakera *dii.* Kiedy tak patrzył, egzorcysta uniósł *thali* i ruszył powoli w stronę schodów, w strefę cienia, tak że w końcu wydawało się, że płomień sam unosi się nad schodami. Wtedy Thapa wyszedł z domu i razem stali w ogrodzie; morska bryza wyraźnie zwiastowała deszcz. Czekali, aż zapadła noc, i czasem słyszeli śpiewne recytacje Thakera, jego podniesiony wysoko głos, a potem, bardzo słaby, ten drugi głos niesiony porywami wiatru. W końcu – Dźago Antia nie wiedział, o której godzinie – Thaker zszedł po schodach, niosąc *thali. Dija* była jednak zgaszona. Wyszli mu na spotkanie na patio, pod bladym światłem jednej żarówki.

– To jest bardzo silne – powiedział.

– Co to takiego? – zapytał gniewnie Dźago Antia.

Thaker wzruszył ramionami.

– To nie do usunięcia. – Twarz miał bladą i wymizerowaną. – To dziecko. Szuka czegoś. Coś potwornego. O wielkiej mocy.

– Cóż, niech pan je usunie.

– Nie mogę. Nikt nie potrafi usunąć dziecka.

Dźago Antia poczuł nagły przypływ panicznego strachu, wywołującego wrażenie stałego ucisku w piersiach.

– Co możemy zrobić? – zapytał Thapa.

Thaker minął Antię i Thapę, zszedł po schodach, a następnie odwrócił się i spojrzał na nich.

– Czy wiecie, kto to jest? – Dźago Antia milczał z mocno zaciśniętymi ustami, żeby powstrzymać ich drżenie. – Jest tak potężne, ponieważ jest dzieckiem, ponieważ jest bezradne i ponieważ jest samo. Pomóc może mu tylko ktoś, kto je zna i kto jest jego krewnym. Taki człowiek musi tam pójść sam, nago. Pamiętajcie, sam i nago, i musi zapytać, czego ono szuka. – Thaker powoli starł biały proszek z czoła, odwrócił się i odszedł. Teraz mżyło, z nieba uporczywie spadały drobne krople.

– Musicie iść – zawołał Thaker z ciemności. Potem zapadła chwila ciszy, w której Dźago Antia usłyszał gdzieś odgłos rwącej wody. – Pomóżcie mu.

U stóp schodów generał poczuł swoją samotność pod postacią gorzkiego odoru. Thapa obserwował go z progu, już oddalony, i wydawało się, że na świecie zostały jedynie widoczne z przodu cienie, skrzypienie konstrukcji starego domu, szum wiatru na balkonach. Gdy Antia wchodził powoli po schodach, rozpinając koszulę, krew pulsowała mu w skroniach, każde tętno niczym eksplozja, już nie ze strachu, ale z czegoś w rodzaju niecierpliwego wyczekiwania, teraz bowiem wiedział, kto to jest, kto na niego czeka. Na podeście zrzucił buty, rozpiął pasek i szepnął:

– Czego ty możesz ode mnie chcieć? Ja też byłem dzieckiem.

Szedł powoli balkonem, deszcz smagał jego ramiona i spływał mu po plecach. Doszedł do końca balkonu, do drzwi z szybami z fazowanego szkła, zerknął przez nie i zdołał niewyraźnie dojrzeć ozdobne łuki matczynej toaletki, olbrzymie lustro, a dalej łóżko zakryte teraz prześcieradłami; stał, przyciskając twarz do chłodnej szyby. Zamknął oczy. Gdzieś głęboko sączyło się trujące wspomnienie, czuł je w żołądku niczym strumień, matka patrzyła na niego w jakimś otępieniu, zamglonym wzrokiem. Była bardzo piękną kobietą i teraz, jak zawsze, siedziała przed lustrem, lecz włosy miała w nieładzie, a na sobie białe sari. On siedział na brzegu łóżka, z wyprostowanymi nogami, spoglądał na swoje czarne buty i białe skarpetki i starał się pozostać w bezruchu, bo nie wiedział, co się wydarzy. Był wystrojony, a w domu znajdowało się pełno ludzi, ale słychać było jedynie gołębie na balkonie. Bał się poruszyć i po pewnym czasie zaczął liczyć swoje wdechy i wydechy. Wtedy do pokoju wszedł jego ojciec, stanął obok matki, położył dłoń na jej ramieniu i patrzyli na siebie długo. Dźago chciał powiedzieć, że wyglądają jak na fotografii stojącej na kominku, tyle że są starsi i w bieli, ale wiedział, że nie może, więc nadal się nie ruszał i czekał. Później ojciec powiedział do matki: „Chodź" i wstali, a on poszedł kawałek za nimi. Matka wspierała się na ramieniu męża i na oczach wszystkich zeszli po schodach. U dołu Dźago zobaczył swoich stryjów i ciotki oraz innych ludzi, których nie znał. Pośrodku pokoju stała kanapa i leżał na niej jego brat Sohrab, spowity w białe prześcieradło[*]. Koło jego głowy paliło się coś w rodzaju lampy naftowej z knotem, a jakiś mężczyzna szeptał mu do ucha słowa modlitwy. W powietrzu unosił się zapach drewna sandałowego. I wtedy jego matka powiedziała: „Soli, Soli", a ojciec odwrócił twarz; przez pokój przeszło westchnienie i Dźago zobaczył, że wiele osób płacze. Tak właśnie zawsze nazywali Sohraba, Soli, i tak właśnie Dźehangir zawsze o nim myślał. Matka klęczała obok syna, ojciec też, i Dźehangir był sam, i nie wiedział, co robić, ale stał wyprostowany z rękami po bokach. Dwaj mężczyźni wystąpili naprzód i zakryli Soliemu twarz, a potem inni ludzie dźwignęli go i wynieśli przez drzwi, i Dźehangir przez długi czas widział, jak idą przez ogród w stronę bramy. Matka siedziała na kanapie ze swoimi siostrami, i po chwili Dźehangir odwrócił się, i poszedł po schodach na górę. Nie było tam nikogo i chodził po pokojach i balkonie, po jakimś czasie pomyślał, że czeka, aż coś się wydarzy, ale nic się nie wydarzyło.

Czoło Dźago Antii zadrżało na szybie, odwrócił się teraz i przeszedł biegnącym wokół domu korytarzem, przez ciemność i niespodziewane światło, obok pokoju zabaw, a następnie gabinetu ojca, i czuł wtedy, że ono kroczy obok niego, przed nim, wokół niego. Usłyszał ten głos zadający pytanie, ale jego rozpaczliwe własne pytanie uwięzło chyba w gardle i zostało z niego tylko coś w rodzaju gniewnego szlochu. Ono weszło do pokoju, który kiedyś należał do niego i Soliego, a Dźehangir zatrzymał się w drzwiach z drżeniem w piersi, patrząc na podłogę, na której mocowali się ze sobą, na biurko między łóżkami, na którym układali swoje książki i zabawki. Drzwi otworzyły się ze skrzypnięciem pod naporem jego dłoni i usiadł na tym łóżku, pośrodku, jak dawniej, i przypomniał sobie, jak słuchali Binaki Geet Mali w radiu, Soli bardzo lubił swoje radio i Binacę Geet Malę[**]. Leżał na łóżku w czerwonej piżamie i słychać było tę piosenkę: *Mene śajad tumhę pehle bhi kahi dekha he*[***], a Soli wtórował. Dźehangirowi nie wolno było dotykać radia, ale czasami, gdy Soli wyjeżdżał, bawił się gałkami, a raz włączył je i usłyszał szum oraz głos gdzieś daleko mówiący gniewnie w niezrozumiałym dlań języku, przestraszył

---

* Biel jest w Indiach kolorem żałobnym. Zmarłych owija się w biały całun.

** Binaca Geet Mala (czyt. Binaka Git Mala) była jednym z najpopularniejszych programów muzycznych w Indiach, nadawanym w latach 1952-1994. Była to pierwsza w tym kraju audycja prezentująca listę najpopularniejszych piosenek filmowych.

*** „Ja Cię już chyba gdzieś wcześniej widziałem" (ang. zapis *Maine shayad tumhe pahle bhi kahin dekha hai*). Tytuł i słowa piosenki z filmu *Barsaat ki Raat* (czyt. Barsat ki Rat, *Deszczowa noc*), z 1960 r.

się i uciekł. Soli zastał radio włączone i wtedy doszło do bójki. Dźehangir przegrał, ale Soli zawsze wygrywał, nawet z innymi chłopakami z ulicy, był nieustraszony i przeskakiwał przez mury, przewodził im wszystkim, a w grze w krykieta zawsze był kapitanem drużyny, i czasem wieczorami ojciec, wciąż w stroju adwokata, przyglądał się ich meczom w ogrodzie i twierdził, że Soli gra w pięknym stylu. Kiedy powiedział to po raz pierwszy, Dźehangir uniósł głowę i zamrugał powiekami, zrozumiał bowiem od razu, co ojciec ma na myśli, i czasem powtarzał to sobie pod nosem: „W pięknym stylu, w pięknym stylu". Teraz Soli uniósł się w łóżku, wsparty na łokciu, a Amir Khan wniósł na tacy dwie szklanki z mlekiem, potem zaś weszła matka i jak zwykle usiadła na łóżku Soliego, i dziś wieczorem trzymała w dłoni „The Illustrated Weekly of India", rozłożony na stronie z dużym zdjęciem jakiegoś mężczyzny z wąsami oraz kijem do krykieta, i rzekła: „Spójrzcie na niego, on był Księciem". W ten sposób opowiedziała im o Randźicie Sinhu-dźi, który naprawdę był księciem, który pojechał do Anglii, gdzie nazywali go czarnuchem i asfaltem, ale on im pokazał, był najwspanialszym pałkarzem, niczym tancerz ruchami nadgarstka posyłał ich odbite od trawy piłki za linię boiska, prowadził samochód z nieskazitelną elegancją, miał dobre maniery i zbywał zniewagi milczeniem, i pokazał im wszystkim, że jest najlepszy z nich, że jest Księciem, że jest cudowny. Gdy matka wyszła, Soli umieścił tygodnik w swojej szufladzie i potem Dźehangir był świadkiem, jak go wyciąga i patrzy na fotografię. Czasem pozwalał bratu popatrzeć i Dźehangir spoglądał na pociągłą twarz i dumę widoczną w postawie oraz w zamglonym spojrzeniu ciemnych oczu, i sam też odczuwał przypływ dumy, a Soli kładł swą żylastą dłoń na jego ramieniu i obaj mówili razem: „Randźit Sinh-dźi, Randźi".

Tamtego lata drzemali pewnego niedzielnego upalnego popołudnia, gdy nagle do pokoju wszedł Burdźor Mama i zrzucił obu z łóżek, rycząc: „Co to za para zniewieściałych śpiochów", a oni śmiali się zachwyceni, ponieważ był ich ulubionym wujkiem. Wiedzieli, że jego przybycie oznacza co najmniej dwa tygodnie niespodziewanych przyjemności, wypadów na plażę w Dźuhu, wycieczek żaglówką, filmów, spektakli oraz smażonych na skwierczącym oleju zabronionych potraw z ulicznych kramów. Przyszła matka i przytuliła go mocno; jej łzy wzbudziły w nich zażenowanie. Burdźor był jej jedynym młodszym bratem, tym droższym jej z uwagi na żołnierską profesję, wykrzykiwała teraz, że jest spalony słońcem, „Co oni teraz z tobą wyprawiają", a on miał naprawdę ciemną skórę, lecz Dźehangirowi podobała się jego ogromna niewyczerpana energia oraz ostre końce podkręconych wąsów. Ledwie przystanąwszy, żeby cisnąć swoją podręczną torbę i walizkę na podłogę, zgromadził całą rodzinę łącznie z Amirem Khanem i porwał ich na przejażdżkę samochodem; jadąc, pogwizdywał za kierownicą. W drodze powrotnej Dźehangir, ociężały od zjedzonych lodów, usnął z głową na matczynych kolanach i przebudziwszy się raz na chwilę, ujrzał blisko siebie dłoń matki czule i mocno trzymającej jego brata za przegub, jej delikatne, bardzo blade palce na tle skóry okrywającej mocno umięśnioną, żylastą rękę Soliego.

I Dźago Antia, idąc korytarzem, czuł ten nieprzyjemny sen z dzieciństwa oraz błogi szum silnika samochodu, i pewność własnego bezpieczeństwa. A potem znalazł się u stóp schodów, wiedział, że musi wejść na górę, ponieważ ono poszło przed nim, i teraz potknął się, gdyż pojawił się ból, ból pełen strachu, ruszył, raz dwa trzy, a potem zakrztusił się i pochylił. Schody biegły nad nim ukośnie w ciemność, na tak dobrze znany mu dach, on nie mógł się ruszyć, znowu drżał, a ów głos odzywał się gdzieś przed nim. Antia powiedział: „Nie chcę iść" – ale potem znowu go usłyszał. Wiedział, że trzęsą mu się ręce. „Dobra, ty draniu, wiem, nago" – dodał, szarpnął za pasy i wtedy proteza stoczyła się ze schodów. Ruszył do góry, zgarbiony, na rękach i kolanach, z wydętymi wargami, dysząc ciężko.

Burdźor Mama kupił im latawiec. W poniedziałek rano musiał się zameldować w pracy w Kolabie, więc matka Dźehangira przyniosła na górę jego uprasowany mundur i położyła go na łóżku w pokoju gościnnym. Dźehangir położył się obok munduru i chłonął jego szczególny zapach; mundur był ciemnooliwkowy, a belki z przodu wielobarwne, ale głównie czerwone i pomarańczowe; nad kieszenią na piersi widniał napis B. MEHTA. Matka Dźehangira także usiadła na łóżku, wygładziła dłonią mundur i wtedy Burdźor Mama wyszedł z łazienki przepasany ręcznikiem. Gdy podnosił koszulę, Dźehangir zobaczył pod *sadrą*, pod i za jego lewą ręką, bliznę w kształcie gwiazdy, brunatną i wyraźnie widoczną na tle bladej skóry. Wtedy uniósł wzrok i ujrzał twarz matki, delikatną i dumną, i trochę zagniewaną, gdy patrzyła na brata. Po śniadaniu Soli i Dźehangir odprowadzili go do bramy, a Burdźor powiedział: *„See you later, alligators"*. Po południu czekali na niego na werandzie, czytając komiksy i popijając z wielkich szklanek zagęszczony sok owocowy. Gdy przy bramie zatrzymała się taksówka, pobiegli naprzód z głośnym krzykiem, ponieważ zanim jeszcze wysiadł, zobaczyli duży trójkąt latawca, a potem od razu pognali na dach, Soli trzymając latawiec za końce, a Dżehangir za nim, ze sznurkiem na szpuli. Dżehangir trzymał szpulę, gdy Soli rozwijał *mandżhę*, i starszy brat powiedział, żeby uważał na palce. Burdżor pokazał im, jak wiązać sznurek latawca, raz u góry, raz u dołu, po czym puścili go w powietrze, latawiec kręcił spirale i beczki, i Soli rzekł: „*Jar*, to latawiec bojowy!". Wpobliżu nie było z kim walczyć na niebie, ale gdy zjawił się ojciec, roześmiał się i obserwował synów, a kiedy zeszli na podwieczorek, Soli miał palce pokaleczone od *mandżhy*. „Sznurek jest pokryty zmielonym szkłem*)" – odpowiedział na pytanie Dżehangira Burdżor Mama.

Teraz Dżago Antia wchodził po kamiennych schodach, kikut nogi uderzał o ich krawędzie, a dłoń otarła się o coś metalowego, ale poczuł ten ból jakby z oddali i nie zwrócił na niego uwagi. Nazajutrz Soli leżał na dachu z rozdziawionymi ustami. Dżago Antia podciągnął się na drewnianym słupie i zobaczył ten sam dwupoziomowy dach, z dawnym pokojem Amira Khana z jednej strony, ze spadzistym dachem dochodzącym do dwóch wspierających go słupów, za nim klinkierowa powierzchnia pod gołym niebem, następnie trzystopowy uskok z metalową drabiną prowadzącą na niższy poziom, a dalej wierzchołki drzew i zimna przestrzeń oceanu. Puścił słup i kołysał się delikatnie w padającym deszczu. Soli przeszedł przed nim, zwijając sznurek, obniżając mocno lot łopoczącego na niebie latawca; Dżehangir chwycił za szpulę i z powrotem napiął sznurek. Latawiec krążył nad nimi. „Pozwól mi nim sterować" – rzekł Dżehangir. Lecz Soli odparł: „Nie możesz trzymać sznurka, pokaleczysz się". „Mogę trzymać wszystko. Wszystko". „Nie możesz, poranisz sobie palce." „Nie poranię. Nie dopuszczę do tego". I Dżehangir pobiegł naprzód, Soli odskoczył, lekko i pewnie, do tyłu, potem na chwilę na jego twarzy odmalowało się zaskoczenie, a potem leżał, trzy stopy niżej, na ziemi, puściwszy sznurek. Dżago Antia osunął się na kolano, po czym ciężko opadł na bok. Podciągnął się w wodzie do krawędzi wyskoku, obok metalowych schodów, i zerknął w dół, starając się dojrzeć dno, ale wydawało się nieskończenie daleko, chociaż wiedział, że jest zaledwie trzy stopy niżej. Jak ktoś może umrzeć po upadku z wysokości trzech stóp? Usłyszał głos zadający swoje pytanie: „Dokąd mam iść?" i ryknął w mrok nocy: „Czego ty chcesz? Czego u diabła chcesz?". Ale głos nie ustawał i Dżago Antia uklęknął na kra-

---

* W Indiach i Pakistanie często sznurek latawca pokrywa się lepką substancją, a następnie obtacza w tłuczonym szkle. To pozwala podczas puszczania latawca przecinać sznurki innych latawców.

wędzi dachu, i zapytał z płaczem: „Czego ty chcesz?". I w końcu powiedział: „Patrz, patrz" – podciągnął się w górę, pochylił do przodu, puścił i spadł; znowu zobaczył, jak Soli się cofa, Dźehangir sięga ręką w górę, próbując zabrać mu sznurek, Soli trzyma rękę wysoko i Dźehangir nie jest w stanie sprostać jego sile. Potem Soli stoi z uśmiechem, a Dźehangir krzyczy, biegnie do przodu i skacze, mocno uderza swoim małym ciałem w nogi Soliego, zaskoczona mina Soliego, ten upada, wyciąga gwałtownie rękę, ręka Dźehangira na brzegu szortów Soliego, trzyma mocno i próbuje, trzyma i ciągnie, potem jednak czuje, że ciężar bierze górę, a on nie chce puścić, ale nie ma siły, spada razem z Solim, przez ciało brata czuje uderzenie o klinkier podłoża.

Gdy Dźago Antia poruszył się niemrawo na dachu, gdy spojrzał w górę, świtało. Podniósł się i zapytał: „Wciąż tu jesteś? Powiedz mi, czego chcesz". Wtedy zobaczył przy gzymsie, bardzo niewyraźną i przesuwającą się w szarym świetle postać małego chłopca spoglądającego przez krawędź dachu w stronę oceanu. Gdy mu się przyglądał, chłopiec odwrócił się powoli i w słabym świetle widać było, że ma na sobie oliwkowy mundur. „Dokąd mam pójść?" – zapytał. Generał otworzył usta, ale głos uwiązł mu w gardle, ponieważ właśnie przypomniał sobie kolejne, siódme urodziny, pierwsze przyjęcie bez Soliego, i swoich rodziców trzymających go między sobą, uspokajających go, mówiących, że pewnie chciałby coś dostać, siebie spoglądającego na ich twarze, na zmarszczki na twarzy ojca, widzącego wyczerpanie w oczach matki. Burdźor Mama siedzi za nim na dywanie ze spuszczoną głową, Amir Khan stoi z tyłu, a Dźehangir kręci głową, niczego nie chce. Oczy matki wypełniają się łzami i całuje go w czoło. „Baba, nie szkodzi, pozwól, że damy ci prezent" – mówi, serce pęka mu pod wzrastającym ciężarem, ale stoi prosto, i patrząc na rodziców, odpowiada: „Chcę mundur". Tak więc Dźago Antia spojrzał na chłopca, gdy ten podszedł bliżej, i zobaczył nad kieszenią małe litery: D. ANTIA; ukazało się słońce i ujrzał chłopca wyraźnie, ujrzał ogromne ciemne oczy, a w oczach swoją niebezpieczną i drapieżną siłę, swoją odwagę i oddanie, swoje milczenie i ból, całe wypaczone i wspaniałe życie. „Dźehangirze, jesteś już w domu" – powiedział.

Thapa i Amir Khan weszli powoli po schodach.

– Chodźcie, chodźcie. Nic mi nie jest – zawołał do nich Antia. Siedział po turecku, przyglądając się, jak słońce zanika w chmurach i się z nich wysuwa.

Thapa przykucnął obok.

– Było tu?
– Odszedł. Widziałem go, a potem zniknął.
– Kto taki?
Dźago Antia pokręcił głową.
– Ktoś, kogo wcześniej nie znałem.
– Co w takim razie tutaj robił?
– Zgubił się.
Generał wsparł się na ramionach administratora i ordynansa, żeby zejść po schodach. Zeskakując nago ze stopnia na stopień, nie wiedzieć czemu uśmiechał się. Wiedział, że nic się nie zmieniło. Wiedział, że wciąż jest i na zawsze zostanie Dźago Antią i że dla niego za późno jest na cokolwiek poza rodzajem samotności, że pójdzie w ogień, że na stawiających nieugięty opór wzgórzach, wśród skał on oraz inni mężczyźni i kobiety, każdy z własną tradycją, znajdą siebie na śmierć i życie. Mimo to czuł się wolny. Siedząc na werandzie, przypinał protezę. Amir Khan przyniósł trzy filiżanki herbaty. Thapa okrył Dźago Antię prześcieradłem i obaj roześmiali się, patrząc na siebie.
– Dziękuję – rzekł generał i wypili razem herbatę.

Śakti

Tego wieczoru rozmawialiśmy o Bombaju. Ktoś, myślę, że to był Khanna, opowiadał nam o Bahadurze Śahu II, który oddał wyspę Portugalczykom za pomoc w walce z Mogołami.

– U źródeł wszystkiego, co potworne i wspaniałe, tkwi polityka – rzekł.

– Zapominasz o drugiej stronie medalu – odparł Subramaniam. – Pamiętaj, że Portugalczycy oddali wyspę Brytyjczykom jako część posagu Katarzyny Bragança.

– Co to znaczy? – zapytałem.

– To znaczy – wyjaśnił Subramaniam – że źródłem i kresem wszystkiego jest małżeństwo.

W wypadku Śili Bidźlani należy zrozumieć to, że zawsze była fascynująca. Nawet obecnie, gdy na przyjęciach słychać po kątach bezustanne zawistne plotkowanie i gdy mówi się, że kiedyś była tylko córką pospolitego aptekarza, dorastającą pośród mikstur i lekarstw, nie wolno zapominać, że apteka znajdowała się tuż za Kemp's Corner. Chodzi mi o to, że owszem, była córką aptekarza, ale przecież widywała olśniewające kobiety, które zachodziły do apteki, czasem po aspirynę, czasem po szminkę, przyglądała się im i przy okazji nauczyła paru rzeczy. Nawet wtedy więc, gdy oglądamy wczesne fotografie z Walsingham School – w której była, a jakże, biedną dziewczyną – należy zwrócić uwagę na ułożone przez nią własnoręcznie w artystyczny sposób włosy i na kusość popielatej spódniczki, którą skracała co rano agrafkami, dotarłszy do szkoły. Nawet wówczas nie podlegało dyskusji, że Śila ma najlepsze nogi w Walsingham, kiedy więc ukończyła college i dowiedzieliśmy się, że zamierza zostać stewardesą w Air France, to wszystko miało sens, no bo kogóż innego można było sobie wyobrazić, jak nalewa szampana jakiejś gwieździe filmowej w po francusku eleganckiej kabinie pierwszej klasy lub zbiega po stopniach schodów wieży Eiffla, trzymając w maleńkiej i zgrabnej dłoni swoje białe szpilki – to musiała być Śila.

Praca stewardessy w tamtych czasach nie oznaczała ciskania zestawami obiadowymi w pijanych pasażerów wracających z Dubaju ani zapachu toalety boeinga po szesnastogodzinnym locie z Nowego Jorku z jednym międzylądowaniem. Pamiętajcie, że podróżowanie za granicę należało wtedy do rzadkości, tak więc wszystkie stewardessy były zabójczo piękne, miały dyplomy absolwentek St. Xavier`s College i gdziekolwiek szły, roztaczały wokół siebie woń importowanych perfum, a Śila była najbardziej elegancka z nich wszystkich. To, jak paliła true, wkładając papierosa delikatnie do ust i zostawiając tylko odrobinę głębokiej czerwieni na samym jego końcu, każdemu mogło złamać serce. I krążyli wokół niej, obiecując przygodę, mężczyźni, książęta oraz *dżamsahibowie* w swoich kabrioletach, grywający w krykieta rycerze w błękitnych blezerach sportowej chwały, synowie aktorów proponujący spełnienie marzeń o nieśmiertelności. Widywaliśmy wówczas Śilę przez okamgnienie, gdy jakiś samochód z rykiem pokonywał wiraż na Tin Batti, i wzdychaliśmy, bo gdzieś tam istniało życie idealne i wspaniałe.

Tak więc przypuszczaliśmy, że Śili trafi się jakiś książę – a przynajmniej jakiś gwiazdor – lecz ona sprawiła nam wszystkim zawód, wychodząc za Bidźlaniego. Bidźlani powrócił wprawdzie z USA i w ogóle, tyle że z jakiegoś Utah, a zresztą czymże mógł zaimponować inżynier elektrotechnik, gdy rozmawiało się przez telefon z grywającym w Oksfordzie w krykieta członkiem rodziny królewskiej – ale spodobał się Śili i nikt nie wiedział, dlaczego. Był krępy, później zaś otyły i przeważnie milczący, i wszystkim mówił, że chce produkować urządzenia elektrotechniczne, ale przecież produkcją czterobiegowych mikserów elektrycznych nie można było, do licha, zadawać szyku. Poznali się na przyjęciu u Cyrusa Readymoneya*); Bidźlani siedział w kącie w milczeniu z niepewną miną, a Śila obserwowała go przez długi czas i gdy zapytała o niego, ubrany na czarno Readymoney odparł: „To Bidźlani, chodził z nami do szkoły, ale nikt nie wie, jak ma na imię. Chce produkować miksery" po czym pstryknął palcami i dodał: „Zatańczmy, kotku". Śila popatrzyła jednak na niego z dołu – chodzi mi o to, że była od niego niższa o głowę, ale jakoś udało jej się zmierzyć go takim spojrzeniem, jakby był

* Postać Cyrusa Readymoneya to najprawdopodobniej odwołanie do postaci głównego bohatera powieści *Beach Boy* Ardashira Vakila.

gnidą – i odparła: „Może byś tak poszedł do kąta i powyciskał sobie pryszcze, Cyrusie?" Po czym zajęła się Bidźlanim. Widując obecnie starego Bidźlaniego, który w czarnej jedwabnej marynarce prezentuje się prawdziwie po królewsku, musicie zrozumieć, że to wszystko zaczęło się tamtego wieczoru, gdy Śila wyciągnęła go z kąta, wetknęła mu wystającą z tyłu koszulę za pas i nie zważając na to, że się pocił, przez cały wieczór trzymała go u swego boku. Nie sądzę, by kiedykolwiek próbował zrozumieć przyczyny tego, co się stało, myślę, że po prostu z wdzięcznością przyjął spływające nań dobrodziejstwa i produkował miksery dla Śili. Początkowo wszyscy stroili sobie z niego żarty, oni zaś wyjechali i wzięli ślub; ludzie przewracali znacząco oczami, ale minął rok, a potem kolejne, po czym nagle Śila i Bidźlani pojawili się znowu, zajmując olbrzymie mieszkanie na Malabar Hill; cały Bombaj aż po Bandrę wstrzymał oddech i teraz z kolei twierdzono, że Śila wyszła za niego dla pieniędzy. Gdy próbowałeś komuś wyjaśnić, że pierwszy mikser powstał za pieniądze Śili zarobione podczas setek spacerów po pokładzie samolotów Air France, natychmiast dowiadywałeś się w odpowiedzi, że ona płaci ci żywą gotówką, w towarze i nie tylko, byś mówił o niej miłe rzeczy. Jej sukces wywołał zjadliwe komentarze na bombajskim wybrzeżu, zapewniam was, to cud, że woda w morzu nie ścięła się i nie pożółkła od tego jadu.

Tak więc Śila mieszkała na wzgórzu, nie całkiem na szczycie, ale też nie całkiem u dołu, i z tej bazy rozpoczęła swój stały, niespieszny – odznaczała się cierpliwością i wytrwałością – marsz w górę. Ta wspinaczka trwała całe lata, była kosztowna i wzgórze stawiało opór, broniło się. W pierwszym roku wydawała koktajle, obiady oraz śniadania w dniu wyścigów konnych i stało się dla niej jasne, że szczytem wzgórza jest stojąca na jego grzbiecie rezydencja Boatwallów, otoczona rozpadającymi się murkami, z górującym nad nią szkieletem wznoszonego nieco wyżej budynku. Rezydencja nie mieściła się tak naprawdę na szczycie wzgórza, była też obskurna i zawilgocona, ale Śila wiedziała, że tam właśnie musi bywać, żeby dostać się na prawdziwy szczyt, że tylko ten cel się liczy. Przez ten pierwszy rok wysyłała zaproszenia do Dolly Boatwalli co drugi tydzień i otrzymywała od niej kolejne napisane na maszynie wyrazy ubolewania, widywała Dolly Boatwallę na przyjęciach i w końcu została jej przedstawiona pod olbrzymim żyrandolem na urodzinach jakiegoś potentata z branży tworzyw sztucznych. Dolly Boatwalla, wysoka i niezgrabna, spojrzała znad długiego nosa, mruknęła: „Wiitam" – i odwróciła wzrok. Śila zrozumiała, że należy to do reguł doraźnej dyplomacji, i mimo wszystko była zadowolona, kiedy więc w następny weekend na torze wyścigów konnych ktoś przez pomyłkę znowu je sobie przedstawił, a Dolly powiedziała „Wiitam", jakby spotykały się po raz pierwszy, przyjęła to z całkowitą obojętnością i potraktowała jako część swojej edukacji. Uśmiechnęła się i skłonna pozwolić Boatwalli postawić na swoim, odparła: „Wspaniale pani wygląda, jaki śliczny szal". Gdyby Dolly była trochę mniej sobą i wykazała trochę więcej przenikliwości, mogłaby przysposobić Śilę, uczyć ją i otoczyć opieką na tysiąc drobnych sposobów, widziała w niej jednak – jak najbardziej słusznie – tylko małą parweniuszkę, nie dostrzegła zaś żarliwej woli politycznej, tego ukrytego błysku. Tak właśnie wybuchają wojny.

Oto, jak to wszystko się zaczęło: w końcu Dolly przyjęła jedno z zaproszeń Śili. Właściwie nie miała innego wyboru i może właśnie dlatego przeszła w stosunkach z nią od chłodnej protekcjonalności do otwartego sarkazmu. I się zaczęło. Doszło do tego, że Śila w końcu zdołała się dostać do Lunch Club. Niewielu ludzi w Bombaju wiedziało o jego istnieniu. Większość osób, która wiedziała, czym jest ten klub, wiedziała również, że nie mogą do niego należeć. Jego członkinie spotykały się raz w miesiącu na lunchu w domu jednej ze swojego grona. Po lunchu grały w karty. Następnie piły herbatę i szły do domu. I to wszystko, na pozór nic specjalnie atrakcyjnego, ale choć trochę zorientowani wiedzieli, że właśnie tam aranżowane są, a czasem rozbijane małżeństwa, zawierane transakcje, tam od niechcenia bada się grunt pod przyszłe interesy, rozmawia się o ministrze „Igreka" w Delhi oraz synu „Iks", który był kapitanem drużyny w Mayo College. To było coś, prawdziwe ucieranie *masali**. Wiesz, jak działa świat. Tak więc nazwisko Śili pojawiło się naturalnie kilka razy i zawsze wtedy Dolly prychała i mówiła: „Ona naprawdę nie jest w naszym typie", przekreślając tym szanse Śili. Potem jednak Śila zaprzyjaźniła się, w szybkim tempie, z pozostałymi i to one naciskały, lubiły ją – za jej pieniądze, za cięty dowcip, za wigor, a może również chodziło o to, że miały dosyć Dolly, jej rozmiękłych, lecz podawanych bez żenady kanapek, jej wypowiedzi i delikatnego ruchu, jakim dotykała swoich

* *Masala* to dosłownie mieszanka, najczęściej mieszanka pikantnych przypraw. Ucieranie *masali* może przenośnie oznaczać bardzo ciężką pracę lub mieszanie różnych rzeczy.

zaciśniętych ust serwetką po zjedzeniu pasztecików. Nalegały zatem i było rzeczą jasną, że dojdzie albo do porozumienia, albo do otwartej walki. Dolly uznała więc w końcu, że nie warto ryzykować porażki, zmarszczyła brwi, westchnęła i powiedziała: „W porządku, skoro musicie, czy możemy porozmawiać o czymś innym, to naprawdę jest taki nudny temat".

Zatem właśnie tak doszło do ich spotkania w komplecie u Śili. To znaczy w jej nowym domu. W rzeczywistości była to biała piętrowa rezydencja, z niewielkimi skrawkami trawnika od frontu i z tyłu, i oczywiście, choć działka kosztowała wówczas sporo pieniędzy, w niczym nie dorównywała rozległym chaszczom Boatwallów z czasów kolonialnych, kiedy ziemię na wzgórzu można było nabyć za grosze. Jednak dom to nie byle co i wchodząc po krótkich schodach do pokoju od frontu, członkinie klubu wydawały z siebie ochy i achy, niczego w nim nie brakowało, były tam duże dwuskrzydłowe drzwi inkrustowane mosiądzem, a za nimi wyrzeźbiona z drewna słoniowa stopa z wetkniętymi w nią laskami oraz stary posąg Ganeśi z ciosanego szarego kamienia, pewnie jakiś cenny zabytek, z wielkimi roślinami doniczkowymi z obu stron, ze świetlika spływał rozproszony biały blask, a w powstałej tak aureoli, niezmienna i wieczna niczym dzień, w którym Bidźlani rzucił jej do stóp swoje przyszłe królestwo, stała Śila, z zarumienioną cerą i włosami równie ciemnymi jak morskie fale na Wybrzeżu Malabarskim w bezksiężycową noc. Powitała je w milczeniu, uśmiechając się, gdy szczebiotały wokoło, poprowadziła długim korytarzem, obok gabinetu z olbrzymim brązowym biurkiem i mosiężną lampą, obok pokoju pełnego oprawnych w skórę książek i brązowo-czerwonych dywanów z Kaszmiru, do jadalni, gdzie stół z kamiennym blatem błyskał srebrną zastawą dla dwunastu osób. Tutaj wreszcie Śila wypowiedziała pierwsze słowa tego popołudniowego spotkania: „Mój syn" – koło stołu stał bowiem chłopiec przyglądający się ustawionej pośrodku fantastycznej ikebanie. Śila zmierzwiła mu włosy, a on odwrócił głowę, by na nią spojrzeć, i wówczas rozległo się pomrukiwanie przybyłych pań. Z pewnością był bardzo urodziwy. Powściągliwość tęgiego męża Śili uwidoczniła się w spokojnym wyrazie leniwych jakby, tkwiących nieruchomo oczu jej syna; ostre rysy twarzy odziedziczył po niej. „Przywitaj się" – powiedziała Śila i chłopiec uczynił to, wymieniając uścisk dłoni z każdą z kobiet. Mani Menon zaśmiała się, gdy z poważną miną pochylił się nad jej ręką, i stwierdziła: „Lepiej strzeżcie się tego faceta". – Tymczasem Śila wychyliła się na korytarz i zawołała: „Gango! Zabierz Sandźiwa do jego pokoju, dobrze?".

Ganga, niska, żylasta kobieta z rękami mokrymi jeszcze od mytych właśnie naczyń, weszła do jadalni. Czerwone sari miała ściągnięte między nogami, ręką odgarnęła do tyłu kosmyk rozpuszczonych włosów. Gdy Śila odprowadzała Sandźiwa do drzwi, Ganga wzięła go za drugą rękę i uśmiechnęły się do siebie nad głową chłopca. „Czyż nie jest śliczny?" – zapytała Mani Menon i wtedy Śila odwróciła się i ujrzała wyraźnie urażoną minę Dolly, idiotycznie marszczącej nos, jakby właśnie poczuła jakiś brzydki zapach. Gdy wszystkie szły do stołu, Mani Menon została w tyle i szepnęła do Śili: „Ona ma służące francuskie". To prawda. Właściwie nie były one Francuzkami, zwykle pochodziły z Kerali, ale tak czy inaczej ptifurki w rezydencji Boatwallów były podawane przez służące w czarnych sukienkach i czepkach z falbankami na głowach. Mani Menon przewróciła oczami. Była główną stronniczką Śili w klubie, wprowadziła ją do niego i nie znosiła Dolly Boatwalli, ta jednak zamykała jej skutecznie usta, pozbawiała głosu i przytomności umysłu swoim wzrostem, bezwzględnością i sposobem panowania nad towarzystwem. Mani Menon była niska, zabawna i pulchna i nie widziała powodu, by Dolly zmuszała ją do milczenia, ale i tak zawsze milkła. – Suka – syknęła. Śila wzruszyła ramionami, spokojnie wzięła ją pod rękę i zaprowadziła do pozostałych klubowiczek.

– Zjedz trochę przepiórczego mięsa – powiedziała. Potrawy, przyrządzone przez kucharza z bogatej rodziny z Lakhnau, były niecodzienne, a porcje niewielkie i pikantne. Na podniebieniach jedzących odbywała się gonitwa łagodnych smaków o esencjach tak niezwykłych, że mimowolnie wykrzykiwały, że to wszystko jest doskonałe, bo nigdy wcześniej niczego takiego nie miały w ustach. Dolly trzymała srebrny widelec, kroiła maleńkie skrzydełko i widać było, że nawet ona jest zaintrygowana i zadowolona. Potem zasiadły na komfortowych poduchach kanap i bez pośpiechu spożyły danie na słodko, kombinację migdałów i kremu tak lekką, że ledwie było ją czuć na języku. Dolly zaczęła bawić resztę towarzystwa. Siedziała samotnie z założonymi nogami na kanapie w swoim kremowym spodnium, wysmukła w każdym calu, począwszy od jedwabiście połyskujących nóg i skończywszy na nosie, trochę kościstym, ale bardzo zgrabnym. Opowiadała okrutne historyjki o ludziach, świetnie wszystkim znane. Każda opowieść dotyczyła osób robiących głupstwa, okrywających się wstydem lub po prostu głupich i niezdających sobie sprawy z czegoś, o czym wszyscy wiedzieli. Dolly miała wspaniałe wyczucie czasu oraz spore zdolności parodystyczne i nie można było się nie śmiać z jej dykteryjek. Kobiety otoczyły ją ciasnym półokręgiem i się śmiały. Śmiała się Śila, śmiała się Mani Menon. – O mnie pewnie też opowiada – powiedziała szeptem do Śili, po czym zareagowała śmiechem na historię o Pendżabce, która w klubie wymawiała słowo „pizza" tak, jak się je pisało, i ubierała córki w stroje kapiące od złota.

W końcu ucichły w przyjemnym popołudniowym odrętwieniu. Nie ulegało wątpliwości, że był to niezmiernie udany lunch i że pozwolono Dolly całkowicie go zdominować. Spotkanie miało się ku końcowi i gdy odetchnęły na myśl, że faktycznie zakończy się bez żadnych strasznych napięć, zapanował spokój, a kiedy szły ku wyjściu, były wyczerpane tą odmianą i uczuciem dziwnego rozczarowania tym wszystkim. I wtedy Mani Menon, ku ogólnemu zaskoczeniu, krzyknęła piskliwym głosem:

– Husain!

Mijały właśnie pokój z biblioteczkami i zauważyła, że na ścianie naprzeciw korytarza wisi duże płótno, złocisto-czerwony rydwan słońca. Weszła podniecona do pokoju z wyciągniętymi rękami i kołysząc się, stała przed obrazem. Przytłaczał on trochę bogactwem kłębiących się barw oraz koni sprawiających wrażenie, że wyskoczą z płótna. Wszystkie członkinie klubu zgromadziły się przed nim. Dolly ociągała się z wejściem do pokoju, potem jednak reszta tłumnie ruszyła naprzód i została sama, podeszła więc niechętnie i stanęła za nimi.

– To twój drugi, prawda? – zapytała Mani Menon. – Jest wspaniały. Spójrzcie na te żółcie. – Potem, widząc Dolly stojącą z tyłu, dodała z uśmiechem: – To Husain, Dolly*).

Dolly odchyliła głowę.

– Naprawdę? – zdziwiła się. Jej głowa odchyliła się jeszcze bardziej. – Och, to o to chodzi? – Uśmiechnęła się. – Freddie ma ich kilka w swoim biurze.

Śila stała obok niej. Odwróciła się bez słowa i wyszła z powrotem na korytarz. Podążyły za nią, a ona zbliżyła się do drzwi i otworzyła je na oścież. Minęły ją, dziękując, i Śila się uśmiechała, lecz oczy miała mętne, nie zdjęła też dłoni z klamki. Dolly mruknęła na odchodnym: – Wielkie dzięki, kochana. – Śila zamknęła drzwi z bardzo wyraźnym trzaskiem. Wszyscy zrozumieli, że coś się zaczęło.

---

* Maqbool Fida Husain (czyt. Makbul Fida Husejn, ur. 1915) jest jednym z najpopularniejszych indyjskich malarzy współczesnych.

Śila usiadła w swoim gabinecie pośród książek i próbowała przeanalizować to, co poczuła w tamtym momencie. Nie był to gniew, a raczej coś w rodzaju uznania. W tamtej chwili poczuła, że nagle jest poza swoją cielesną powłoką, stoi gdzieś i patrzy na siebie i Dolly. Zobaczyła, że sama jest ideałem – była drobna, miała dobre wyczucie koloru i kroju, tak więc ubrania dobrze na niej leżały, rysy drobne i ostre, a włosy gęste, żywość charakteru wypływała zaś z jej inteligencji. Dolly nie była uosobieniem doskonałości, wszystko miała długie, cerę ziemistą, nosiła starą biżuterię, w której tu i ówdzie brakowało ogniwa, dzisiaj okryła bluzkę sfatygowanym zielonym szalem i to wszystko. Będąc ideałem, Śila wiedziała, że mimo najusilniejszych starań, nigdy nie zdoła osiągnąć niedbałej niedoskonałości, którą popisywała się Dolly. Nie miała ona nic wspólnego z wytrwałością ani inteligencją i wymagała wielu pokoleń. Nie dało się jej nauczyć, można było jedynie się z nią urodzić. Świadczyła o całkowitej pewności siebie i swobodzie. Dolly ją posiadała, a ona nie – uczciwość kazała jej to przyznać. Wiedziała o tym i była całkowicie zdecydowana pokonać Dolly, choćby miała temu poświęcić resztę życia. Zdawała sobie sprawę, że doszło do otwartego konfliktu i że nie zniesie porażki.

– *Memsahib*.

Ganga stała w drzwiach, opierając się o framugę, z ręką na biodrze. Miała na sobie ciemnoczerwone sari ze złotym nadrukiem na brzegu. Była śniada i bardzo chuda. Do pracy przystąpiła tak szybko, że trzeba było położyć szklane naczynia obok zlewu – w przeciwnym razie kryształ zostałby na pewno zmiażdżony w stercie naczyń, które w pośpiechu myła. Ganga została polecona Śili przez sąsiadkę. Pracowała, o ile było Śili wiadomo, w kilkunastu innych domach na wzgórzu i przez cały dzień bez przerwy gnała z jednego do drugiego, po czym stała w lokalnym pociągu przez pięć kwadransów, żeby dostać się do Andheri, gdzie mieszkała. Śila potrzebowała pół roku, aby ją skłonić do jedzenia lunchu, co Ganga dla zaoszczędzenia czasu robiła, kucając w kącie kuchni z talerzem na kolanach.

– Lunch się udał? – zapytała.

– Tak – odparła Śila. Przez pierwszy rok ich znajomości Ganga zachowywała się uprzejmie, lecz ozięble, twarz miała nieodgadnioną, bez wyrazu. Po czym pewnego dnia, w drodze do wyjścia, widząc, że Śila jak zwykle siedzi przy biurku w gabinecie, Ganga zatrzymała się w korytarzu, zwrócona całym ciałem w stronę drzwi, żeby zapytać: „Co pani tu robi?". „Rachunki, dla naszej firmy" – odparła Śila, pokazując na stertę ksiąg rachunkowych oraz rozłożone kartki zakrywające połowę podłogi w pokoju. Ganga skinęła w milczeniu głową i ruszyła do drzwi, od razu powracając do swojej normalnej szybkości. Od tej pory zatrzymywała się w drzwiach, wspierając się o framugę z wysuniętą do przodu nogą i zgiętą w łokciu ręką i rozmawiały przez kilka minut.

– No cóż – dodała gospodyni. – Poszło dobrze.

Później rozmawiały o swoich dzieciach. Ganga miała córkę o imieniu Aśa. Następnie sprzątaczka ściągnęła w talii *dupattę* – nadeszła pora, by wyjść.

– Idę – powiedziała, zjadając końcówkę tego słowa, i wyszła.

Kiedy dotarła do domu, było wpół do ósmej. Odłożyła małą paczkę *dżiry* i zabrała się do przyrządzania kolacji. W jedynym pokoju była jedna żarówka i Aśa siedziała pod nią, ucząc się, a przynajmniej przerzucając kartki książki. Dziewczyna była ubrana w kwiecistą koszulę, włosy miała ściągnięte do tyłu i ładnie natłuszczone, a warkocz okręcony sznurem białych kwiatów *mogry*. Siedziała po turecku z podręcznikiem prawidłowej pisowni na kolanach, wsparta rękami pod brodę i teraz posłała matce szybkie spojrzenie swoich wielkich piwnych oczu.

– No dobrze, już dobrze – powiedziała Ganga. – Chodź jeść.

Usiadły koło drzwi i jadły ze starych, lecz lśniących stalowych talerzy. Ludzie przechodzili obok i od czasu do czasu ktoś mówił coś do Gangi. Zaułek był wąski i wszyscy przechodnie musieli niemal ocierać się o ich drzwi. Po drugiej stronie zaułka biegł wąski rynsztok, który wypełniał się podczas deszczów, a za nim stały kolejne chaty sklecone z drewna, sukna, tektury i cynowej blachy. Później, gdy zapadał zmrok, Ganga siedziała w drzwiach i rozmawiała z sąsiadami. Większość pochodziła z tej samej wioski w Ghatach Zachodnich w pobliżu Puny, ale z lewej strony, począwszy od miejsca, gdzie zaułek się zakrzywiał, mówiono przeważnie w języku malajalam*). Dzisiaj rozmawiali głównie o jednym mężczyźnie z ich środowiska, który pił tyle, że w końcu stracił posadę stróża.

– To głupiec – powiedziała Ganga. – Zawsze o tym wiedzieliście. – To prawda. – Wszyscy go znali i zawsze zdawali sobie z tego sprawę.

---

* Puna to miejscowość w stanie Maharasztra, nieodległa od miasta Bombaj, a zatem osoby przybywające do Bombaju z okolic Puny nie będą postrzegane jako „obcy". Język malajalam jest zaś językiem używanym w stanie Kerala, zdecydowanie odmiennym i odległym od Maharasztry. A zatem osiedle, gdzie „mówiono przeważnie w języku malajalam", to miejsce zamieszkane przez przybyłych do Bombaju Keralczyków.

Ganga przybyła do Bombaju jedenaście lat wcześniej z mężem, który wrócił do swojej wsi po żonę, i odtąd mieszkała w tym samym miejscu. Rameś, mąż Gangi, w czasach przed wybuchem sporów z pracodawcami i przed lokautami na dużą skalę był włókniarzem. Był też marksistą i został zabity, zadźgany nożem w trakcie sporu z innym związkiem zawodowym, rok po narodzinach Aśi. Ganga zapamiętała go głównie jako melancholika, który oddawał się swojemu smutkowi. Dopiero miesiąc po pogrzebie dowiedziała się, że podobno sam zabił dwóch mężczyzn w tej samej bójce międzyzwiązkowej. Ale tak czy inaczej zakłady włókiennicze były teraz zamknięte, a tamte lata minęły. Teraz wyglądało na to, że Ganga się przeprowadzi, i tę właśnie wiadomość musiała przekazać sąsiadom. Dwa przystanki dalej na linii zachodniej znalazła pustą działkę i zamierzała wybudować na niej swoje *kholi*.

– *Pakka*? – zapytała Minu, sąsiadka, lekko uniesionym głosem, ponieważ dom z cegły kosztowałaby więcej, a wszyscy wiedzieli, że Ganga pracuje tak dużo, że musi mieć pieniądze, nikt jednak nie wiedział, ile.

– Tak. Dziesięć tysięcy za ziemię, pięć za budowę.

– Piętnaście – podsumowała Minu.

– Owszem. Nie mam tyle.

– Jak zdołasz zgromadzić?

Ganga wzruszyła ramionami. Nie powiedziała im, co planuje, ponieważ nie była pewna, czy dostanie pieniądze, a nie chciała jedynie sprawiać wrażenia pewnej swego. Tego popołudnia pomyślała, że poprosi o pożyczkę swoją pracodawczynię. Śila powiedziała, że lunch się udał, ale wyraz skupienia na jej twarzy i ułożenie ramion, gdy siedziała wśród ksiąg rachunkowych, nie świadczyły o radości. Patrząc na nią wtedy, Ganga zdała sobie sprawę, że przecież to kobieta przedsiębiorca, ktoś, kto chce wszystkiego od świata, i zrozumiała, że powinna ją poprosić o pieniądze. Chciała odczekać kilka dni, przetrawić tę myśl, nauczyła się bowiem od ludzi ostrożności – w miarę możliwości, gdyż często na ostrożność nie było czasu. Otrzymała od właściciela parceli miesiąc na znalezienie pieniędzy, odczekała więc tydzień. Pomysł wciąż wydawał się sensowny. Zatem pewnego dnia po lunchu zapytała Śilę, a ta odparła: „Oczywiście". Weszła na kilka minut do sypialni i wróciła z plikiem banknotów. Nie robiła żadnych problemów. Omówiły warunki i ustaliły, że Ganga ma spłacać pożyczkę co miesiąc przez sześć lat.

Problemem było za to opuszczenie starego domu. Mieszkali w tym bezimiennym zaułku przez długi czas, Aśa od urodzenia, i Minu wraz z mieszkańcami ulicy urządziła im pożegnanie. Wypożyczyli telewizor i odtwarzacz wideo i przez całą noc oglądali filmy. Było już bardzo późno, gdy Aśa w końcu usnęła z głową na matczynych kolanach. Ganga siedziała w ciemności, obejmując córkę, i czuła tę stratę jako ucisk w żołądku, coś w rodzaju niesłabnącego bólu, a gdy płakała, kolorowe światło z ekranu migotało na jej twarzy. Lecz nazajutrz, gdy ładowały swój dobytek na wózek ręczny, była rzeczowa i zorganizowana, i szła na czele, trzymając jedną ręką Aśę, a drugą tobołek, niestrudzona w swoim marszu, dopóki pchający wózek mężczyźni nie wsparli się na nim i nie zaczęli błagać o litość.

Ich nowe *kholi* było małe, ale nie przeciekało w czasie deszczu i Ganga utrzymywała je w dobrym stanie. Na tej ulicy stało trochę piętrowych domów, wzniesionych bardzo blisko siebie na maleńkich działkach, a na końcu zaułka znajdował się sklep spożywczy wbudowany niczym szafa między dwie ściany. Był tam również sprzedawca *panu*, u którego można było kupić papierosy i zapałki i który od rana do wieczora miał włączone radio. Lata spędzone przez nie przy tej ulicy były zwyczajne, a Ganga pracowała jak dawniej, wychodząc i wracając do domu z regularnością, na której zaczęli polegać jej sąsiedzi.

W końcu tym, co zakłóciło ich życie, była uroda Aśi. Gdy córka Gangi miała piętnaście lat, zakochał się w niej *tapori* z szajki miejscowych przemytników. Był dojrzałym mężczyzną, co najmniej dziesięć lat starszym od niej, cieszącym się pewną sławą w wybranym przez siebie gangsterskim fachu i dość szykownym, zawsze nosił dopasowane czarne koszule. Zakochał się w jej dojrzałych kształtach. Aśa nie była wysoka, ale jej ciało trochę ważyło, miało w sobie młodzieńczą ociężałość, którą ostentacyjnie próbowała ukryć. Dziewczyna żywo interesowała się kinem i we włosach zawsze nosiła kwiaty, białe bądź żółte. On miał na imię Giriś i zakochał się w spojrzeniu, które Aśa rzuciła mu, wychodząc z porannego seansu filmu *Coolie.* Potem spędzał czas, przesiadując na podeście na końcu zaułka, czekając, aż przejdzie, i polerując połą koszuli szkła ciemnych okularów. Gdy go mijała, nigdy na niego nie patrzyła, lecz pod wpływem siły jego pragnienia schylała głowę i spływała ciemnym rumieńcem, zdumiona i trochę przerażona, bynajmniej nie czując radości..

Ganga dowiedziała się o tym od sąsiadów. Widywała go wcześniej, jak siadał na podeście, rozłożywszy przedtem na nim chusteczkę, ale nie zwracała uwagi, ponieważ nie miało to z nią nic wspólnego. Wieczorem w dniu, w którym się dowiedziała, długo siedziała w drzwiach swojego domu. Kiedy zamknęła drzwi, weszła do środka i zastała Aśę siedzącą na *ćarpai* i czytającą magazyn filmowy. Gdy obserwowała córkę, kosmyk włosów opadł Aśi na policzek i dziewczyna odgarnęła go za ucho po to tylko, żeby znowu opadł. Aśa leniwie strzepnęła go z policzka, włosy miała ciężkie, gęste i ciemnobrązowe, i kiedy Ganga przyglądała się, jak palce córki przesuwają się po policzku i nieruchomieją, groźba całej sytuacji przygniotła jej serce niespodziewanym ciężarem. Natychmiast i w całej pełni zrozumiała, jak silny urok mają te czarne okulary, jakie niebezpieczeństwo zapowiada ta wyczekująca postawa, jak niezmiernie pociągająca jest ta mroczna i tragiczna mina.

– Jutro zawiozę cię do twoich dziadków – powiedziała głośniej, niż zamierzała.

– Co takiego? – zdziwiła się Aśa. – Na wieś?

– Nie dyskutuj – odparła Ganga. – Pojedziesz.

Lecz Aśa nie dyskutowała – milczała, schwytana w sieć uczuć rozpiętą między zawodem miłosnym a ulgą. Jej szloch tamtej nocy w łóżku nie był przepełniony żalem ani nawet smutkiem, lecz wielotygodniowym napięciem. Spokojnie i posłusznie wyjechała z matką, a w pociągu uśmiechała się do gór, wijących się w górę torów oraz ptaków szybujących w dolinie poniżej. Ale w wiosce – o nazwie Saswadi – sposępniała w nieustającej ciszy długiego popołudnia. Ganga nie była w nastroju do dąsów, wydawszy nieoczekiwanie dwieście rupii na bilety i podróż, i od razu zaprzęgła ją do pracy w kuchni oraz przy krowach. Ojciec Gangi był niski i bardzo szczupły, jakby resztek tuszy pozbawiło go palące słońce w kolejnych latach pracy na roli. Przywiozła mu z Bombaju dwie koszule, które mógłby nosić przy bardzo szczególnych okazjach. Spędziła tam dwa dni, doprowadzając dom do porządku i dopilnowując naprawy ścieku, który spływał ze wzgórza na ich ziemię. Kiedy wyjeżdżała, objęła na chwilę Aśę i bardziej wyczuła, niż usłyszała dziewczęce westchnienie.

– Nie bądź głupia – powiedziała. – Co ty dotąd wycierpiałaś?

Gdy otworzyła drzwi domu w Bombaju, było po południu. Weszła do środka i odłożyła swój tobołek, jednym ruchem przygładziła włosy, układając je i równocześnie ściągając, a następnie sięgnęła po *dżharu.* Zamiatała nią pod łóżkiem, gdy usłyszała ten głos: „Co z nią zrobiłaś?".

Kiedy się odwróciła, w drzwiach majaczyła jego wysoka sylwetka. Słońce za jego plecami oślepiało Gangę swoim światłem, zobaczyła błysk ciemnych okularów, które stale nosił.

– Co...? – zaczęła, ale potem strach zdławił ją za gardło. Stała, trzymając przed sobą *dżharu*, z rękami zaciśniętymi na uniesionym uchwycie miotły.

– Jeżeli wydałaś ją za kogoś innego – rzekł chrapliwym głosem. – Jeżeli wydałaś ją za mąż... – Poruszył się nieco w drzwiach, Gandze zakręciło się w głowie, oślepiło ją słońce. – Jeżeli wydałaś ją za mąż, zabiję ciebie i ją. Oraz siebie.

Zbliżył się do niej i teraz Ganga widziała go wyraźnie.

– Gdzie ona jest? – zapytał. – Gdzie? – Lecz jego głowa obracała się z boku na bok i Ganga zrozumiała, że w *kholi* jest dla niego zbyt ciemno. Sięgnął ręką, zdjął okulary i wtedy zobaczyła jego oczy i zaczerwienione powieki. Był bardzo młody, a z rękawa czarnej koszuli wystawał przegub chudej i kościstej ręki.

– Nie masz matki? – zapytała.

Nie mógł powstrzymać łzy, która powoli spłynęła mu po policzku, i Ganga zrozumiała, że ten chłopak może spełnić swoją zapowiedź. Spojrzała mu w oczy.

– Idź do domu – powiedziała po kilku sekundach.

Minęła jeszcze chwila, po czym chłopak się odwrócił i potykając się, wyszedł za próg domu. Ganga długo stała nieruchomo, trzymając *dżharu* i patrząc w stronę drzwi, dopóki za oknem nie nadciągnął wieczorny mrok.

Na wzgórzu niemal jednomyślnie uznano, że Shanghai Club był mistrzowskim posunięciem Śili. Istniała cała frakcja, która twierdziła, że pan Fong tylko go firmuje, że kryjące się za klubem pieniądze faktycznie stanowią część zysku z przemysłowych przedsięwzięć Bidźlanich, że rozszerzywszy działalność na produkcję tworzyw sztucznych, transport i farmaceutyki, dysponują wolnymi środkami. Oczywiście nie dało się tego w żaden sposób udowodnić, jasne i niewymagające żadnego dowodu było jednak to, że cała ta sprawa zaczęła się wtedy, gdy Bidźlanich nie przyjęto do Malabar Gym. Śila i Dolly od lat prowadziły bezlitosną, lecz strasznie uprzejmą wojnę, w której zwycięstwa liczono w wydanych przyjęciach, zaanektowanych do grona gości sławnych pisarzach i w wielkich sumach zebranych na słuszne sprawy, a ofiarami było zranione ego stronniczek, które traktowały się jak powietrze w lożach na torach wyścigowych i rzucały sobie przez ramię ostre jak brzytwa spojrzenia na wernisażach. Istniało jednak kilka zasad, pewien kodeks postępowania, który cywilizował to wszystko do czasu incydentu z czarną gałką.

Bidźlani wystąpili o przyjęcie w poczet członków do Malabar Gymkhany trochę poniewczasie, ale przecież byli ludźmi zajętymi, to było zrozumiałe, a ich syn dojrzał już na tyle, by mieć ochotę na granie w tenisa i w rugby w klubie, i przyjęcie wniosku było z góry przesądzone. I wtedy pojawiła się czarna gałka, która tak naprawdę nie była czarną gałką, lecz skrawkiem niebieskiego papieru na cokwartalnym zebraniu komitetu członkowskiego, i na tym skrawku widniało jedno słowo: „Nie". Wszyscy spojrzeli po sobie, zdumieni, stronili jednak od spoglądania na Freddiego Boatwallę, ponieważ proces głosowania był oczywiście anonimowy, lecz oczywiście któż mógł tak zagłosować oprócz niego? Nic nie dało się z tym zrobić, zasady były jasne, przedwieczne, niezmienne, głosowanie przeciw było głosowaniem przeciw, jeżeli nie byłeś w klubie, byłeś poza, sytuacja pośrednia nie istniała. Przewodniczący zgodnie z obowiązującą zasadą spalił kartki do głosowania, ale ci, którzy widzieli skrawek, mówili, że litery były drukowane i napisane pewną ręką, i jeszcze przed zakończeniem spotkania członkowie komitetu rozmawiali o bezspornym fakcie, że Freddie po trzydziestu latach przynależności nagle postawił się komitetowi – czemu akurat teraz, musiało to być skutkiem jakiejś intrygi, planu – i że jest to bezprecedensowa eskalacja konfliktu. Freddie wyszedł z zebrania, nie zamieniwszy z nikim słowa, a potem widziano, jak na dole w Jockey Barze pił whisky z niewielką ilością wody sodowej. Barman powiedział, że wszedł i najpierw zatelefonował, a następnie poprosił o drinka. Siedząc na zewnątrz na długim patio z obracającym się leniwie wentylatorami sufitowymi i położonym za nim boiskiem, komentatorzy powiązali to z głosowaniem i nie dodali nic więcej, skojarzenia były oczywiste.

Teraz wszyscy czekali na nieuchronną reakcję Śili i... nic się nie wydarzyło. To, że pogodziła się z porażką, było niewiarygodne, a jednak tak właśnie niektórzy sądzili, inni zaś uważali, że ta bezczynność to tylko manewr taktyczny, czujne wyczekiwanie. Minęło kilka miesięcy i w końcu pan Fong oznajmił, że zamierza stworzyć miejsce zwane Shanghai Club, i nikt nie zwrócił na to uwagi. Nikt nie wiedział, kim jest pan Fong i nie było powodu, by ktokolwiek o to pytał, nikt też nie był zainteresowany członkostwem w jego klubie. Potem ujawniono – nikt nie wiedział, skąd wzięła się ta informacja – że na członków Shanghai Clubu będą przyjmowane tylko kobiety, a co więcej, tylko za zaproszeniem. Że w tym celu powstał komitet dziesięciu wybitnych kobiet, które miały zachować anonimowość – i nagle w całym Bombaju rozdzwoniły się telefony. Kto tworzył komitet? Nikt nie wiedział. Potem nadeszły pierwsze zaproszenia w zwykłych białych kopertach ze znaczkiem, dostarczone do rąk własnych do domu Bubbles Kapadii, z Kapadiów będących właścicielami Ganesha Mills. „Z przyjemnością proponujemy Pani kartę abonamentową Shanghai Club" – informowano w nich. „Prosimy o zaszczycenie nas swoją obecnością na otwarciu klubu 26 stycznia". Mniej więcej w tym czasie, zapewne w wyniku subtelnie zaaranżowanego przecieku, od Napean Sea Road do Bandry dowiedziano się – na pozór dokładnie w tej samej chwili – że jedną piątą komitetu tworzą Śila Bidźlani oraz Mani Menon i że do rozdysponowania jest tylko sto kart członkowskich. Rozpoczęły się gwałtowne domysły, sporządzano i dyskutowano niezliczone listy, we wspomnieniach szukano opowieści o przyjaźni i zdradzie, i nagle ta zwykła biała koperta stała się najbardziej pożądaną rzeczą w mieście. Pan Fong odebrał tyle telefonów, że wielokrotnie zmieniał swój domowy numer, a mimo to budziły go w środku nocy telefony z rozpaczliwymi błaganiami radnych i czołowych przedstawicieli sfer handlowych. – Niestety, nie mogę nic w tej sprawie zrobić – brzmiała jego standardowa odpowiedź. – Nie mam wpływu na członków komitetu. To oni mówią mi, co robić. – Minister finansów rządu stanowego z pokorą osobiście zatelefonował do pana Fonga w imieniu dziedziczki fortuny producentów pasty do zębów Storrow, która to dziedziczka posłała sto czternaście koszy z owocami do różnych domów w podjętej na oślep próbie zdemaskowania członkiń komitetu. Nic nie skutkowało.

Białe koperty napływały wąską strużką przez cały październik i listopad, i nikt nie wiedział, gdzie pojawi się następna, a dokładną rachubę liczby zaproszeń z upływem kolejnych miesięcy z rosnącym napięciem prowadzono w tabeli. Kobiety, które otrzymały zaproszenie, zdradzały niedbale: „Och, zgadnijcie, co dzisiaj znalazłam na progu!" Zaś te, które go nie dostały, udawały, że im nie zależy: „Nie mogę uwierzyć, że wszyscy tak szaleją na punkcie tego idiotycznego klubu pana Fonga". Niektóre niby kręciły nosem na to, jakiego pokroju osoby dostają zaproszenia: policjantka – wicekomisarz, ale jednak; autorka filmów dokumentalnych; kilka dziennikarek, niektóre z różnych stacji telewizyjnych. A gdy zaproszona została Ramani Randźan Das, autorka erotyków, cała frakcja bywalczyń Malabar Gym, zajmująca miejsca na północ od patio, zadeklarowała bardzo teatralnie i ze szczegółami, że wycofują się z szanghajskiego wyścigu, aż Bubbles Kapadia zapytała, skąd wiedzą, że w ogóle biorą w nim udział. W głuchej ciszy, która wtedy zapadła, Bubbles strzepnęła popiół na stolik, zaciągnęła się mocno i bez pośpiechu papierosem w zielonej lufce, po czym wstała, odwróciła się i zniknęła w wielkiej białej chmurze triumfalnego dymu.

Oczywiście, Dolly zachowywała się tak, jakby Shanghai Club nie istniał i nie miał nigdy zaistnieć. I właśnie w Malabar Gym, przy lunchu, ktoś po raz pierwszy poruszył ten temat w jej obecności. Gdy umilkł, nagle przy stoliku zaległa cisza. Wszyscy czekali, lecz Dolly patrzyła w pustkę, jej oczy przybrały spokojny i dobrotliwy wyraz, ich spojrzenie było niewzruszone, jakby nagle przemieniła się w głuche jak pień, elegancko odziane bożyszcze. Puściła to mimo uszu, chociaż cicho wypowiedziane słowa słyszano przy obu końcach dębowego stołu. Po chwili podniosła sztućce, ukroiła maleńki kawałek kisza i zjadła go powoli ze smakiem. Z upływem tygodni, w miarę jak wzmagała się ta histeria, jak krążyły pogłoski i jak wszyscy mówili wyłącznie o klubie, ona nadal udawała, że nie słyszy. Była bezwzględna i niewzruszona. Komentatorzy spierali się: ona tak naprawdę jest pewnie wytrącona z równowagi, mówili niektórzy, pewnie wraca do domu i płacze w łazience. Nonsens, mówili przedstawiciele innej, dominującej szkoły myślenia, ona naprawdę jest ponad tym wszystkim, nie przejmuje się ani trochę. W miarę jak zbliżał się dwudziesty szósty, Dolly coraz bardziej przypominała rodzaj majestatycznego żaglowca, stałego i pięknego, niewzruszonego przez lekko wzburzone wody, a jej stronniczki nie posiadały się z podziwu. To prawda: Dolly była wspaniała w swoim dostojeństwie. Jedna z komentatorek z północnej części patio powiedziała tonem, w którym po równo mieszały się zazdrość i spokojna duma: „Przecież to Boatwalla".

Wszystko to było prawdą do wieczora piętnastego stycznia. Bidźlani wrócił do domu, zaciągnął Śilę do sypialni, zamknął drzwi na klucz i opowiedział dziwną i wspaniałą historię. Siedział sobie, jak miał w zwyczaju, na balkonie Napier Bar nad basenem w Dolphin Club, popijając martini. Robił tak co wieczór po przepłynięciu piętnastu długości basenu i po masażu, trzcinowe krzesło skrzypiało delikatnie pod ciężarem jego cielska, a bryza rozwiewała włosy. Tego wieczoru z zadumy wyrwał go męski głos: „Cześć, T. T.". Na przestrzeni lat, dzięki swoim rosnącym wpływom w świecie finansów, dzięki swemu kapitalnemu i wielowymiarowemu znaczeniu, zyskał sławę i niezwykłe, sędziowskie opanowanie. Tak więc szybkość, z jaką teraz odwrócił głowę, i to, że rozlał martini, były czymś niesłychanym, lecz zrozumiałym – mężczyzną, który stał nad nim, przestępując z zażenowaniem z nogi na nogę, był Freddie Boatwalla.

Bidźlani machnięciem ręki kazał mu usiąść na krześle, a gdy już usiadł, w padającym od drzwi punktowym świetle rozpraszającym mrok wyraźnie ukazała się jego twarz. Freddie zawsze był chudy, ale teraz wyglądał jak wycinanka z papieru, jedna z tych czarnych zjaw z innego stulecia, dziewiętnastego lub może osiemnastego. Bidźlani wiedział, że linia żeglugowa Boatwalli przeżywała niegdyś wzloty i upadki, ale któż ich nie przeżywał, nie było powodu aż tak się załamywać. Bidźlani machnął do boya i zapytał:

– Napijesz się?

– Dzięki, stary – odparł Freddie. – Ginu z tonikiem. – Założył nogę na nogę i Bidźlani przez chwilę odczuwał obrzydliwą, gryzącą zazdrość: kant spodni Freddiego nad kolanem był zupełnie prosty, nie było potrzeby go plisować, podciągać lub nawet przygładzać. Białe spodnie opadały dokładnie tak samo, tak jak wszystko inne. Właściwie to nazywał się Faredun Rustam Dźamśed Dara Boatwalla, ale od zawsze był Freddiem, synem Percy'ego Boatwalli, wnukiem Billy'ego. Był jeszcze pradziadek, którego imienia Bidźlani nie potrafił zapamiętać, a który stał w pełnej pomnikowej chwale we wnęce koło Crawford Market, wyniośle ignorując gołębie rojące się u swoich stóp.

– Przyjemny wieczór, prawda? – rzekł Freddie.

– Bardzo.

Bidźlani wspominał wielokrotnie przytaczaną przez wszystkich opowieść, zgodnie z którą Freddie we wspaniałych czasach swojej młodości wyeliminował Tigera Pataudiego z gry w dwóch kolejnych inningsach meczu w Cambridge.

– Słyszałem o waszej transakcji farmaceutycznej z Francuzami. Dobrze się spisaliście – rzekł Freddie.

– Dzięki.

– Sami też o tym myśleliśmy. Sieć, współpraca międzynarodowa.

– Rozumiem.

– Negocjowaliśmy ze stroną amerykańską, bez pośredników. Trudna sprawa.

– Naprawdę?

– Och, bardzo. Aroganckie, nadęte skurwysyny, ale to naprawdę jedyny sposób.

– Jestem tego pewien.

– No wiesz, zmiana. Adaptacja.

– Jak najbardziej.

Freddie dostał swojego drinka i pili teraz w milczeniu, niezupełnie życzliwym, ale przynajmniej rzeczowym. Światła wysokich budynków tworzyły nad nimi wschodzącą mozaikę, a powolne pluśnięcia jakiegoś pływaka w basenie wybijały senny rytm kolejnych nawrotów. Freddie odstawił szklankę.

– Dzięki za drinka. Muszę się zbierać. No wiesz, kolacja. – Wstał. – Nie mogę zostać. Rodzina. Wiesz, jakie są kobiety. – Roześmiał się.

Bidźlani odchylił głowę, ale Freddie stał już przy drzwiach i trudno było dostrzec jego twarz.

– Rodzina – rzekł. – Oczywiście.

– Wiesz, stary, powinniście złożyć ponownie.

– Co złożyć?

– Mam na myśli wasze podanie. Do Malabar Gym. Jestem pewien, że cała ta sprawa to wynik jakiejś pomyłki. Błędu. Uchybienia. Okropne. Zdarza się. Złóżcie jeszcze raz. Zajmiemy się tym – rzekł Freddie i to powiedziawszy, zniknął.

Gdy Bidźlani wspomniał żonie o tej rozmowie, Śila siedziała przez chwilę bez ruchu, jakby zamieniła się w kamień. Po czym tylko jej oczy się poruszyły i spojrzała na męża.

– Ciekawe – powiedziała w końcu. – Zejdźmy na kolację.

O tym, że Freddie i T. T. ze sobą rozmawiali, było powszechnie wiadomo pół godziny po fakcie i powstało sporo domysłów na temat dokładnej treści ich rozmowy. Było jasne, że doszło do negocjacji, i obserwowanie Dolly nabrało teraz nowej, osobliwej pikanterii. Co zrobi, gdy otrzyma białą kopertę? Czy wspomni mimochodem o klubie pana Fonga przy lunchu? Czy teraz będzie słyszała słowa, które dotąd czyniły ją głuchą i ślepą? Wszystkie chciały być przy tym, cokolwiek i gdziekolwiek by to było, ponieważ sytuacja ta była zupełnie bezprecedensowa i na pewno pod wieloma względami stanowiłaby wyborne widowisko. Lecz nic się nie wydarzyło. Dni mijały, a Dolly pozostała beztrosko nieświadoma i zajmowała się swoimi sprawami. Dzień otwarcia Shanghai Clubu był tuż tuż i wszystkich zżerała ciekawość, co z wyposażeniem, „nominacjami” oraz planami. W tych ostatnich kilku dniach wystarczyło tylko zapytać: „Czy coś się wydarzyło?”, a rozmówca wiedział już, o czym mowa.

Ale oczywiście nic się nie wydarzyło. Śila też nic nikomu nie mówiła, była irytująco grzecznie zamknięta w sobie i nieugięta. Wiedziała tylko Mani Menon, była bowiem w gabinecie Śili dwudziestego trzeciego po południu i przeglądała listę, gdy Śila pracowała z kalkulatorem w dłoni i niezliczonymi teczkami. „*Memsahib*". Ganga weszła do gabinetu, wzięła swoją pensję z biurka i zatrzymała się na wystarczająco długi moment, by oglądać, jak jej pani nanosi adnotację na długim wykazie rat pożyczki. Śila uśmiechnęła się do niej na odchodnym. Zadzwonił telefon, odebrała i po raz kolejny tego popołudnia przedstawiła się: „Śila Bidźlani". Potem nastąpiła chwila ciszy. Gdy się przeciągała, z niezręcznej stając się znaczącą, Śila spojrzała najpierw na słuchawkę, a następnie na Mani, i obie natychmiast zrozumiały, kto dzwoni.

– Halo, dzień dobry – odezwał się w końcu aparat, głosem nieco zakłóconym i syczącym. – Mówi Dolly Boatwalla.

– Jak się miewasz, Dolly?

– Bardzo dobrze, dziękuję. A ty?

– Świetnie.

W słuchawce jeszcze na moment zapadła cisza, po czym Dolly odkaszlnęła.

– Byłam bardzo zajęta, tak to jest, gdy dzieci przebywają w domu. Próby uprzyjemnienia im czasu są takie męczące. Freddie powiedział mi, że spotkał T. T. na basenie.

– Doprawdy? Owszem, spotkał.

– Utrzymywanie dobrej kondycji to dobry pomysł. Ja właściwie muszę wysyłać Freddiego na pole golfowe. Posłuchaj – teraz rozległ się krótki śmiech – słyszałaś coś o tej sprawie z Shanghai Club?

Śila odetchnęła głęboko. Rozluźniła palce na słuchawce jeden po drugim i usadowiła się wygodnie w swoim dużym skórzanym fotelu. Skręciła nieco ramiona. Po czym, z kamiennym spokojem, wypowiedziała słowo, które tak długo zachowywała na tę okazję:

– Nie.

– Ach.

Mani Menon zaśmiała się w poduszkę, przyciskając ją do piersi i trzęsąc się gwałtownie.

– Cóż, słyszę, że wracają dzieci. Powinnam kończyć. Przyjemnie się z tobą rozmawiało.

– Mnie również – odparła Śila. – *Namaste.*

Pan Fong, z jednolicie czarnymi, lśniącymi włosami, stał w drzwiach Shanghai Club w smokingu i muszce, wyglądając szykownie, tajemniczo i dokładnie tak jak należało. Wewnątrz, gdyby się uważnie przyjrzeć, można by zobaczyć, że klub jest tak naprawdę trochę za mały, że stoliki przypominają wyroby stolarzy z Bhendi Bazar kopiowane z duńskich katalogów, że objętość drinków jest niewielka jak na ich wygórowane ceny, że wszystko jest dość zwyczajne. Tego wieczoru wszystko uległo jednak przemianie pod wpływem niezwykłej energii, podniecającego napięcia, które uczyniło wszystkich pięknymi, za sprawą swego rodzaju światła, które płynęło nie z przyćmionych lamp, ale z samego powietrza. Ramani Randźan Das była od stóp do głów na biało, z białym kwiatem *mogry* we włosach, w białej *gararze* i ze srebrnym kolczykiem w nosie. Przyszła z o dwadzieścia lat młodszym reżyserem filmowym. Wicekomisarz policji nosiła spodnie i okazała się osobą czarująco nieśmiałą. Śila miała na sobie zielone sari i zjawiła się trochę spóźniona. Ona oraz T. T. siedzieli pośrodku zatłoczonego zadymionego pomieszczenia, powietrze wypełniał przyjemny szczebiot i niewyraźne dźwięki muzyki, i choć inaugurację uwieczniono na zdjęciach i w opisach, tak naprawdę żaden z nich nie oddał tego wrażenia. Wrażenia nowości, jakby coś się zaczynało i było to jakoś dziwnie zmysłowe, tego wieczoru nawiązanych zostało co najmniej sześć nowych romansów i dwie pary się zaręczyły. I właśnie oczywistość tego wrażenia, że przez kilka godzin należy być akurat tutaj i robić akurat to, właśnie ta koniunkcja czasu, miejsca, historii, władzy i wysiłku wyniosła obecność w Shanghai Club tamtego wieczoru do rangi niezwykłego przeżycia i uczyniła klub niewymownie pięknym.

Wówczas myśleliśmy, że Śila jest niezwyciężona, zapomnieliśmy jednak, że nawet osoby o najsilniejszej w świecie woli z łatwością przegrywają w starciu z własnym potomstwem. Jak było do przewidzenia, syn Śili wrócił do Bombaju jako poeta. Sandźiw wyjechał dawno temu, najpierw do Doon School, a później do Stanów – nie do college'u, w którym studiował jego ojciec, lecz do Yale, gdzie miał wiele zajęć z fotografii oraz historii sztuki i gdzie złamał wiele serc ciemnym lokiem na czole, który nadawał jego twarzy wyraz melancholijnej tęsknoty. Nauczył się jeździć na nartach i odznaczał się swobodą ruchów i wdziękiem, zupełnie nieprzypominającym nerwowej energii jego matki, jej skupienia i ciężkiego chodu ojca. Sandźiw był leniwy i na jego ustach często gościł lekko zabarwiony arogancją uśmieszek, ale wszyscy wybaczaliśmy mu to, ponieważ pisał takie piękne wiersze. Mani Menon jako pierwsza osoba spoza rodziny spotkała go tam tego lata, przyglądała mu się długo, a potem rzuciła w przestrzeń tonem zdziwienia: „On zawsze wygląda tak, jakby właśnie zsiadł z konia". Gdy to powiedziała, nie musiała już nic dodawać. Bidźlani rzekł do Śili: „Nie wiem, co mu powiedzieć, jest niezupełnie taki, jak się spodziewałem, ale to wspaniały chłopak". Śila skinęła głową, owładnięta matczyną miłością. Traktowała syna jak klejnot, odgradzając go od świata, pragnąc nie tylko dać mu wszystko, ale i wziąć wszystko to, co chciał dać, choćby wiersz. Zrozumiała już, że uzyskanie od świata tego, czego się chce, oznacza, że twoje zmagania stają się godne pogardy i nieistotne dla twoich dzieci, tak właśnie powinno być, przecież właśnie dlatego dałaś im to, czego sama nie miałaś. Ale podobnie jak wszyscy rodzice, nigdy naprawdę nie sądziła, że Sandźiw się zakocha.

Oto, jak do tego doszło. Tydzień po powrocie Sandźiw przechadzał się z dala od domu, czując się wypoczęty fizycznie, ale wyczerpany samotnością. Później powiedział, że odkrywał dziwne przerażenie świadomością powrotu do znajomego sobie miasta i tym, że nikogo w nim nie zna, i sądził, że widok placów zabaw dzieciństwa, ulic i zakątków wypełni pustkę w jego sercu. Zszedł więc ze wzgórza do Pastry Palace i gdy przechodził przez wiadukt, starał się sobie przypomnieć to podniecenie, które kiedyś naprawdę czyniło z tego miejsca pałac, to wrażenie nastolatka widzącego grono przyjaciół i wiedzącego, że wszystko jest możliwe. Teraz jednak Pastry Palace po prostu wyglądał zwyczajnie. I właśnie rozczarowanie skłoniło go do wejścia ciężkim krokiem do Pałacu z gorzkim pragnieniem zorientowania się w tym wszystkim do końca.

Tak więc są różne opinie o tym, co stało się później. Niektórzy mówią, że chodziło właśnie o to – że potrzebował sposobu na odtworzenie więzi, trzymanie się czegoś. Inni twierdzili pogardliwie, że to narracyjna siła historii pchnęła ich do tego nierozważnego romansu, że to zaciekłość międzyrodzinnej waśni sprawiła, że zapragnęli siebie. „Jaki cholerny banał" – słyszeliśmy na balkonie Malabar Gym. – Dopuścić do czegoś w tak okropnym bollywoodzkim guście. Najlepsi z nas wierzyli, że to tylko miłość. Ale oczywiście nikt tak naprawdę nie wie, co się stało, znane są jedynie zasadnicze fakty, a one nie mówią nam zupełnie nic: tamtego popołudnia przy stoliku w Pastry Palace siedziała z przyjaciółmi córka Dolly, Roxanne, osiemnastolatka, kończąca tamtego roku Cathedral School. Była piękną dziewczyną o mlecznej cerze Boatwallów, ciemnych prostych włosach, ciemnych oczach, nieco pulchną, słodką, spokojną i trochę nieśmiałą, czarującą, ale zrozumcie, nie bóstwem. Znali się z Sandźiwem z widzenia, ale gdy widział ją ostatnim razem, dopiero co skończyła trzynaście lat. Rozmawiali, to wiemy na pewno, nikt jednak nie wie, co stało się później – czy się znowu spotkali w Pastry Palace, jak zwracali się do siebie, czy było to w domu jakiegoś przyjaciela, co dokładnie się wydarzyło. Śila z pewnością tego nie wiedziała. Wiedziała natomiast, że trzy miesiące później, pod koniec lata, Sandźiw poinformował ją, że chce się żenić.

Gdy usłyszała, kim jest wybranka, nie obruszyła się.

– Czy Roxanne powiedziała już swojej matce? – zapytała spokojnie.

– Tak – odparł Sandźiw. – Uznaliśmy, że powinna.

Patrząc na twarz syna, Śila nagle poczuła się staro. On był pewien swojej przyszłości. Wiedział, że jest problem, ale oczywiście zasadniczo wierzył, że wojny przeszłości toczono z powodu ignorancji i zacofania, że ostatecznie zwycięży zdrowy rozsądek. Chciała mu wyjaśnić, że owocem tej przeszłości jest on sam, jego uroda, ale oczywiście nie było o czym mówić, nie dało się tego wytłumaczyć. Po kilku chwilach milczenia matki Sandźiw zapytał:

– Jesteś zła?

– Nie – odparła. Mówiła prawdę, była zbita z tropu. Nie miała pojęcia, co ma zrobić. Ale w miarę upływu czasu, gdy po południu siedzieli razem w jej gabinecie, nie mogła znieść bezczynności. Chwyciła za telefon i zaczęła dzwonić. Po pierwszych kilku rozmowach stało się jasne, że Dolly jednak wiedziała, co zrobić – opuściła miasto z Roxanne. Odleciały do Londynu samolotem o czwartej. Widziano je w samochodzie, odwożone na lotnisko, podobno Roxanne przez całą drogę spoglądała smętnie przez okno, ale ta informacja, Śila była tego pewna, stanowiła akcent dramatyczny dodawany w miarę przekazywania tej historii z ust do ust przez telefon. W każdym razie wyjechały.

Teraz Sandźiw wyglądał na oszołomionego i chciał jechać do Londynu.

– Nie bądź niemądry – powiedziała Śila. – Skąd wiesz, że je tam znajdziesz? I co zrobisz, gdy je znajdziesz, porwiesz ją? – Dolly miała dwie inne córki, jedną zamężną w Londynie, drugą w Chicago. Roxanne mogła być w dowolnym rejonie świata.

Tak więc czekali. Śila była pewna, że Dolly nie zostawi męża samego na zbyt długo, nie w tym momencie, że wkrótce wróci. Nie miała pojęcia, co zrobi po jej powrocie, często o tym myślała, ale nie miała zadowalającego planu. Tymczasem zaś zajmowała się Sandźiwem, który cierpiąc, siał zamęt w domu. Schudł, a lok nad czołem w zestawieniu z ciemno podkrążonymi oczami sprawiał, że zupełnie nie można się było mu oprzeć, wzdychały do niego kobiety dojrzałe i młode, zostawiały mu liściki i czekały w pubach, w których rzekomo bywał, dążyły też zawiłymi drogami do tego, by go poznać, ale to wszystko było daremne, zapominał o nich chwilę później. Był ślepy i głuchy na wszystko z wyjątkiem wspomnienia o swojej Roxanne. Śila zrozumiała, że każda chwila spędzona z dala od dziewczyny wiąże go z nią nieodwracalnie, pojęła też, że jeżeli jako matka każe mu wymazać ją z pamięci, Roxanne stanie się dla Sandźiwa tak samo niezapomniana jak jego dzieciństwo. Musiała milczeć. Była to pułapka subtelnie zastawiona na nią przez lata zwycięstw. Nawet teraz musiała docenić gorycz, którą w niej wzbudziła.

Dolly wróciła po dwóch miesiącach. Bidźlani miał przyjaciół w służbach celnych, zanim więc przeszła zielonym korytarzem, wiedzieli już, że wróciła, że przyleciała sama samolotem Pan Am z Frankfurtu. Śila odczekała dwie doby, po czym w sobotnie popołudnie poprosiła o samochód. Siedziała sama z tyłu, gdy pokonywał kilka zakrętów, na długim zboczu z lewej strony i dotarł pod rezydencję Boatwallów. Mogłaby pokonać tę drogę pieszo w dziesięć minut, ale przez te wszystkie lata, gdy mieszkali tak blisko siebie, właściwie nigdy nie widziała ich domu. Aleję, która biegła od bramy, ocieniały gałęzie rosnące nad wysokimi murami, tak że gdy ktoś już do niej dojeżdżał, był zaskoczony powierzchnią rozciągającego się dalej trawnika. Sama brama została zrobiona z kutego żelaza, z rodzajem herbu na środku, lecz Śila, nachyliwszy się szybko do przodu, zauważyła ze zdziwieniem, że marmur na lewym słupku jest niewątpliwie popękany. Samochód minął portiera, który zasalutował mercedesowi i przepuścił go bez pytania, gdy zaś majestatycznie skręcili na kolisty podjazd, Śila po raz pierwszy wyraźnie zobaczyła całe to miejsce – białe kolumny, zdobne okna, fasadę ze wspaniałymi esami i floresami, a wszystko brudne i pstrokate. Drzwi od frontu otworzyła, nie do wiary, pokojówka w czarnym uniformie, i nagle Śila musiała stłumić śmiech, potem jednak zauważyła, że kobieta ma białe, bardzo piękne włosy i przygląda się jej w całkowitym niewzruszonym skupieniu.

– Proszę powiedzieć pani Boatwalli, że przyszła pani Bidźlani – powiedziała, przechodząc obok służącej. Kobieta przez chwilę śledziła ją wzrokiem z ręką zesztywniałą na klamce, po czym odwróciła się i odeszła, powłócząc nogami. – Pani Bidźlani! – zawołała za jej zgarbionymi ramionami Śila, ale pokojówka nie odwróciła głowy. Jedyne światło docierało przez otwarte drzwi, ukazując miriady unoszących się w powietrzu niemal nieruchomych pyłków. W półmroku, pod ścianą ze zdjęciem robotników trudzących się w dokach Śila zobaczyła dwie otomany. Dywan był wytarty i, w pobliżu drzwi, pokryty brunatnymi plamami. Czuć było lekką woń wilgoci. Śila nie widziała włącznika światła, czekała więc koło drzwi. W końcu rozległo się szuranie i z ciemności wyłoniła się pokojówka.

– Pani nie ma w domu.

– To bardzo ważne – odparła Śila. – Proszę jej powiedzieć, że to bardzo ważne.

– Pani nie ma w domu.

Kobieta mówiła to bez zniecierpliwienia, stojąc z dłońmi splecionymi luźno na białym fartuszku. Śila nie miała wątpliwości, że powie to jeszcze raz. Skinęła głową i odwróciła się. Znalazłszy się w połowie schodów, usłyszała delikatny trzask drzwi. Gdy samochód odjeżdżał, spojrzała na dom, ale w żadnym z okien nie było oznak życia. Zanim przejechali przez bramę, w głowie miała jasną, w pełni określoną strategię. Ta myśl nasunęła się jej w tej właśnie postaci. Kupi tę rezydencję. Wykupi ich w komplecie – cały ten kram. W końcu rzecz sprowadza się do tej trywialnej prawdy – że oni mają dumę, a ona pieniądze. Siedziała czujnie z tyłu samochodu, na który zapracowała, rozluźniona już, jej umysł pracował szybko. Przecież to – pomyślała – było nieuchronne. Sprawił to czas i historia.

Tamtej nocy Śila i T. T. siedzieli razem do późna, oceniając swą płynność finansową. To określenie zawsze wydawało się jej dziwne, pieniądze były bowiem, przeciwnie, twarde i bezosobowe. Teraz jednak zrozumiała, jak bardzo mogą przypominać strumień, nieobliczalny i ukryty, i miała zamiar zmienić go w potok, który popłynie w górę wzgórza zamiast w dół, rozrywając bramę posiadłości cholernych Boatwallów jak papier. Miał wytrysnąć ze zbocza pod rezydencją niczym źródło ze skały w jej wnętrzu – niespodzianka! Była druga nad ranem, gdy spojrzeli na liczbę u dołu bloku białego papieru listowego, na długi ciąg zer w sumie, na której zgromadzenie poświęcili całe życie.

– Czy to wystarczy? – zapytał T. T., masując powieki. – Czy to wystarczy?

– Wystarczy – odparła Śila. – Chodźmy spać. – Poszli na górę do sypialni. Pod drzwiami pokoju Sandźiwa widać było światło. Oparła się odruchowej chęci, by zapukać i wejść do środka, ale gdy pogasili lampy, nie mogła zasnąć. Widziała klocki firm będących ich własnością, to, jak pasują do siebie, i przesuwała je niczym figury szachowe, szukając niuansu, który dałby im przewagę czterech ruchów. Wstała raz, żeby napić się wody, i była zaskoczona porą, którą wskazywały jaśniejące cyfry zegara na nocnym stoliku. Znowu starała się zasnąć, ale teraz wirowały jej przed oczyma jedynie zera, symetryczne i niezmienne. *Śunja śunja śunja*, te słowa docierały do niej wypowiedziane wysokim głosem ojca udzielającego jej zapomnianej lekcji z dzieciństwa: *śunja* to zero, a zero to *śunja*. Czuła wielkie zmęczenie.

Wyczerpanie minęło, ale zostało coś innego. Gdy podjęli próbę przejęcia, które, jak twierdziła Śila, nie było wrogie, lecz niezbędne, gdy przystąpili do niespiesznego i zuchwałego ataku na Boatwalla Shipping International & Co. (powstałą w 1757 roku), okazało się, że nie sprawia jej to żadnej przyjemności. Przejęcie firmy Boatwallów było najbardziej skomplikowaną łamigłówką, wobec której kiedykolwiek stanęła, ona sama była doskonałością, pamięć miała fantastyczną, energię niespożytą i bił od niej oczywiście subtelny i nieodparty czar. Czuła jednak, jak zgrzyta napędzający ją mechanizm. Przypominała sobie stale, dla kogo w końcu to robi, patrzyła na twarz syna i wspominała, jak, niepewny, uczył się chodzić, trzymając się kurczowo jej sari, i jego nerwowe kroczki, a mimo to co rano leżała po przebudzeniu w łóżku, zbierając siły witalne, po trosze stąd, po trosze stamtąd, by wstać i zmagać się z nadchodzącym dniem. Ale prawdziwe było jedynie to, że znikła w niej chęć prowadzenia tej gry. Nagle zaczęło to przypominać pracę, ale nawet gdy gra w danym dniu dobiegała końca, Śila potrafiła jedynie siedzieć w milczeniu, gapiąc się od czasu do czasu w telewizor i czując zagubienie. Starała się to ukryć i Sandźiw, który zaczął zapisywać kolejne strony wierszami, nic nie zauważył, ale T. T. był zaniepokojony. Nic nie mówił, ale spoglądał nieufnie, jakby wyczuł w powietrzu coś groźnego, nie do końca był jednak pewien, co to takiego, skąd nadchodzi i co oznacza.

I właśnie teraz, w tym czasie, w porze jej pokuty, pewnej niedzieli przyszła do niej Ganga. Miała na sobie nowe, jasnobłękitne sari i towarzyszyła jej Aśa, także w sari, ale w zielonym kolorze. Była to oficjalna wizyta: stały w gabinecie Śili, matka nieco z przodu.

– Jak ty ładnie wyglądasz, Aśo – powiedziała Śila.

Gdy dziewczyna spłonęła rumieńcem, Ganga wyjaśniła:

– W zeszłym tygodniu skończyła praktykę pielęgniarską.

– Bardzo dobrze! – pochwaliła Śila, dotykając ramienia dziewczyny.

– W przyszłym miesiącu wychodzi za mąż – oznajmiła Ganga. – Przyszłyśmy, żeby pani wręczyć zaproszenie. On jest nauczycielem.

Śila wzięła wielką kopertę, karta była czerwona ze złotym szlaczkiem w kształcie pnącza biegnącym wzdłuż brzegów. Zapraszała na ceremonię i przyjęcie w sali szkoły im. Wiwekanady w Andheri.

– Przyjedzie pani? – zapytała Ganga.

Śila patrzyła na Aśę. Nie wiedzieć czemu nagle pomyślała o swoim pierwszym locie samolotem Air France, o tym, jak żołądek podszedł jej do gardła, gdy maszyna oderwała się od ziemi.

– Tak – odparła. – Oczywiście.

– Proszę też przyprowadzić Sandźiwa Babę.

– Przyprowadzę. – Sandźiw nie opuszczał domu od wielu dni, tygodni nawet, i Śila była pewna, że nikt nie potrafi go wyrwać z gmachu jego smutku, przestała już go prosić, ale powiedziała: – Przyjedziemy wszyscy.

Ganga skinęła głową.

– Chodź – powiedziała do Aśi, która uśmiechnęła się do Śili znad ramienia matki. Pobiegła korytarzem, żeby nadążyć za Gangą, srebrne *pajale* na jej kostkach pobrzękiwały przy każdym kroku. Śila usiadła powoli przy biurku. Zapał dziewczyny dotknął ją, ta cicha muzyka wywołała ucisk w żołądku i wrażenie odkrywania nieznanej pustki. Śila wspominała – pamiętała jazdę autobusem na lotnisko z innymi stewardesami wczesnym ranem, czerwone światła w oddali o chłodnym błękitnym brzasku, łoskot samolotu z migoczącymi światłami pozycyjnymi i przyjemne uczucie, że to wszystko jest zaproszeniem, obietnicą. Czasem śpiewały razem, piosenki z filmów w języku hindi, między Marine Drive a Bandrą, czasami zaś w Paryżu, w drodze na Orly, w towarzystwie uśmiechających się do nich francuskich kierowców.

Teraz Śila czekała, z dłonią na aparacie, biorąc się w garść przed następną rozmową telefoniczną. Miała ich wiele do przeprowadzenia. Przejęcie nie postępowało zgodnie z planem. Boatwallowie dokonali pewnych zabiegów politycznych, których można było się spodziewać i które zostały z łatwością zneutralizowane – a nawet okazały się korzystne, ujawniły bowiem ich koneksje oraz to, że są świadomi swojego kłopotliwego położenia. W miarę jak mijały kolejne tygodnie, stało się jasne, że Boatwalla International jest jeszcze bardziej rozrośnięta, niż ona i T. T. sądzili. Spłata odsetek od zadłużenia Boatwallów z trudem mieściła się w granicach ich możliwości finansowych.

Kiedy jednak wydawało się, że muszą się poddać lub stracić na znaczeniu, otrzymali nagły zastrzyk gotówki. Ożywiło ich to niczym transfuzja, wsparło i pozwoliło stawić opór: Freddie, różowo-rudy w światłach studia, pojawił się w programie „Business Plus" i oznajmił, że już po wszystkim, że są bezpieczni. Śila wiedziała, że pożyczyli pieniądze, mnóstwo pieniędzy na niebywale wysoki procent, ale gdy próbowała się dowiedzieć, kto im je pożyczył, nie otrzymała odpowiedzi. Jej źródła wywiadowcze w całym Bombaju i poza jego granicami wyschły niczym miejskie zbiorniki na wiosnę, nie można było zdobyć żadnych informacji. Ona oraz T. T. poprosili o niejedną przysługę, ale wciąż bez skutku. Gdyby zdołali zdobyć jakieś nazwisko, wszystko byłoby jeszcze możliwe: intrygami dałoby się zakłócić napływ niezbędnych pieniędzy, subtelne prawnicze wybiegi mogłyby powalić cały ten nieruchawy rachityczny rupieć. Raz w podobnej sytuacji wykupili nawet za czystą gotówkę całe towarzystwo kredytowe. Ale bez nazwiska, bez tej istotnej tajemnicy nie mogli niczego zrobić, wszystko było bez znaczenia.

Tak więc teraz podniosła słuchawkę telefonu i spojrzała na nią oraz na cyfry na klawiaturze. Kiedyś posługiwała się nią niczym subtelnym instrumentem, jej palce fruwały po przyciskach machinalnie, to była jej radość, jej sitar, jej sztylet. Teraz tylko gapiła się na słuchawkę. „Już nie pamiętam numerów telefonu" – zauważyła z czymś w rodzaju posępnego zdziwienia. Po czym otworzyła notes i zaczęła dzwonić.

Kiedy miesiąc później wyjeżdżali na wesele do szkoły im. Wiwekanady, ich problem nadal był nierozwiązany. Boatwalla International uparcie cieszyła się dobrym zdrowiem, niczym pacjent powstały z łoża śmierci i uszminkowany. Dla Śili i T. T. wynik tej potyczki był niezupełnie remisowy. W oczach rynku pat oznaczał ich porażkę. Nie tylko z tego powodu Bidźlani był milczący i roztargniony; niepokój nurtował go dlatego, że jego życie utraciło swój zwykły porządek. Śila wiedziała, że jej przygnębienie demobilizuje go jeszcze bardziej niż ją, ale najlepsze próby rewitalizacji ich poczynań jej samej wydawały się chybione. Czuła drżenie ust, gdy się uśmiechała. Wyglądało na to, że nie ma wyjścia, więc znosiła to z dnia na dzień, a on razem z nią. Teraz siedzieli oddaleni od siebie na tylnym fotelu za kierowcą, Gurinderem Singhem, który oprócz tego, że pracował u nich od dawna, był również przyjacielem Gangi.

Kiedy samochód zatrzymał się pod szkołą, Ganga czekała na nich. Powitała ich pośród tłumu potrącających się osób. Gdy wchodzili do budynku, garstka dzieci w wypucowanych odświętnych ubraniach goniła wokół nich, gapiąc się bez żenady. Salę przystrojono wstęgami, a pośrodku znajdował się *mandap* z ustawionymi wokół w nierównych rzędach krzesłami.

– Sandźiw był zajęty – wyjaśniła Śila, gdy podeszli do dwóch bogato zdobionych foteli, tak naprawdę będących czymś w rodzaju tronów, z wielkimi oparciami na ręce, całych w złocie, które umieszczono przed namiotem. Usiedli, a Ganga zajęła miejsce przy córce siedzącej po turecku obok mężczyzny, który miał zostać jej mężem. Kapłani śpiewali monotonnie jeden po drugim oraz w chórze i rzucali garściami ryż do ognia. Aśa, pulchna i zadowolona, uśmiechnęła się do nich z ukłonem, prezentując się bardzo ładnie. Śila skinęła ku niej głową i pomyślała o Sandźiwie. Wcale nie był zajęty, w rzeczywistości siedział na tarasie na dachu ich domu z nogami na stole, ale powiedział, że jest zmęczony.

Wtedy po raz pierwszy widziała Gangę siedzącą w zupełnym bezruchu. Ganga wydawała się spokojna, kolana miała podciągnięte, a ręce trzymała przed sobą. Kapłani kontynuowali monotonny śpiew. Tymczasem zaś nikt w ogóle nie zwracał uwagi na ceremonię. Dzieci biegały we wszystkich kierunkach. Ich rodzice siedzieli na krzesłach wokół namiotu i rozmawiali, śmiejąc się i kiwając głowami. Od czasu do czasu ktoś podchodził, stawał przed tronami i szepcząc do przyjaciół, gapił się bez żenady na Śilę i T. T. Śila wsparła się ręką pod brodę, zapatrzona w ogień i zasłuchana w śpiew. Potem nagle uroczystość dobiegła końca i młoda para siedziała na podium w końcu sali, na tronach równie wspaniałych jak te przygotowane dla Bidźlanich. Śila i T. T. jako pierwsi przeszli przez linię recepcyjną, Śila objęła Aśę, a T. T. uścisnął dłoń jej męża, który miał na imię Rakeś. Później oboje zasiedli na swoich tronach, przeniesionych naprzeciw podium, i podano jedzenie. Wszyscy wokół jedli. Śila zjadła *puri, bhadźi, birjani* oraz lepkie *dźalebi* i przyglądała się, jak Ganga wędruje wśród siedzących gości, osobiście podając im dania z tac niesionych przez jej krewniaczki. Śili oraz T. T. dała wielkie dokładki, a oni to wszystko sprzątnęli z talerzy*).

---

* W tradycji hinduskiej obrzęd zaślubin odbywa się wokół świętego ognia. W trakcie ceremonii kierujący obrzędem kapłani, jak i narzeczeni składają ogniowi ofiary (m. in. z ryżu). Rytuał odbywa się pod konstrukcją określaną nazwą *mandap*. Po wypełnieniu rytuałów przy świętym ogniu państwo młodzi zasiadają zazwyczaj na przygotowanych dla nich „tronach", gdzie każdy może podejść, by pobłogosławić małżonkom. Śluby zazwyczaj odbywają się na powietrzu i całe miejsce weselne osłania się ogromnym namiotem, *śamijaną*.

Po posiłku Ganga rozdała prezenty kobietom obecnym na weselu. Znowu obeszła salę i ofiarowała sari swoim siostrzenicom, ciotkom oraz innym krewniaczkom. Podeszła do Śili, która powiedziała bez zastanowienia:

– Nie musisz mi nic dawać.

Ganga spojrzała na nią z twarzą bez wyrazu.

– Taki mamy zwyczaj – odparła.

Śila zarumieniła się, szybko wyciągnęła rękę i wzięła sari. Trzymała je oburącz na kolanach, ze ściśniętym gardłem. Czuła się niebezpiecznie bliska łez. Lecz na jej kolanach wspierały się wpatrzone w nią dwie dziewczynki, siostry, siedmio- i ośmiolatka. Porozmawiała z nimi i to uczucie minęło. W końcu siedziała na jednym końcu sali, z dala od świateł, nie na tronie, lecz na rozkładanym krześle, zmęczona i przyjemnie senna. T. T. był po drugiej stronie sali, rozmawiał o skandalach giełdowych z grupką mężczyzn. Ojciec Gangi siedział obok, milczący, lecz słuchający z uwagą. Śila pomyślała sennie, że T. T. po raz pierwszy od wielu miesięcy wygląda na ożywionego.

I wtedy podeszła do niej Ganga. Zawahała się przez chwilę, po czym usiadła obok Śili na brązowym krześle. Spojrzały na siebie otwarcie. Znały się od dawna i w miarę lubiły, lecz o silnych uczuciach między nimi nie było mowy.

– Jak mogłaś sobie na to pozwolić?

– Sprzedałam moje *kholi.*

– Sprzedałaś?

– Za trzydzieści tysięcy rupii.

Śila rozejrzała się po sali. Grupa dzieci tańczyła przy dźwiękach jakiejś piosenki, unosząc do góry ręce niczym Amitabh Bachchan w filmie *Muqaddar ka Sikandar.*

– Dziękuję – powiedziała po angielsku, wskazując niezgrabnym ruchem ręki na sari, które trzymała na kolanach.

Przez chwilę nie było reakcji, po czym Ganga błysnęła śnieżnobiałymi zębami w uśmiechu.

– Kupiłyśmy je w hurtowni – wyjaśniła. – Mam znajomego. – Wskazała ruchem głowy mężczyznę, na którego Śila zwróciła uwagę wcześniej, gdy krzątał się i przeprowadzał gości weselnych z miejsca na miejsce. – To on.

– To świetnie – odparła Śila.

– Dobrze mówi pani po angielsku – zauważyła Ganga.

– Nauczyłam się w dzieciństwie.

Ganga usadowiła się na krześle ruchem bardzo zmęczonej osoby.
– Słyszałam, że Boatwalla mówi po angielsku.
– Dla niej też pracujesz?
– Dłużej niż dla pani.
– Nie wiedziałam. Nie spytałam.
– Nie powiedziałam pani. Zmywam i sprzątam kuchnię. Jej służba tego nie robi. Nie widuję jej nigdy.
– Rozumiem.
– Z wyjątkiem paru razy w roku, gdy przychodzi po coś do kuchni.
– Tak.
– Ale ona mnie nie widzi.
– Czy to znaczy, że się przed nią chowasz?
– Nie, stoję przed nią.
– W takim razie co to znaczy?
– To znaczy, że mnie nie dostrzega. Gdy rozmawia wtedy z kimś, nie przerywa rozmowy. Dla takich ważnych osób reszta świata jest niewidzialna. Nie chodzi o to, że ona jest nieuprzejma. Po prostu mnie nie widzi, więc dalej rozmawia o rzeczach, o których nigdy nie mówiłaby w obecności pani lub kogoś innego. Raz mnie dostrzegła, ale to dlatego, że chciała wyjąć wodę z lodówki, a ja wycierałam podłogę i musiała przejść nad moją ręką.
Głos Gangi był mocny, spokojny. Śila przesunęła nieco paczkę na swoich kolanach.
– Nawet wtedy nie przestała mówić. Raz słyszałam, jak źle mówi o swojej starszej córce, tej z Londynu.
– Czy ty... – Śila nie dokończyła.
– Czy rozumiem po angielsku? Trochę tak, jak sądzę. Pracuję dla pani od dwudziestu lat, prawda?
– Rzeczywiście.
– W zeszłym tygodniu weszła, by skrzyczeć kucharza za miski, do których nałożył deser podany po lunchu. Jej mąż wlókł się za nią. „Co za ludzie" – powiedziała. Wysłała kucharza, żeby zebrał wszystkie miski. Mówiła o spotkaniach, a jej mąż zapisywał coś na kartce. Jak ona rozmawia po angielsku, trajkocze i trajkocze, pieszczotliwie jak babunia, pytała o jakąś amerykańską firmę, potem mówiła coś o banku w Hongkongu, cały czas łażąc po kuchni.
– O banku? – zdziwiła się Śila.
Ganga wyprostowała się na dźwięk jej głosu.

– Tak, o banku.

– W Hongkongu? – Ganga milczała na przekór nagłemu głębokiemu zainteresowaniu Śili. – Czy wypowiedziała nazwę tego banku?

– Chyba tak.

– Pamiętasz, jaką?

– Czy to ważne?

– Owszem. Bardzo.

Ganga odrzuciła do tyłu głowę i roześmiała się. Dwójka przebiegających obok dzieci przystanęła i zaczęła się na nią gapić.

– To był Fugai Bank. Fuu Ga. Fuu Quaj.

W samochodzie Śila wzięła T. T. za rękę. Milczała i spoglądała przez okno, gdy jechali przez miasto. Gurinder puszczał stare piosenki z kaset, nucił do wtóru, w nastroju poprawionym przez smaczne jedzenie i przyjemny weselny zamęt. Gwar bombajskiego życia nocnego jeszcze nie ucichł i wszędzie byli ludzie, a na niektórych skrzyżowaniach samochody i skutery trąbiły na siebie wściekle. Gdy wyjechali zza zakrętu, Śila ujrzała rodzinę, ojca, matkę i dwójkę dzieci, siedzącą wokół małego ogniska przy drodze. Na ogniu stał garnek, płomienie rozświetlały ich twarze, wpatrzone w przejeżdżający samochód.

Gdy pod domem T. T. wręczał Gurinderowi parę banknotów pięćdziesięciorupiowych, Śila poszła przodem. Słyszała za sobą ich mamroczące głosy, cykanie świerszczy oraz szelest liści na wietrze. Nic nie powiedziała mężowi i teraz nazwa banku niebezpiecznie drażniła jej nerwy, nie w nieprzyjemny, ale też w niezupełnie pożądany sposób, coś się w niej budziło, coś jeszcze nie w pełni ukształtowanego, coś nieznanego. Niecierpliwość długo nie pozwalała jej zasnąć i w końcu Śila wstała z łóżka i poszła na dach. Wszystko tonęło w ciemnościach, noc była bezksiężycowa, a jej *ćappale* głośno szurały po betonie. Znalazła krzesło ogrodowe i siadła na nim z rękami złożonymi na kolanach. Od czasu do czasu jej twarz omiatał powiew świeżości, wietrzyk ledwie, chłodny jednak i wilgotny. Znowu nadszedł i Śila zaczęła wspominać swojego ojca. Pamiętała go jako małego łysiejącego mężczyznę z dużym brzuchem, noszącego zawsze sandały, czarne spodnie oraz koszulę safari w białym lub brązowym kolorze. Sklep zamykał późnym wieczorem i otwierał wcześnie, tak więc Śila widywała go zwykle nocą, gdy sam jeden spożywał kolację. Kiedy dorastała, zawsze uważała go za prostego człowieka. Ale raz w roku lubił wywozić rodzinę z miasta, do jakiegoś kurortu lub miejscowości letniskowej w górach, na tydzień, dwa. Pamiętała, jak raz obudziła się, gdy było jeszcze ciemno. Miała dziesięć lub jedenaście lat, nocowali w jakimś miejscu nad rzeką, w małym hotelu, nazwy rzeki nie potrafiła sobie przypomnieć. Pamiętała jednak zimno unoszące się znad wody, gdy wyszła na zewnątrz i ujrzała ojca siedzącego poniżej na piaszczystym brzegu rzeki. W ciemności widziała biel jego *kurty* i lśniącą nad nią głowę. Przeszła przez ogród z klombami kwiatów, po schodach prowadzących do rzeki i usiadła obok ojca, opierając nogę na jego kolanie. Uśmiechnął się do niej, a potem spojrzał na drugi brzeg, gdzie woda zlewała się z mgłą. Śilę przeniknęły lekkie dreszcze. Siwizna znaczyła białymi cętkami zarost na jego twarzy. Wiedziała, że zgoli go później brzytwą Wilkinsona. Nazywał się Kiśen Ćand i był niskiego wzrostu. Później, gdy była starsza, a on już nie żył, wspominała, jak patrzył na wodę, i myślała, że nikt i nic nie jest proste. Pamiętała też starą opowieść o schizmach i okropieństwach, o tym, jak zostawił połowę swojej rodziny pomordowaną w Lahaurze, dwóch braci, siostrę, ojca. Mieli sklep, który został spalony. Podział Indii rzucił go na ulice Bombaju, lecz on wciąż opowiadał o swoim Lahaurze, swoim pięknym Lahaurze*). Było to przedmiotem rodzinnych żartów. Tuliła się do boku ojca, gdy rzeka wyłaniała się z szarego światła. Przypomniała sobie szkolne lekcje geografii i zapytała szeptem: „Czy to jest święta rzeka?". „Na pewno" – odparł. – „Jest święta" – dodał. „Co to za zapach?" – zapytała. -„Dym spalonego drewna". – „Dym?". „Ogień". „Jaki ogień?". „Ogień kuchenny, ogień w piecu, ogień płonącego siana. Ogień pogrzebowy. Ogień rytualny. Nawet ogień z palenia odpadków, rzeczy, które się wyrzuca. W domach i fabrykach. Dnieje i ognie są wszędzie". I ujrzała biały dym snujący się powoli po powierzchni wody.

Śila usłyszała kroki i sięgnęła ręką do mokrej od łez twarzy. Otarła je rękawem, a gdy uniosła wzrok, zobaczyła, że położone daleko u dołu morze ma złoty kolor. Wstała i poczuła ciepło światła na policzkach. Sandźiw podszedł

---

* Odwołanie do rozdzielenia się brytyjskich Indii na Indie i Pakistan w 1947 roku. Podczas tego tzw. Podziału (ang. *Partition*) z powstającego Pakistanu do Indii masowo wyjeżdżali sikhowie i hindusi, zaś wielu muzułmanów przeniosło się z Indii do Pakistanu. Tym potężnym migracjom towarzyszyły straszliwe rzezie i grabieże.Miasto Lahaur (wym. Lahor, ang. Lahore) znalazło się w wyniku tego podziału na terenie Pakistanu. Imię „Kiśen Ćand" wskazuje, iż człowiek ten był hindusem.

do niej i osunął swoje patykowate ciało na krzesło. Uśmiechnęła się do syna. W ręku trzymał książkę i na swój tragiczny sposób wyglądał bardzo ładnie.

– Wczoraj w nocy późno wróciliście – zauważył.

– Owszem.

– Poszliście na jedno z tych waszych przyjęć? – Wydął pogardliwie usta.

Śila roześmiała się. Gdy spuściła wzrok, zobaczyła na jego T-shircie postać zaniedbanego blondyna oraz jedno słowo: „Nirvana".

– Sandźu*), jesteś moim synem, ale na przekazanie ci wszystkiego, czego nie wiesz o świecie, nie starczyłoby życia. – Na odchodnym zmierzwiła mu włosy.

W sypialni zaśmiała się na widok olbrzymiego ciała swojego męża pod pościelą. Pociągnęła go za palec u nogi.

– Wstawaj. Mamy robotę.

T. T. zszedł za nią po schodach do gabinetu, przecierając oczy. Gdy rozsiadła się wygodnie w fotelu i podniosła słuchawkę telefonu, usiadł naprzeciw żony.

– Co robimy? – zapytał.

Śila położyła stopy na jego kolanach. T. T. pomasował je z uśmiechem, ponieważ w swojej kwiecistej koszuli nocnej i ze ściągniętymi do tyłu włosami wyglądała jak dziecko, a ona spojrzała na niego z ukosa spod opuszczonych powiek, frywolna i trochę niebezpieczna. Jej palce poruszały się tak szybko po klawiaturze telefonu, że towarzyszące temu sygnały akustyczne brzmiały niczym muzyka. Śila uśmiechnęła się szeroko.

– Pomyślałam sobie, że moglibyśmy wykonać kilka telefonów do Hongkongu.

Tym, co zapamiętaliśmy z tego wesela, nie była skala ceremonii ślubnej i nie sama uroczystość ani nawet to, jak pięknie wyglądała młoda para, czy spekulacje co do miesiąca miodowego we Francji. Nie był tym nawet widok Śili i Dolly wchodzących w jednej parze na przyjęcie weselne. Nie był tym widok Tigera Pataudiego oraz mocno podchmielonego ojca panny młodej odtwarzających swoje drugie inningsy, tak aby T. T. i Mani Menon mogli osądzić, czy rzeczywiście Pataudi zastawił bramkę swoją odzianą we flanelę nogą. Nie

* Końcówka „u" służy często do tworzenia zdrobnień od imion. A zatem np. „Sandźu" to tutaj zdrobnienie od „Sandźiw".

była tym wcale wiadomość, że Ganga kupiła duży hangar w Dharawi, gdzie miała zamiar zainstalować zakład przetwórstwa szmat. Po zakończeniu całej uroczystości w umysłach zachował się jeden dziwny moment przed podwójną ceremonią (po jednej dla każdego wyznania)*), gdy obie rodziny przeniosły się do środka ogromnej *śamijany*. Po jednej stronie widać było ciotki Śili, duże kobiety w różowo-czerwonych sari z brylantowymi bransoletami na przegubach rąk i szyjach, a po drugiej krewnych Dolly, szczególnie jedną wysoką rachityczną staruszkę w białym sari i binoklach, z perłami na szyi; wszystkie te osoby spoglądały na siebie. Wówczas umilkły wszystkie rozmowy, nastąpiła dziwna chwila całkowitej ciszy, nawet ptaki przestały szczebiotać. Potem dwoje dzieci, kuzyn Roxanne goniący siostrzenicę Śili, przebiegło z piskiem przez namiot, i ten moment przeminął, i wszyscy zaczęli na powrót rozmawiać. A jednak wcześniej zapadło to dziwne milczenie – chyba po prostu dlatego, że nikt nie wiedział, co mają ze sobą nawzajem zrobić. Lecz myślę o tej chwili ciszy, ilekroć uświadomię sobie, jak wiele się zmieniło z powodu tego małżeństwa. Mam na myśli utworzenie Międzynarodowego Koncernu Handlowego Bidźlani–Boatwalla, potem skandal pożyczkowy Agarwala, sukcesy M. K. H. B. B., upadek rządu Jaśwanta Rao Ghatge, błyskawiczny awans Gaganbhaia Patela, o tym zaś, co się stało później, wszyscy wiemy. Ale to już inna historia. Być może opowiem wam o tym następnego wieczoru.

---

*Rodzina Bidźlanich to hindusi, zaś rodzina Boatwallów to parsowie (zoroastrianie).

Kama

Tamtego lata byłem załamany. Znużony sobą, niezliczonymi szczegółami, takimi jak skwarny upał, oraz wonią desperacji, dolatującą spod moich pach. Ostatecznie wszystko to było śmiertelnie nudne, było po prostu czymś, co – jak sądziłem ja i ktoś jeszcze – nigdy się nie skończy, a rozpadło się gwałtownie i nieodwracalnie. Wydawało się to tak zwyczajne, tak przeciętne w swoich szczegółowych danych, że myśl o tym budziła we mnie wstręt, a jednak nie mogłem się powstrzymać. Wiedziałem, że powinienem utopić te myśli w alkoholu, lecz alkohol czynił mnie tylko jeszcze bardziej zmęczonym, a sen i tak pierzchał. Snułem się z ponurą miną po mieście i czekałem, aż nadejdzie monsun – bez wiary, bez przekonania o jego mocy, czekając tylko, aż coś się zmieni.

Pewnego wieczoru oni rozmawiali o jakimś morderstwie. Mówię „oni", bo ostatnio całymi tygodniami siedziałem rozparty w fotelu, milczący, ale zawsze zdenerwowany, nieustannie przechylając się z boku na bok. Subramaniam obserwował mnie bacznie przez cały ten czas. Teraz byłem bardzo ciekaw szczegółów tego morderstwa. Chciałem wiedzieć, jak ich zabito. Ofiarami byli małżonkowie, których zakrwawione ciała znaleziono w ich mieszkaniu w Kolabie. W gazetach pełno było artykułów na ten temat. To, że nie stwierdzono żadnych śladów walki, sprawiło mi osobliwą satysfakcję. Pokiwałem szybko głową. Inni przyglądali mi się z zażenowaniem.

– Nie ma w tym żadnej wielkiej tajemnicy – powiedziałem. – Chodziło pewnie o miłość. No wiecie, o seks.

– Albo o złoto – rzekł Desai. – O majątek. Piszą tu, że policja przesłuchuje służbę.

– Coś w tym rodzaju – odparłem. – Proste i głupie.

– Albo też niebywale skomplikowane – oświadczył nagle Subramaniam.

– Co to ma znaczyć?

– Nie wiesz?

Uśmiechał się łagodnie. Nagle się załamałem. Byłem pewnie nieznośny, a oni wykazywali anielską cierpliwość i wielką życzliwość.

– Oczywiście, że nie.

Jego ciałem wstrząsnął śmiech. Potem spoważniał i patrzył na mnie długo. Pokręcił głową szczególnym, typowym dla siebie ruchem, z boku na bok.

– W porządku – rzekł. – Posłuchaj.

Ciało było niemal całkowicie zanurzone w rowie, ale tym, na co Sartadź zwrócił uwagę, gdy przycupnął obok, była emanująca z nieboszczyka wyniosłość. Jedna sztywna i wygięta ręka sterczała z wody. Przechodzień, który znalazł ciało, był kierowcą zmierzającym do straganu z mlekiem po butelki dla swojej *memsaab* i w strugach deszczu zobaczył dłoń wystającą z wartko płynącego strumienia, jakby chciała po coś sięgnąć. Padało już czwartą dobę i teraz, rano, woda właściwie z hukiem przedzierała się przez przepust. Nieboszczyk utknął między wygiętym w łuk murem a pękniętą metalową kratą. Kierowca stanął obok rowu i krzyczał, dopóki z pobliskich budynków nie wyszli ludzie, a potem pełnił wartę przy zwłokach do przyjazdu policji. Chyba myślał, że to jego powinność, ponieważ je znalazł, ale teraz starał się już nie patrzeć na trupa. Skóra na dłoni wystającej z wody miała dziwnie sinoniebieski kolor.

Sartadź Singh, który piastował stanowisko inspektora w rewirze trzynastym i przywykł do widoku zwłok, przykucnął ostrożnie obok rowu, patrząc na ziemię, ale wszędzie płynęła woda i nie można było wykluczyć, że ciało przypłynęło z jej prądem. Przeszedł kilka jardów do następnego przepustu, czując, jak buty zapadają mu się w błocie. Podmuch wiatru chlusnął w twarz mu wodą. Krople deszczu nieruchomiały w nagłym oślepiającym świetle lamp błyskowych. Był to pierwszy ulewny deszcz monsunu i Singh wiedział, że następnych kilka tygodni będzie przygnębiającym czasem błota, nieforemnych płaszczów przeciwdeszczowych i zalanych wodą ulic, ubrań, które wiecznie wydają się mokre, i niemożności zachowania kantów zaprasowanych w spodniach. W każdym razie nie było tu czego szukać. Fotografowie zrobili swoje.

– Dobra – rzekł Sartadź. – Zabierzcie go.

Włożyli łom pod kratę i ciągnęli za rękę, za ramiona nieboszczyka. W końcu jeden z posterunkowych o nazwisku Katekar wzruszył ramionami, zdjął buty i wszedł do wody. Gdy wytężał siły i w końcu uwolnił ciało spod kraty, deszcz smagał jego tułów. Kierowca wydał z siebie stłumiony krzyk, gdy wyciągali zwłoki z rowu, ponieważ ciało trupa było wyżarte z prawej strony brzucha poniżej piersi. Szczury dobrały się do niego, zanim porwała go i zakryła woda. Na twarzy nieboszczyka malował się jednak wyraz beztroski i zadowolenia.

– Odwróć się – powiedział Sartadź do kierowcy. – Jak ci na imię?

– Radźu.

– Radźu, przyjrzyj mu się szybko. Znasz go? – W końcu Sartadź musiał chwycić kierowcę pod ramię i go podtrzymać. – Patrz – polecił. Radźu miał niewiele ponad dwadzieścia lat i komisarz wiedział, że młodzieniec nigdy wcześniej nie wyobrażał sobie własnej śmierci. Teraz zaś, wczesnym rankiem, patrzył na trupa. Pokręcił głową tak gwałtownie, że Sartadź poczuł szarpnięcia w swojej ręce. – W porządku. Idź tam i usiądź. Będziemy musieli spisać twoje zeznanie.

– Okradziony, panie inspektorze – rzekł Katekar, wkładając buty. Wskazał głową na biały pasek na skórze nadgarstka ofiary, wyraźnie widoczny nawet po tym, jak krew spłynęła do wody. – Pewnie nosił złoty zegarek.

– W każdym razie duży – odparł Sartadź. – Wystarczająco duży, żeby stracić życie.

Gdy go znaleziono, nie żył od co najmniej ośmiu i nie więcej niż dwunastu godzin. Przyczyną śmierci była rana kłuta pod mostkiem, długa na zaledwie trzy centymetry, ale za to głęboka. Ostrze przebiło serce.

– Co mu zabrano? – zapytał Parulkar, szef Sartadźa. Na zastępcę komisarza awansował z policji stanowej i nadal mieszkał w Ghatkoparze w miejscu, które nazywał swoją rodową siedzibą.

– Portfel – odparł inspektor. – Oraz zegarek.

– Rozumiem – rzekł Parulkar. – Dawniej Bombaj był inny.

Sartadź wzruszył ramionami.

– To nowy świat. Miał pięćdziesiąt lat lub coś koło tego, żadnych znaków szczególnych.

Uniósł wzrok i zobaczył uśmiechniętą twarz Parulkara. Wcześniej czyścił swoje buty wilgotną szmatą, zdrapując błoto zaschnięte wokół podeszwy i kostek.

– Gdy tylko wyjdziesz, znowu się przyklei.

Sartadź skinął głową.

– Tak, panie komisarzu. Ale rzecz w tym, żeby się nie poddawać, prawda?

– Oczywiście, oczywiście. – odparł Parulkar, wstając i podciągając spodnie na pokaźnych rozmiarów brzuch. Jego mundur zawsze był jakoś pomarszczony, wyglądał, jakby uszyto go dla kogoś innego.

– Młodzi ludzie muszą się doskonale prezentować. Nie przerywajcie sobie – dodał, lecz wychodząc z pokoju, wciąż się uśmiechał.

Sartadź wstał i podszedł do mapy stanu. W szybie nad ciemnymi granicami i niebieskimi drogami widział swoje odbicie i przyjrzał się swoim ramionom, plisowaniu na koszuli, wyrazistym kantom spodni. Teraz, gdy w powietrzu wisiała wilgoć, trudno było osiągnąć perfekcję, jaką chciał ujrzeć w szkle, ale przygładził swój turban i powiódł palcem po obwisłym kołnierzyku. Uśmiechem Parulkara w ogóle się nie przejął, ponieważ był dandysem wywodzącym się ze starej dynastii elegantów. Jego ojciec przeszedł na emeryturę jako starszy inspektor w rewirze drugim i wszyscy ulicznicy rozpoznawali kiedyś jego pałeczkę z lśniącymi stalowymi końcami oraz lśniące czarne buty. Podkręcone wąsy jego dziadka zostały uznane za najwspanialsze w całym Pendżabie; zginął on na służbie jako *daroga*, w strzelaninie z afgańskimi przemytnikami koło Peszawaru. Legenda głosiła, że kula trafiła go, gdy jadł mango *desehri*. Usiadł niedaleko krzewu akacji, dokończył mango, skrzyżował nogi, wyciągnął dłoń po serwetkę, którą trzymał dla niego najstarszy *hawaldar*, wytarł palce, przyłożył ją do ust, podkręcił wąsa i skonał.

Sartadź nigdy nie był w stanie jeść mango, nie myśląc o staruszku, którego znał jedynie z udekorowanego girlandą portretu wiszącego w domu matki. Obok wisiał portret Guru Nanaka, koło niego Guru Gowinda Singha, a dalej portret ojca Sartadźa[*)], który dożył emerytury i zmarł pewnej nocy we śnie, leżąc na plecach z rękoma złożonymi równo na piersi. Sartadź jadł teraz mango, trzymając plasterek owocu końcami palców, a drugą dłonią przekartkowywał raporty biura osób zaginionych i układał ewentualnych kandydatów z lewej strony, twarzą do dołu, a odrzuconych z prawej. Szukał głównie informacji o wieku, ale również takiego człowieka, który potrzebowałby tego, czego potrzebował nieboszczyk. Ograniczył ich liczbę do piętnastu, gdy gniewnie zabrzęczał telefon. W podeszczowej ciszy zabrzmiał bardzo głośno.

– Nadal jesteś w biurze, smutasie? – zapytał chłopięcy głos.

---

* W domach i innych miejscach należących do sikhów zwyczajowo na ścianach wiesza się obrazy zmarłych członków rodziny, a także sikhijskich guru i zdobi je girlandami. Por. hasło „sikh" w słowniczku na końcu książki.

– Owszem.

– Co robisz?

– Jem ostatnie mango *alphonso* o tej porze roku.

– Powinieneś iść do domu.

– Jeszcze nie jesteś w łóżku. Musisz być bardzo szczęśliwy albo bardzo smutny.

Dzwonił Rahul, młodszy brat jego żony, który był na drugim roku w St Xavier's College i dlatego wiecznie się w kimś zakochiwał lub odkochiwał.

– Szczęśliwy, wyobraź sobie – odparł cicho Rahul. – Dziś kupiłem sobie nową koszulę Bennetona. – Obaj interesowali się modą, chociaż doborem swojej garderoby wzbudzali nawzajem wielkie zdumienie. Rozmawiali przez chwilę o koszuli, po czym Rahul nagle zapytał: – O której jutro jest egzamin? – Sartadź przewracał strony kolejnego raportu, gdy Rahul opowiadał bzdury o swoim college'u. To znaczyło, że ktoś wszedł do pokoju i chłopak udawał, że rozmawia z kolegą ze studiów. W końcu rzekł: – Do zobaczenia na zajęciach. Idź szybko spać. Branoc – i odłożył słuchawkę.

Dziesięć minut później telefon Sartadźa znowu zadzwonił.

– Cześć, synku – powiedziała jego matka. – Właśnie zatelefonowałam do domu i oczywiście nie było cię tam. – Matka mieszkała sama w Punie, w domu z ogrodem i jednym starzejącym się owczarkiem alzackim. Gdy żył ojciec Sartadźa, dzwonili co niedzielę, ale teraz matka pozwalała sobie na telefon każdego dnia.

– *Peri pona*, mamo – odparł Sartadź.

– *Dźite raho, beta* – powiedziała. – Znalazłeś kucharza?

– Nie, jeszcze nie, byłem zajęty. – Co, oczywiście, w niczym go nie usprawiedliwiało. Sartadź trzymał słuchawkę luźno przy uchu i przewracał kartki raportu, a jego matka mówiła szczegółowo o złych dietach i niewłaściwym odżywianiu się. Widział wyraźnie kanapę, na której siedziała, stolik obok, jej małe stopy, których dopiero co dotykał z oddaniem, jej ręce, którymi go błogosławiła, a także sari owinięte wokół jej pulchnych ramion oraz udekorowane girlandami obrazy na ścianie.

– Jest późno, synu – powiedziała w końcu. – Idź do domu i odpocznij.

– Tak, mamo – odparł Sartadź, ale został jeszcze przez dwie godziny, zanim opuścił biuro. Nawet wtedy szedł wolno, przystając od czasu do czasu, by obserwować, jak woda burzy się przy rynsztokach i tworzy wiry. Oparł się o mur i zlustrował wzrokiem kolejne warstwy rozklejonych bez ładu i składu wielobarwnych plakatów filmowych i haseł politycznych, zdominowanych przez najnowszy okólnik opatrzony logo prawicowej partii, przedstawiającym skrzyżowane włócznie. Czytał to wszystko ze skupieniem archeologa usuwającego warstwy starożytnego pyłu. Unikał w ten sposób lektury niewielkiego pliku papieru kancelaryjnego, który leżał na stole w jadalni, przewiązany białą wstążką. Te dokumenty przysłała mu siostra Rahula i Sartadź nie potrafił jeszcze się zmusić do wydania opinii o tym, czego chciała. Powinien jednak pokazać, że różni się teraz od niej oraz od jej rodziny, uwolnić się od nich. Dowiedział się, że uważają go za zmarłego. I właśnie dlatego Rahul dzwonił późno wieczorem – może właśnie o tej porze rozmawia się z nieboszczykami.

Sartadź znalazł wprawdzie najbliższą krewną, która nazywała się Aśa Patel („żona osoby zaginionej"), tyle że nie w partii raportów o osobach zaginionych, którymi dysponował. Jej dane znajdowały się w kolejnym pliku, który przyszedł trzy dni później z Biura Osób Zaginionych. Nieboszczyk nazywał się Ćetanbhai Ghanśjam Patel i jego wiek się zgadzał, ale oczywiście rozstrzygający był zapis w rubryce „znaki i cechy szczególne": „Złoty zegarek marki Rolex o wartości dwustu osiemnastu tysięcy rupii". Ćetanbhai był w takim razie człowiekiem, który lubił, by ludzie znali markę noszonego przezeń zegarka oraz jego dokładną i precyzyjnie obliczoną wartość. Sartadź wypełnił formularze w sprawie rzeczy zaginionych (zgodnie z wymaganiami w trzech egzemplarzach) i z przyzwyczajenia zadzwonił do paru swoich oficjalnych i nieoficjalnych źródeł informacji, mimo że nie liczył na to, iż kiedykolwiek zobaczy ten wspaniały czasomierz, ale w tym względzie się mylił, ponieważ tego samego popołudnia zadzwonili z posterunku w Bandrze. O siódmej tego dnia ich posterunkowi zgarnęli niejakiego Śankera Ghorpade, cieszącego się złą sławą żebraka, podejrzanego o drobne kradzieże i pijaństwo. Zaobserwowano, jak o bardzo wczesnej porze zataczał się dumnie na bazarze przy Linking Road, nosząc ozdobny chronometr, wyraźnie nie na jego kieszeń i potrzeby. Ponieważ nie potrafił podać zadowalającego wyjaśnienia, został doprowadzony na posterunek, a policjanci otrzymali pochwały za czujność.

Gdy Sartadź uniósł zegarek do światła, w komisariacie mało kto zwrócił na to uwagę w nagłej fali dusznego popołudniowego upału. To rzeczywiście był rolex, duży, ciężki i bardzo żółty, przyjemnie połyskujący pod kciukiem. Moitra, inspektor z Bandry, która wyciągnęła go ze swojego biurka, siedziała wygodnie i masowała powieki dłońmi.

– Wielkie bydlę – powiedziała. – Powinien wskazywać nie tylko czas.
Sartadź obracał go w rękach.
– Na przykład co?
– Nie wiem. Fazy księżyca. Godzinę w Tokio. Wszystko, kurwa, co ludzie swoim zdaniem muszą wiedzieć.
– Wszyscy chcemy wiedzieć, która w Tokio jest godzina. Chodźmy się z nim zobaczyć.
Ghorpade jęknął, wchodząc do pokoju przesłuchań, zgarbiony i powłóczący nogami.
– Maglowaliście go? – zapytał Sartadź.
– Po co? – odparła Moitra. – Szkoda marnować energię. To pieprzony *bewda*. Nim zapadnie zmrok, za kieliszek czegoś mocniejszego przyzna się do zabicia Rajiva Gandhiego. Nie dostałeś notatki służbowej z góry? Żadnego maglowania, pytania zadawać delikatnie, z miłością i troską.
Roześmiała się. Sartadź miał wrażenie, że Ghorpade może się nawet przyznać jeszcze szybciej, sądząc z tego, jak drżały mu ręce.
– Siadaj – rzekł ospale. Takim głosem prowadził przesłuchania. Wiedział, że robiąc to, pochyla głowę do przodu i mętnieją mu oczy.
– Baw się dobrze – powiedziała Moitra na odchodnym. Potem przez długi czas Sartadź słyszał, jak pogwizduje na korytarzu.
– Znaleźliśmy tego człowieka, Ghorpade – zaczął inspektor.
– Jakiego człowieka?
– Tego, którego pchnąłeś nożem.
– Jestem *bewdą*. Nie zabijam. Nosiłem tylko jego zegarek.
Sartadź musiał pochylić się ku włóczędze, by słyszeć wypowiadane z flegmą słowa. Ghorpade miał drobną, pooraną twarz, spieczone wargi i wielodniowy siwy zarost na policzkach. Cuchnął potem i monsunową wilgocią.
– Czemu pozwolił ci go wziąć?
– Leżał.
– Na plecach?
– Nie. Twarzą do ziemi. Więc go wziąłem.
– Wiedziałeś, że nie żyje?
Ghorpade uniósł spojrzenie pożółkłych oczu. Wzruszył ramionami.
– Leżał w rynsztoku?
– Tak.
– Czy rynsztok był wypełniony wodą?

– Nie. Właśnie zaczęło padać. Płynęła tylko strużka.
– Widziałeś krew?
– Nie.
– W ogóle?
– W ogóle.
– Która to była godzina?
Ghorpade znowu wzruszył ramionami.
– Szukałeś portfela?
– Nie było go.
– Czemu nie sprzedałeś zegarka?
– Miałem zamiar. Trochę później.
– Później, czyli kiedy?
– Chciałem po prostu ponosić go jakiś czas. – Ghorpade wtulił się w swoje ramiona. – To był porządny złoty zegarek.
– Masz mnie za głupca?
Ghorpade wolno pokręcił głową.
– Pewnie uważasz mnie za głupca. Po cóż inaczej serwowałbyś mi tę bajkę?
Ghorpade milczał. Wydawało się, że jest w opłakanym stanie.
– W porządku – rzekł Sartadź. – Wrócę tu, żeby jeszcze z tobą pogadać. Pomyśl o tym, co zrobiłeś. O tej bajeczce, którą mi tu opowiadasz.
Ghorpade zastygł w całkowitym bezruchu, z opuszczoną głową.
– Wrócę tu – powtórzył inspektor. Był niemal przy drzwiach, gdy Ghorpade się odezwał; jego słowa były niewyraźne, a twarz odwrócona. Sartadź zrobił trzy kroki wstecz i nachylił się do przodu, mrużąc oczy i krzywiąc się w kontakcie z wonią unoszącą się nad Ghorpadem. – Co powiedziałeś?
Ghorpade odwrócił twarz ku Sartadźowi i ten z bliska zobaczył, że włóczęga tak naprawdę nie jest taki stary, może jeszcze nie skończył czterdziestu lat.
– Wtedy już nie będę żył – powtórzył.
– Nikt nie zamierza cię zabić.
– Umrę – rzekł Ghorpade. W jego głosie nie było strachu. Stwierdził fakt i to stwierdzenie nie wymagało w odpowiedzi współczucia ani żadnych innych emocji. Sartadź odwrócił się i odszedł.

Drzwi do mieszkania Ćetanbhaia Ghanśjama Patela na piątym piętrze były zrobione z ciemnego drewna inkrustowanego krzyżującymi się paskami miedzi i wypukłymi ćwiekami z kości słoniowej, ze złotym nazwiskiem Ćetanbhaia pośrodku. Były to drzwi z *haweli* z ubiegłego wieku, z *darbanami* w *safach* oraz słoniem uwiązanym na zewnątrz. Pośrodku skrzydła otworzyło się okienko i przez kratę wyjrzała młoda twarz.

– Słucham?

– Policja – rzekł Sartadź. Chłopięce oczy ogarnęły inspektora i zwaliste ramiona stojącego za nim Katekara. Sartadź przyglądał mu się uważnie. Tego właśnie nauczył go Parulkar: idź do domu, obserwuj, jak się boją, a wszystkiego się dowiesz.

Drzwi się otworzyły i Sartadź przestąpił próg.

– W sprawie zaginionego Ćetanbhaia Patela... Twoje imię i nazwisko?

– Jestem jego synem. Kszitidź Patel.

Chłopak miał około dziewiętnastu lat, był trochę roztrzęsiony.

– Kto jeszcze jest w domu?

– Moja matka. Śpi, nie czuje się dobrze. Bardzo się przejęła. Lekarz dał jej leki.

Sartadź pokiwał głową i przeszedł obok chłopaka. Salon był duży jak na Bombaj, zagracony mosiężnymi lampami, meblami i obwieszony wielobarwnymi draperiami. Kanapy były wielkie i zatrważająco czerwone. Na ścianie z lewej strony wisiał długi obraz przedstawiający olśniewający wschód słońca i jeszcze jeden – ze smutnym pasterzem. Pod tylną ścianą znajdował się posąg lejącej wodę apsary. Sartadź podszedł do niej i spostrzegł, że jest prawie naturalnej wielkości, ma krągłe piersi i wielkie oczy. Apsara cała była biała, gipsowa i stanowiła dość zaskakujący widok w mieszkaniu na osiedlu Narajan, daleko na północny zachód od Andheri West.

Kszitidź przyglądał mu się i Sartadź czuł ostrze jego złości. Nie był tym zdziwiony. Umiejętność wkraczania w ludzkie życie wykorzystywał jako jeszcze jedno narzędzie pracy. To, co do niego czuli, zwykle bywało pouczające.

– Proszę jechać z nami do kostnicy – rzekł.

Wtedy przez długą chwilę widział na twarzy chłopaka uznanie, żal, oznaki zwyczajnej w takich przypadkach walki o panowanie nad sytuacją, po czym usłyszał: „Dobrze", ale Kszitidź nie ruszył się z miejsca.

– Chcesz włożyć buty? – zapytał Sartadź. – Wszedł za Kszitidźem do jego pokoju, który szokował surowością swojego wnętrza w zestawieniu z krzykliwym blichtrem reszty domu. Była tam półka zastawiona równo książkami, biurko, łóżko i kalendarz z wizerunkiem jakiejś bogini. I okno wychodzące na obszar bagiennej roślinności. Znowu zaczęło mżyć. – Czy jest ktoś, kto zaopiekuje się twoją matką?

Kszitidź spojrzał zaskoczony znad sznurówek. Zamrugał dwa razy, a następnie rzekł:

– Powiem sąsiadce. – Sartadź zwrócił uwagę na jego czarne buty Baty na grubej podeszwie, bardzo znoszoną białą koszulę i brązowe spodnie. Kiedy wyszli z sypialni, chłopak mocno zamknął za sobą drzwi. – Jestem gotów – oświadczył.

– Potrzebuję zdjęcia twojego ojca – rzekł Sartadź.

Kszitidź skinął głową, odwrócił się i odszedł. Fotografia, którą przyniósł, przedstawiała szczęśliwą rodzinę, Ćetanbhaia i jego żonę – sztywnych i szerokich w ramionach, w błękitnym garniturze i zielonym sari – na pierwszym planie i ich syna z tyłu, stojącego prosto w białej koszuli, z ręką na ramieniu matki.

W kostnicy był niezwykle spokojny. Zrobił na Sartadźu wrażenie swoim opanowaniem w zetknięciu z wilgotnymi ścianami, żółtawym światłem i gryzącą wonią aldehydu mrówkowego, która wywoływała łzawienie. Sartadź wybaczył mu wtedy trochę ponury sowi wyraz twarzy, jego zupełnie wyzbytą werwy, energii i czaru młodość. Kszitidź miał w sobie jakąś jawną i nieprzyjemną bezwzględność. Inspektor przyprowadził tam paru ludzi, którzy załamali się w mrocznych korytarzach, zanim jeszcze ujrzeli pomieszczenie z grzechoczącymi metalowymi wózkami i poczuli atmosferę zastoju, ale Kszitidź zidentyfikował swojego ojca, nie drgnąwszy nawet. Stanął z rękami skrzyżowanymi na chudej piersi i rzekł: „Tak, to on". – Na zewnątrz, gdy kołysali się w policyjnym jeepie na wyboistych drogach, zapytał: „Czy policja dowiedziała się czegoś o tym morderstwie?" Kiedy Sartadź wyjaśnił, że nie może rozmawiać o śledztwie, chłopak pokiwał ze zrozumieniem głową i zamilkł. Potem jednak, w komisariacie, usta mu się nie zamykały. Pił jedną filiżankę herbaty po drugiej i powiedział Sartadźowi, że przygotowuje się do studiów medycznych w Patekar College. Był jedynakiem. Chciał się specjalizować w neurologii. W szkolnych egzaminach uzyskał drugi wynik w stanie, przegrywając trzema punktami, głównie z uwagi na fatalny błąd z fizyki, w której radził sobie najgorzej. Chodziło o podchwytliwe pytanie z elektryki. Poza tym jednak wszystko posuwało się zgodnie z planem.

Gdy Sartadź zapytał o Ćetanbhaia Patela, Kszitidź umilkł na chwilę, z otwartymi ustami i filiżanką zawieszoną w powietrzu. Po czym, spoglądając w filiżankę z herbatą, mówił o swoim ojcu. Ćetanbhai handlował głównie tekstyliami. Podróżował często, czasami w głąb lądu, i pomyśleli, że tym razem spóźnia się, wracając z Nadiadu, i właśnie dlatego zgłosili jego zaginięcie dwa dni po terminie spodziewanego powrotu. Wysyłał trochę na eksport, głównie na Bliski Wschód, ale też do Ameryki, i oczywiście chciał więcej. Była to firma o długiej tradycji, z czasów przed narodzinami Kszitidża. Podobnie jak wielu przedsiębiorców, czasami padał ofiarą drobnych przestępstw. Raz z lokalnego pociągu skradziono mu teczkę z pieniędzmi.

– Czy sprawiał wrażenie przestraszonego? – zapytał inspektor. – Wiesz o jakichś jego wrogach?

– Wrogach? Nie, oczywiście, że nie. Czemu miałby mieć wrogów?

– Czy pokłócił się z kimś z branży? Z kimś z okolicy?

– Nie.

– A ty? – drążył Sartadź. – Masz jakichś wrogów?

– A co ja mam z tym wspólnego?

– Czasami ludzie giną, ponieważ wplątują się w bójki swoich dzieci.

Wtedy znowu uwidocznił się wybuch złości Kszitidża, stłumionej w wyrazie oczu, ale tak mocno zaznaczonej ruchem ramion i skręceniem tułowia, że zakrawała na nienawiść.

– Wdajesz się w bójki? W spory?

– Nie – odparł Kszitidź. – Czemu miałbym to robić?

– Wszyscy mają wrogów.

– Nie uczyniłem nic, by narobić sobie wrogów. – Chłopak był teraz spokojny i pewny siebie.

– Dobra – rzekł Sartadź. – Myślę, że teraz rozejrzymy się po waszym domu. Chciałbym też poznać panią Patel.

W jeepie Sartadź zastanawiał się nad własną próżnością. Był wrażliwy na uczucia ludzi wobec siebie, nie nauczył się jeszcze obojętnie traktować strachu, który budził, gniewu tych, których sprawy badał. Starannie skrywał ów niepokój, bo w fachu śledczego nie było nań miejsca. Nienawiść ze strony innych stanowiła element tej pracy. Ale w college'u chciał być przedmiotem powszechnej miłości i Megha drwiła, że Sartadź jest dla wszystkich idolem. „W takim razie dla ciebie też" – odparł. „Nie, nie, nie" – odpowiadała, kręcąc głową, i całowała go. „Mówisz z okropnym pendżabskim akcentem" – mówiła ze śmiechem – „a twoja angielszczyzna jest marna, ale jesteś po prostu piękny" – po czym całowała go jeszcze raz. Pobrali się z próżności, własnej i wzajemnej. On był uczelnianym Casanovą o reputacji *dady*, przed którą ostrzegały ją przyjaciółki. Ona była jednak tak pewna siebie, swojej wielkiej jastrzębiej urody oraz blasku swoich pieniędzy, razem zaś prezentowali się tak okazale, że ludzie przystawali na ulicach, aby na nich spojrzeć. Po ślubie lubili się kochać, siedząc twarzami do siebie, on z włosami opuszczonymi luźno na ramiona, tak że wyglądali jak lustrzane odbicia, nie ruszając się prawie, złączeni spojrzeniami w rywalizacji zbliżającej ich i oddalającej na przemian od przyjemnego omdlenia. To wspomnienie ścisnęło mu gardło i Sartadź otrząsnął się zeń, gdy gypsy zakołysał się, stając. Przez drogę przebiegł podwójny szereg młodych mężczyzn w krótkich spodniach khaki.

– Cholerni idioci – rzekł Sartadź. – Łażą po deszczu, zamiast siedzieć w domu.

– To *rakszacy*, panie inspektorze – rzekł Katekar, szczerząc zęby w uśmiechu. – Twarde chłopaki. Drobny deszcz ich nie powstrzyma. Przecież chcą zaprowadzić porządek w kraju.

– Zaziębią się wszyscy – rzekł Sartadź. Sztandar niesiony z tyłu pochodu był przemoczony i zwiotczały, ale inspektor dojrzał na nim jedną ze skrzyżowanych włóczni. – I matki będą musiały wycierać im nosy.

Katekar uśmiechnął się szeroko. Szarpnął dźwignię zmiany biegów i jeep ruszył gwałtownie.

– Jak się miewa Mata-dźi? – zapytał.

– Bardzo dobrze – odparł Sartadź. – Często cię wspomina.

Katekar uwielbiał matkę Sartadźa. Ilekroć zatrzymywała się u syna, specjalnie dokładał starań, żeby przyjść do mieszkania inspektora i przypaść do jej stóp, nie raz, lecz trzy razy, unosząc dłoń do szyi*). Sartadź wiedział, że matka Katekara zmarła tuż po tym, jak wstąpił do policji.

– Proszę jej przekazać mój *pranam*.

Sartadź skinął głową i spojrzał przez ramię. Kszitidź gapił się tępym okiem w okno i płakał. Dłonie trzymał splecione na kolanach, a łzy spływały mu po twarzy. Gdy jeep z warkotem przejeżdżał długi odcinek zalanej wodą drogi, zostawiając za sobą kilwater, Katekar zaklął cicho. Sartadź odwrócił się od chłopaka i przesunął się w fotelu. Katekar siedział pochylony do przodu, zer-

---

* W Indiach dotknięcie stóp osoby starszej lub wyższej statusem (a następnie uniesienie dłoni ku swojemu sercu) jest oznaką szacunku.

kając przez fale wody, które wycieraczki tworzyły na przedniej szybie w regularnych odstępach czasu. Przeklinał ulewę, ulice i to miasto. Jego oplatające czarny plastik kierownicy dłonie były grube, grube miał również nadgarstki. Spojrzał na inspektora i uśmiechnął się, i Sartadź musiał odpowiedzieć szerokim uśmiechem. W lusterku wstecznym zobaczył ramię Kszitidźa, zarys jego szczęki i pomyślał, że dla ludzi poważnych to bardzo ciężkie przeżycie, że zawsze są tragiczni ze swoją szczerością i wiarą w powagę. Pamiętał dwóch chłopców, którzy byli wnukami rolników ze wsi jego dziadka w pobliżu Patijali. Przypominał ich sobie niewyraźnie z letniej wizyty w wiosce, pamiętał, że byli w niebieskich spodniach i krawatach. Świętowano z okazji pomyślnie zdanych przez nich egzaminów w siódmej klasie i próbował porozmawiać z nimi o meczu w krykieta, którego transmisji wszyscy słuchali, ale stwierdził, że są nudni i niedoinformowani. Potem nigdy więcej ich nie widział i od lat o nich nie myślał, dopóki ojciec nie wspomniał o nich w trakcie niedzielnej rozmowy telefonicznej. Zostali schwytani przez patrol BSF, gdy przekraczali granicę na wydmach w pobliżu Dźajsalmeru z ładunkiem granatów i amunicji. Próbowali odpowiedzieć ogniem, ale zostali sprytnie oskrzydleni i ostrzelani z karabinów maszynowych. Gazety doniosły o śmierci dwóch groźnych terrorystów, podały też ich nazwiska oraz powiązania. Zamieszczono ziarniste czarno-białe zdjęcia pokrwawionych leżących postaci z otwartymi ustami. Sartadź nigdy nie słyszał o ich organizacji, ale nie wątpił, że jest bardzo groźna*).

Apsara stała pośród tłumu żałobników, trzymając swój przechylony do przodu dzban. Drzwi do mieszkania były otwarte i gdy tylko wyszli z windy, Kszitidźa otoczyli młodzi mężczyźni. Sąsiedzi siedzieli w pokoju od frontu i rozmawiali szeptem, a jakiś starszy człowiek długo obejmował chłopca. Potem Kszitidź stanął twarzą do drzwi w tyle domu, mijały sekundy, a w ułożeniu jego ramion widać było ogromną niechęć, jakby następny krok prowadził z jednego świata na drugi. W końcu starzec wziął Kszitidźa pod rękę i skierował go naprzód. Sartadź i Katekar szli tuż za nimi i ponad ramionami zebranych inspektor ujrzał kobietę o twarzy bez wyrazu, siedzącą na podłodze w otocze-

---

* Miasto Dźajsalmer znajduje się przy granicy z Pakistanem. Zabici należeli zapewne do terrorystycznej organizacji sikhijskiej lub muzułmańskiej. Podejrzewa się, że niektóre fanatyczne ugrupowania sikhijskie i muzułmańskie w Indiach mają poparcie Pakistanu.

niu innych kobiet. Trzymały ją za ramiona i ręce, ona zaś miała jedną nogę podwiniętą pod siebie, a drugą wyprostowaną. Uniosła wzrok i Kszitidź się zatrzymał. Inspektor bardzo pragnął zobaczyć jego reakcję i zaczął się delikatnie przeciskać obok starca, nagle jednak kobieta podniosła lament, z jej ust wydobyło się przeciągłe wycie, które wygięło jej grzbiet w pałąk; inni usiłowali ją przytrzymać. Znowu zawyła i Sartadź zadrżał, ten odgłos był na swój sposób zupełnie pozbawiony wyrazu, niczym długa pusta ściana ciągnąca się w nieskończoność, i równie ogłuszający. Kszitidź stał bezradnie, w pokoju było bardzo ciasno, ciała zebranych napierały na siebie i światło rozpadło się jakoś na kawałki twarzy. Wtedy inspektor odwrócił się i wyszedł z pokoju. Nie była to dobra metoda śledcza, ale nie potrafił się zmusić do tego, by dalej na nich patrzeć. W pozostałej części domu także panował tłok i duchota i Sartadź przepychał się łokciami aż do samego wyjścia.

Inspektor siedział ukryty w bezpiecznym ustroniu swojego mieszkania. Była bardzo ciemna, bezksiężycowa noc i niewielka przestrzeń między błyszczącymi meblami utrzymywała go bez trudu w całkowitej ciszy. Wiedział, że jeżeli nie zakłóci niczego, nawet układu cieni na podłodze, może podtrzymać tę szalenie delikatną harmonię spokoju, którą sobie wywalczył. Próbował nie myśleć i chwilami mu się to udawało. Wtedy powietrze za jego plecami przeszył ostry dźwięk telefonu. Sartadź odczekał chwilę, lecz po trzecim dzwonku odwrócił głowę, sięgnął do tyłu i podniósł słuchawkę. Jego dłoń była wilgotna i teraz poczuł pot spływający mu po tułowiu.

– Przejażdżka? – zapytał Rahul. Rahul praktykował lapidarność wypowiedzi, której nauczył się, oglądając codziennie przynajmniej jeden film amerykański z płyty.

– Nie wiem – odparł Sartadź.

– Byłbym za dziesięć minut.

Inspektor westchnął i próbował przypomnieć sobie niedawny chwilowy spokój, ale już dotarł do niego śmiech i brzękliwa muzyka wlewająca się przez parapet okienny. Nagle zakręciło mu się w głowie od tętniącego w skroniach bólu.

– Dobra – rzekł. – Ale muszę się ubrać. Daj mi dwadzieścia.

Po szybkim prysznicu, czując na szyi sztywny kołnierzyk świeżo wykrochmalonej białej *kurty*, odzyskał luz – była to prosta *kurta* z Lakhnau, lecz bardzo cienki złoty łańcuszek przewleczony przez maleńkie złote spinki wszystko zmieniał. Spinki należały wcześniej do jego dziadka, i nosząc je, Sartadź zawsze bardziej się prostował. Rahul przyjechał, jak zwykle trąbiąc z dołu, wszedł na górę i obaj przyjrzeli się sobie wnikliwie. Był to rytuał wzajemnego zwracania uwagi na elegancję ubioru, ale tym razem Sartadź dostrzegł jedynie długi podbródek chłopca, jego nos, który tak mocno przypominał mu jego siostrę, że inspektor znowu poczuł gniew zabarwiony tęsknotą. W końcu musiał wytężyć umysł, aby zauważyć nową fryzurę z bokobrodami, luźną czerwoną koszulę i lekko rozszerzone czarne dżinsy Rahula.

– Widziałem już ten styl mody – rzekł Sartadź. – Dawno temu.

– Tak? – odparł obojętnie Rahul. – Domyślam się.

– Owszem – potwierdził inspektor. Nagle i bez powodu pomyślał, że ktoś zbyt młody, by wiedzieć o cyklicznych zmianach w modzie, jest zbyt młody, by wiedzieć cokolwiek.

Rahul prowadził dobrze i szybko, z pewnością bogacza w porządnym samochodzie, czy też w tym przypadku w nowym jeepie mahindra z bardzo dobrym odtwarzaczem kaset, który można było wyjmować. Muzyka, której słuchali, była zupełnie obca Sartadźowi i jak zawsze odtwarzana na poziomie głośności bliskim granicy prawdziwego bólu.

– Jak się więc miewają twoje przyjaciółki? – przekrzyczał muzykę Rahul.

– Moje co?

– No wiesz. Kobiety.

– Nie mam żadnych.

– Żadnych? Taki wielki, sławny glina i w ogóle?

Sartadź dwa razy trafił na łamy popołudniówek, w obu przypadkach z powodu spotkań z drobnymi gangsterami. Skutkiem drugiego starcia była strzelanina i zwłoki na podłodze w ciemnym korytarzu. Sartadź wystrzelił sześć naboi i tylko jeden dosięgnął celu. Przykucnął, oślepiony, ogłuszony i drżący, wysypując łuski na podłogę. Nigdy jednak nie opowiedział Rahulowi o tym ani o niewielkiej plamie moczu z przodu swoich spodni. Zdjęcie Sartadźa, oficjalny portret z atelier z retuszowanymi ustami, pojawiło się tego samego dnia w popołudniowym wydaniu „MidDay".

– Nie, nawet jednej. Zwolnij.

Rahul pędził, a potem hamował jeepem tak gwałtownie, że mały lśniący odtwarzacz grzechotał w obudowie.

– Jesteś naprawdę godnym ubolewania przypadkiem – rzekł Rahul.

Rahul miał przyjaciółki, zrywał z nimi, a potem w oszałamiającym dla Sartadźa tempie i w skomplikowany sposób znajdował inne i był światowcem na sposób, który tyle lat temu, gdy o Sartadźu i Megsze mówił cały campus, był nie do przyjęcia. Obłapiali się w salach kinowych, zdesperowani i pożądliwi, a teraz Rahul i jego przyjaciele byli zbyt znudzeni seksem, żeby w ogóle o nim rozmawiać. Wszystko to się zmieniło, a on nie zauważył tej zmiany.

– Jestem tylko starym biednym ramolem, cóż zrobić, *jar*? – odparł Sartadź ze śmiechem i Rahul spojrzał na niego szybko, ale potem musiał gwałtownie skręcić, żeby ominąć zielone maruti 1000.

– Napijmy się piwa – zaproponował Rahul.

– Ile ty masz lat, synku? – zapytał Sartadź i Rahul się roześmiał.

– Tylko mnie nie zamknij panie, inspektorze – odparł. – Muszę się napić. Ty też.

– Naprawdę?

Rahul zignorował to pytanie i minąwszy skład drewna, wjechał z dużą prędkością na zatłoczony parking. Błękitny neonowy szyld oznajmiał krzykliwie, że to „Kryjówka", a ściany wewnątrz pomalowano tak, by przypominały mury jaskini; podłoga była zastawiona beczkami i skrzynkami. Miejsca wskazał im kelner w czarnej skórzanej marynarce, a nad ich stolikiem wisiała duża czarno-biała reprodukcja ukazująca Prana stojącego w rozkroku w czarnych butach, z wygiętym pejczem w dłoniach. Przy przeciwległej ścianie jakiś przyjezdny ponury łotr w czarnym kapeluszu i pelerynie, nieznany Sartadźowi, rzucał gniewne spojrzenie przez lewe ramię.

– Kiedyś aresztowałem kogoś na tej ulicy – rzekł Sartadź.

– Tak? Jakiś oprych? – zapytał Rahul, machając do kogoś nad głowami młodych elegantów.

– Oprych? – powoli rzekł Sartadź. Spoglądał na cenę piwa w karcie. – Niezupełnie. Był tylko pazerny. – W rzeczywistości była to dość zakurzona i nieprzyjemna kupiecka ulica, pełna ciężarówek oraz wózków ręcznych i woni gnijących zielonych warzyw. Człowiek aresztowany przez Sartadźa nazywał się Aga i pracował jako sprzedawca w firmie handlującej wyrobami z plastiku. Gdy założono mu kajdanki, spojrzał na właściciela firmy i rzekł cicho: „Mam pięcioro dzieci", i trudno było ocenić, czy usprawiedliwiał tym kradzież, czy błagał o litość, ale i tak nie miało to znaczenia. – Pewnie jeszcze siedzi.

– Wszyscy na ciebie patrzą – zauważył z ponurą miną Rahul. – Czemu ubierasz się jak bohater filmu w języku hindi?

– Chodzi ci o to? – zapytał Sartadź, wodząc palcem po kołnierzu swojej *kurty*. – Przecież sam mnie tu przywlokłeś.

Kelner przyniósł im piwo w czymś, co najwyraźniej jakiś projektant wyobraził sobie jako blaszane kufle, które pasują do meliny, i Rahul pochylił się nad swoim trunkiem. Sartadź pociągnął spory łyk. Był zdumiony przyjemnym uczuciem zimna spływającego gęstą strugą do gardła i zastanawiał się, czy wszystko smakuje lepiej, gdy więcej się za to płaci. Pociągnął jeszcze jeden spory łyk i ożywiony, usiadł prosto, żeby rozejrzeć się i posłuchać przyjemnego gwaru muzyki i głosów, który wydawał się wyrafinowany, mimo że nie dało się wyłowić poszczególnych słów. Próbował zdefiniować, co dokładnie o tym decyduje, i po pewnym czasie uznał, że chodzi o to, iż ten gwar ma łagodne brzmienie, jakby to wszystko było neutralizowane – środkiem, który wszystko ułatwiał, nie czyniąc jednak oczywiście prymitywnie prostym.

– Ona wychodzi za mąż – rzekł Rahul.

– Kto? – zapytał Sartadź, ale zanim jeszcze wypowiedział to pytanie, przerażająca rewolucja w żołądku uświadomiła mu, o kim mowa.

– Megha.

– Za kogo?

– Zabroniła mi mówić.

– I tak się dowiem.

Rahul uniósł wtedy wzrok.

– Owszem, dowiesz się. – Poruszył grdyką i zadrżała mu twarz, ale potem dodał ze wzruszeniem ramion. – Za Radźa Sanghiego. No wiesz.

Sartadź wiedział. Radź był synem przyjaciela rodziców Meghy i oboje znali się od dzieciństwa, a ich rodzice zawsze uważali, że dobrze do siebie pasują. Wiedział o tym wszystkim. Teraz siedział z dłońmi na udach i uzmysłowił sobie, że szuka sposobu, żeby to powstrzymać, miejsca, gdzie mógłby wyładować napięcie.

– Przykro mi – rzekł Rahul i Sartadź spostrzegł, że chłopak ma przerażoną minę. Wiedział, dlaczego: podczas jednej z ich kłótni Megha, krzycząc, wyznała, że w gniewie ma twarz terrorysty, wygląda tak, jakby zaraz miał powiedzieć lub zrobić coś całkowicie, na zawsze już nieodwracalnego. Spojrzał wtedy na nią w osłupieniu, wyobcowany i zdruzgotany jej słowami. Potem ona rozpłakała się i powiedziała, że wcale nie miała tego na myśli. W końcu w ten sposób przez cały czas stopniowo ranili się nawzajem i Sartadź czuł smak tych dziwnych zwycięstw, które wyjaławiały go i powodowały, że nie pragnął niczego poza bezustannym snem, niczym ostatni żołnierz na polu bitwy, gdzie martwe były nawet źdźbła trawy. W końcu wydawało się, że lepiej w ogóle się nie odzywać.

– Nie, nie – powiedział. – Wszystko w porządku. – Sięgnął przez stolik i niezdarnie poklepał Rahula po przegubie ręki. Musiał przełknąć ślinę, zanim znowu zdołał się odezwać. – Chyba nie powinienem już więcej pić.

Był ranek i wróble kłębiły się jak szalone w sklepionych przejściach komisariatu. Gdy Sartadź i Katekar weszli do aresztu, Ghorpade siedział na ławce z zamkniętymi oczami.

– Pobudka – rzekł inspektor, mocno kopiąc w nogę ławki. Ghorpade otworzył oczy i Sartadź zrozumiał, że włóczęga nie spał i nawet nie był śpiący, tylko przez cały czas walczył z potwornym głodem. Obie dłonie wcisnął między uda i patrzył na inspektora jakby z wielkiej oddali. Katekar zajął swą zwykłą podczas przesłuchań pozycję, stając w rozkroku, za podejrzanym.

– Myślałeś o tym, co zrobiłeś? – zapytał Sartadź.

– Nie zrobiłem tego, o czym mówiliście – odparł Ghorpade. Jego kaprawe oczy miały żółtawy kolor.

– Lepiej zdecyduj się powiedzieć prawdę, bo inaczej marnie się to dla ciebie skończy.

Ghorpade znowu zamknął oczy. Katekar stanął w większym rozkroku i wyprężył ramiona. Lecz inspektor pokręcił głową i zapytał:

– Gdzie mieszkasz? Masz rodzinę?

Ghorpade odpowiedział z zamkniętymi oczami.

– Nigdzie nie mieszkam.

– Masz żonę?

– Miałem.

– Co się stało?

– Uciekła.

– Dlaczego?

– Biłem ją.

– Dlaczego?

Ghorpade wzruszył ramionami.

– Ile ty masz lat?

Sartadź słyszał wróble na podwórzu za oknem.

– Urodziłem się na rok przed wojną z Chinami[*] – odparł w końcu Ghorpade.

Na zewnątrz, pod niebem, które znowu się zachmurzyło, Sartadź rozważał niewielkie prawdopodobieństwo, że obaj mają wspólnie urodziny. Nie miał pojęcia, dlaczego wydawało mu się to ważne. Teraz Moitra, nosząca imię Suman, z rykiem silnika wjechała na dziedziniec swoim nowym jeepem. Byli w tej samej grupie w Nasiku i już pierwszego dnia kursu dała im do zrozumienia, że jest dwa razy bardziej inteligentna i trzy razy bardziej nieustępliwa od któregokolwiek z nich. Sartadź nie miał z tym problemu, zwłaszcza że chyba naprawdę tak było.

– Przyznał się? – zapytała, energicznie wchodząc po schodach. – Zamykamy sprawę?

– Prowadzę śledztwo – odparł Sartadź. – To jest dochodzenie. Zapomniałaś?

– W sprawie czego? – rzuciła przez ramię, pędząc korytarzem. – W sprawie kogo?

– Gdzie jest twoja matka?

Kszitidź stał w samym środku otworu drzwiowego, wyprężony w ramionach.

– Czego pan chce od mojej matki?

– Gdzie ona jest?

– Tutaj. Odpoczywa. Nie czuje się dobrze. Śpi.

– Chcę z nią porozmawiać.

– Dlaczego?

– To sprawa o morderstwo. Rozmawiamy ze wszystkimi zainteresowanymi.

– Co moja matka ma wspólnego ze sprawą o morderstwo?

– Była żoną twojego ojca – odparł inspektor, robiąc krok w przód. Kszitidź nie ruszył się z miejsca. Sartadź położył dłoń na piersi chłopaka i go pchnął. Kszitidź zatoczył się do tyłu, a inspektor wszedł do salonu.

– Czego chcecie? Macie nakaz? Co pan tu robi? Słyszałem, że zatrzymaliście podejrzanego – powiedział chłopak, podążając tuż za nim, ale wtedy Katekar chwycił go za rękę i przycisnął do ściany. Sartadź odwrócił się, zbli-

* Do wojny indyjsko-chińskiej doszło w 1962 roku.

żył do niego twarz i długo mu się przyglądał, pozwolił, by chłopak wyczuł rytm jego gniewu, gdy tak słuchali swoich oddechów. Następnie odwrócił się gwałtownie i pomaszerował w stronę sypialni. W środku stały otwarte szafy, podwójne łóżko, a podłoga była zaśmiecona papierami. Matka Kszitidźa siedziała na balkonie, który wychodził na moczary i srebrzystą mgłę morza daleko za błotnistymi plamami zieleni.

– Pani Patel?

Gdy się do niego odwróciła, rysy jej twarzy były stężałe z żalu. Inspektor odchrząknął i szybko przystąpił do pytań: kiedy widziała pani męża po raz ostatni, czy ostatnio wydawał się zaniepokojony, czy były jakieś telefony, które wyprowadziły go z równowagi, czy wiedziała pani o jakichś wrogach i kłótniach, czy wiedziała pani o kłopotach finansowych, . Za każdym razem zaprzeczała, kręcąc głową, z dłonią na szyi. Miała czterdzieści dziewięć lat, ale jej włosy były doskonale czarne, lśniły nawet w nieładzie i patrząc na nią, Sartadź pomyślał, że zaledwie kilka dni temu była pewnie bardzo pociągająca, i ten fakt również przyczynił się do zamętu, jaki ogarnął życie i śmierć Ćetanbhaia Ghanśjama Patela.

W końcu zapytał:

– Może mi pani powiedzieć coś więcej? Czy jest jeszcze coś, co powinienem wiedzieć?

– Nie – odparła. – Nie. – Słowo to było jednak pełne żalu i Sartadź spojrzał przez ramię w ślad za jej wzrokiem na wejście do sypialni, obok Katekara, w korytarz, na którym nadal tkwił cień Kszitidźa. Gdy znowu odwrócił się do pani Patel, płakała, trzymając *pallu* przy oczach. I Sartadź, ku swojemu zdziwieniu, poczuł przypływ wzruszenia ściskającego mu serce niczym węzeł.

W dwóch z szaf w sypialni leżały sterty koszul. Sartadź powiódł palcem po rzędzie garniturów, stukając drewnianymi wieszakami. Dwie pozostałe szafy przy przeciwległej ścianie były puste. Przykucnął, podniósł z podłogi jakąś książeczkę i rozłożył ją na kolanie. Była to książeczka czekowa z ptaszkami starannie naniesionymi niebieskim ołówkiem obok sum wypłat i wpłat. Saldo końcowe wynosiło sto czterdzieści sześć tysięcy rupii. Włożył książeczkę do kieszeni i wyprostował się. Nieokiełznany bałagan panujący w całym pokoju budził coś na kształt smutku. Sartadź rozpoczął na tym rumowisku szybki, lecz metodyczny przegląd, wędrując po polach wyimaginowanej prostokątnej siatki. Zastosowanie tej wyćwiczonej procedury przyniosło mu coś w rodzaju ulgi.

– Nie powinniście mieć dwóch osób do poświadczenia *pančnamy*, gdy przeprowadzacie rewizję? – zapytał od drzwi Kszitidź.

– Czy ja przeprowadzam rewizję?

– Na to wychodzi.

– Tylko się rozglądam. Czemu to wszystko leży na podłodze?

– Ja... ja właśnie sprzątałem. Porządkowałem wszystko.

– Tak, rozumiem – stwierdził Sartadź. Po morderstwie niektórzy ludzie robili porządki. Inni gotowali, przyrządzali ogromne ilości jedzenia, którego nikt nie jadł i nie mógłby zjeść. Ale za każdym razem podejmowano próbę znalezienia drogi powrotu do zwyczajnego życia. A wszystkie rozrzucone na podłodze papiery stanowiły zapis najbardziej nieposzlakowanego życia: narodzin, ubezpieczenia, lokat, pożyczek, płatności, rachunków za z trudem wywalczone nabytki, pieczołowicie przechowywanych przez lata. Teraz dobiegło ono końca. Sartadź spojrzał na drugi koniec pokoju, w stronę balkonu i stwierdził, że gospodyni znowu patrzy na morze.

Za progiem, na korytarzu, Sartadź przesunął dłonią po krótkim rzędzie książek. Biografia Wiwekanandy, dwie powieści Sidneya Sheldona, *Jak być lepszym kierownikiem.*

– Został obrabowany, prawda? – zapytał za jego plecami Kszitidź. W białej koszuli wyglądał na zmęczonego i wydawało się, że jest drobnej budowy.

– Prowadzimy śledztwo – odparł Sartadź. Apsary nie było, jej posąg zniknął ze swojego miejsca przy ścianie.

– Są jakieś postępy? Co z tym podejrzanym? Kto to jest?

Inspektor myślał o krągłym ramieniu nimfy. Z wysiłkiem odwrócił wzrok, po czym rzekł bardzo wyraźnie swoim policyjnym głosem:

– Prowadzimy dochodzenie. Powiadomimy was, gdy tylko się czegoś dowiemy.

Na zewnątrz, w klatce schodowej, która wiła się wokół szybu windy, Sartadź oparł się o ścianę, bez tchu, prześladowany nieznanym dotąd uczuciem.

– Nic panu nie jest, inspektorze? – zapytał Katekar.

– Czuję się świetnie – odparł inspektor, ale czuł samotność tak wielką i tak okrutną, że chciał dać za wygraną i runąć w gęste zielone bagno, widoczne daleko w dole przez zakratowane okno. Nawet po tym, jak nadeszły dokumenty, po tym, jak od tygodnia leżały na stole w jadalni, nie wierzył, że słowo „rozwód" ma konkretne znaczenie. Dotąd nie znał nikogo, kto był rozwiedziony. Rozwód był czymś, co obcy mu ludzie robili na łamach „Society". Ból w gardle przeszkadzał mu w oddychaniu. Zrobił krok i zieleń zawirowała pod nim zawrotnie, poleciał naprzód i poczuł w głowie łomoczący ból, potem jednak otarł się ramieniem o białą ścianę. Katekar wziął go pod rękę. Inspektor spojrzał w ślad za wzrokiem podwładnego: na swoim mundurze w kolorze khaki zobaczył smugę gipsu ze ściany, jaskrawą na jego tle.

Sartadź wyprostował się, czując skurcz w mięśniach pleców, i prawą ręką ścierał gips z ramienia. Walnął mocno dłonią i biel zeszła białymi chmurami. Potrząsnął głową. Wetknął koszulę do spodni, podciągnął pas, obiema rękami obmacał swój przekrzywiony turban i wyprostował go. Następnie przygładził wąsy i rzekł:

– Nic mi nie jest. Chodź – i ruszył po schodach do pracy.

– Pan Patel był człowiekiem, który spieszył innym z pomocą – rzekł Kaimal, sześćdziesięcioparoletni emerytowany kapitan marynarki handlowej, który dwa piętra niżej zajmował mieszkanie identycznej wielkości i o takim samym rozkładzie pomieszczeń jak lokal Patelów. – Kupiliśmy je razem – wyjaśnił. – Prawie dokładnie siedem lat temu. Wcześniej wynajmowaliśmy w tym samym budynku w Santa Cruz.

Pani Kaimal przyniosła kawę w małych stalowych kubkach. Kaimal w zamyśleniu masował czoło i wodził palcem po brzegu kubka. Po chwili pani domu usiadła obok męża i położyła dłoń na przegubie jego ręki. Siedzący za nimi Katekar, który był amatorem herbaty, podejrzliwie powąchał swój kubek.

– Był znacznie młodszy ode mnie – dodał cicho Kaimal.

– Czy był tutaj lubiany? – zapytał inspektor.

– Już trzeci rok z rzędu był prezesem kasy budowlanej. Organizował wszystkie nasze działania. – Pochylając się, rzekł stanowczo: – Załatwił posady dzieciom wielu osób z tego budynku. – Usiadł wygodnie i powtórzył: – Był młodszy ode mnie.

– Pewnie był pan świadkiem dorastania Kszitidźa – rzekł Sartadź.

– Tak. To bardzo inteligentny chłopak.

– Czy jego ojciec też tak uważał?

Kaimal spojrzał uważnie na inspektora i ten dostrzegł w jego oczach pierwsze oznaki niesmaku. Ta reakcja była dobrze znana: przypuszczenie policjanta, że w każdym szczęściu kryje się smutek i fałsz, było przerażające w swojej prostocie, bo dotyczyło wszystkich.

– Oczywiście. Był z niego bardzo dumny. Bardzo dumny.

– Jego matka też jest dumna?

– Jakżeby inaczej? Oczywiście. Kszitidź jest bardzo dobrym synem. Przyjemnie jest dzisiaj spotkać młodego mężczyznę okazującego taki szacunek swojej matce.

– Byli szczęśliwi?

– Kto taki?

– Państwo Patelowie. Byli szczęśliwi?

– Szczęśliwi? – zdziwiła się pani Kaimal, kręcąc głową, zirytowana. – Byli mężem i żoną. Jakże mieliby nie być szczęśliwi?

Sartadź dopił kawę. Rzeczywiście była bardzo dobra. U takich ludzi, przyzwoitych i gościnnych, lojalność wobec zmarłych zawsze okazywała się najtrudniejszą do zerwania więzią. Oboje mówili prawdę, która w nagłym blasku śmierci stała się wyraźna i bezsporna, i inspektor wiedział, że nie zdoła ich przekonać, by zwrócili swoje spojrzenie na spowite cieniem, tak bardzo istotne dla niego dwuznaczności. To by ich zmusiło do złamania swoich zobowiązań.

– Rozumiem – rzekł powoli. – Rozumiem. – Spoglądał na panią Kaimal, aż poruszyła się niepewnie, i wówczas oboje zmaleli jakby na tle wyblakłego liliowego deseniu obicia kanapy. Potem zapytał cichym głosem: – Wiedzieliście państwo, czy pan Patel był w jakichś tarapatach? Czy sprawiał wrażenie przestraszonego? Czy mówił państwu o jakichś groźbach? Kłótniach?

– Groźbach? – zdziwił się Kaimal. – Nie.

Gdy Sartadź wstawał, obserwowali go z niepokojem, po czym odwrócili głowy, by przyjrzeć się stąpającemu ciężko Katekarowi. Inspektor podziękował za kawę, kazał skontaktować się z nim, jeżeli sobie coś przypomną, a następnie cicho zamknął drzwi za sobą i Katekarem. Kaimalowie tworzyli sympatyczną parę starszych ludzi, przystojnych, subtelnych i kulturalnych, ale nie żałował, że wzbudził w nich lęk. Tego wymagała jego praca, ten dystans od reszty świata, ich nieufność w stosunku do niego, to było nieuniknione i potrzebne, wiedział też, że bardzo często właśnie to umożliwiało mu uchwycenie prawdy, dostrzeżenie tajemnicy i wyjaśnienie jej na zawsze. Zwykle nie zastanawiał się nad tym, nigdy nie musiał tego robić, ale dzisiaj szczęk zamka w drzwiach przyniósł ze sobą lekki posmak gorzkiej samotności. Inspektor spojrzał w górę i w dół schodów, nachylił się ku okratowanym drzwiom, które zakrywały szyb windy, i splunął w głęboką jamę. Potem poszli do sąsiedniego mieszkania. W miarę upływu dnia, gdy tak chodzili po schodach od drzwi do drzwi, Sartadź obserwował, jak plama potu między łopatkami Katekara powiększa się i rozlewa po jego szerokich plecach.

Przed wieczorem z fragmentów wielu rozmów, z wahań, aluzji i rzeczy przemilczanych wydobył następujące zwyczajne fakty: ojciec był dobrotliwym, pełnym poczucia humoru człowiekiem, gotowym w razie potrzeby poklepać po plecach i przyjść z pomocą; syn znany był z inteligencji, z pierwszych lokat na wszystkich egzaminach, ze swojego spokoju; matka dobrze gotowała, kochała syna do szaleństwa i śmiała się z dowcipów męża, a małżonkowie co sobotę wybierali się samochodem na długie przejażdżki.

Sartadź dowiedział się o zamiłowaniu Patela do jego czerwonej contessy, stojąc obok auta w przepełnionym wonią kadzidła garażu. Szofer Patela, wysoki otyły mężczyzna o nazwisku Śarma, polerował samochód z czymś w rodzaju melancholijnej cierpliwości, cal po calu, licznymi zamaszystymi ruchami nasączonej woskiem szmaty. Przed obrazem Śiwy umieścił dwa płonące *agarbatti* – od czasu do czasu wypuszczały one falujące smugi białego dymu, pełne zapachu *ćameli*, wzmagającej popęd płciowy esencji blasku księżyca, wody rzecznej i deszczu. Katekar przechadzał się po obrzeżach pomieszczenia, spoglądając na stojące na półkach puszki i wiszące na ścianach kalendarze.

– W samochodzie lubił sobie posłuchać *gazeli* – rzekł Śarma. – Mieliśmy wszystkie nowe nagrania. Dopiero co kupiliśmy nowe głośniki.

Między fotelem kierowcy i pasażera leżało pudełko pełne kaset. Kaseta z niebieskim napisem na pudełku była w odtwarzaczu.

– Co jest na tej? – zapytał inspektor.

– Jego ulubiona muzyka. Mehdi Hassan. Słuchał jej na okrągło. – Śarma sięgnął do auta i chwilę później po garażu niosły się słowa piosenki: *Wo dźo ham me tum me karar tha, tumhę jad ho ke ja na jad ho…*[*]).

---

* W wolnym tłumaczeniu: „Czy będziesz pamiętać o tym, co sobie obiecaliśmy..." (ang. zapis: *Voh jo ham me tum me karaar tha, tumhe yaad ho ke ya na yaad ho…*). Są to pierwsze słowa wiersza Momina Khana „Momina", sławnego dziewiętnastowiecznego indyjskiego poety. Zacytowany tu utwór uchodzi za jeden z najsłynniejszych w poezji urdu. Tu w wykonaniu Mehdiego Hassana (por. słowniczek na końcu książki).

– Kiedy ostatni raz siedział w tym samochodzie?

– W ubiegłą sobotę. W soboty nie przychodzę do pracy. Ale pewnie wybrał się na przejażdżkę.

– Dokąd?

– Nie wiem. Niedaleko. Ale na pewno pojechał.

– Jest pan pewien?

– Pracowałem dla niego przez trzynaście lat i co sobotę wyruszał na przejażdżkę z *memsaab*. Co piątek wieczorem przesuwałem dla niego fotel do przodu. Lubił samochody. Szczególnie ten. W zeszły weekend nawet go umył.

– Umył?

– Z zewnątrz i w środku. Gdy przyszedłem w poniedziałek rano, lśnił czystością.

Contessa była bardzo długim samochodem, który ledwie mieścił się w garażu, Sartadź musiał więc wcisnąć się za auto. Otworzył drzwi i nachylił się do środka. Siedzenia były nieskazitelnie czyste, a wnętrze pachniało mydłem i amoniakiem. Piosenka brzmiała delikatnie, trochę smutno i bardzo słodko.

– Czy w ostatnich kilku dniach martwił się czymś? Bał się czegoś? Czymś się denerwował?

Śarma przestał pucować blachę karoserii i spojrzał na inspektora.

– Nie. Ale teraz ja się martwię. Co się teraz stanie z Kszitidźem Babą?

– Kszitidźem? Dlaczego?

– On musi zaopiekować się swoją matką. Łączy ich wielka miłość. Często gdy był zmęczony i bolała go głowa, kładł się z głową na jej kolanach. Widziałem to, gdy wieczorem szedłem na górę, żeby oddać kluczyki do samochodu. On jest bardzo młody. Jak sobie da radę? W tak młodym wieku.

Sartadź wziął od niego szmatę i powąchał ją.

– Boi się pan o pracę?

Śarma roześmiał się w głos. Wyprostował się z dala od auta i okazało się, że jest o co najmniej trzy cale wyższy od inspektora i wcale się nie boi.

– Inspektorze, przecież pan wie, że w Bombaju pracy dla szoferów nie brakuje. Nie, martwię się o niego. Wyglądał dzisiaj na bardzo zmęczonego.

– Czy wyprowadzał samochód?

– Nie, nie. Gdy przyszedłem dziś rano, widziałem, jak wynosi śmieci z budynku. A potem znowu, godzinę później.

– Śmieci?

– Na śmietnik, tam, za tym murem. Wyglądał na bardzo zmęczonego.

Teraz Mehdi Hassan wyśpiewywał dawne narzekania cesarza: *bat karni mudże kabhi muśkil aisi to na thi*[*], a Sartadź przeszukiwał auto. Poskrobał pod fotelami i obracał w palcach piasek z dywaników. W schowku znajdował się kwitariusz ze stacji benzynowej w Santa Cruz, instrukcje obsługi pojazdu w plastikowej obwolucie, talia kart oraz, spięty czarnym spinaczem biurowym, plik rachunków za parkowanie.

– Gdzie było jego biuro? – zapytał Sartadź.

– W Andheri East. Koło Natraj Studio.

Na wierzchnim rachunku widniał ślad gumowej pieczątki z Colaba Parking. Wysiadając z samochodu, Sartadź przekartkował plik i okazało się, że Ćetanbhai często jeździł do Kolaby. Znowu otworzył przednie drzwi od strony pasażera i uklęknął, próbując jak najbardziej zbliżyć się do dywaników. Szybka wędrówka palcem pod przednim fotelem pasażera, po błyszczącym metalu na samym spodzie i z powrotem pozostawiała wrażenie pewnej drobnej chropowatości, nierównej powierzchni metalu. Sięgnął do kieszeni po scyzoryk na łańcuszku od kluczy i poskrobał nim, a następnie uniósł go do światła. Na ostrzu widniała łuskowata rdza, w pozbawionym wyrazu kolorze wilgotnej od deszczu ziemi uprawnej.

– Niech pan spojrzy na to – rzekł, podsuwając scyzoryk Śarmie.

– Co to takiego? – zapytał szofer, przyglądając się badawczo ostrzu. – Rdza?

Sartadź przeniósł spojrzenie na Katekara i ten chwycił Śarmę za kołnierz, zgiął go nagle w pasie i biorąc szeroki zamach, uderzył otwartą dłonią w górną część pleców. Odgłos uderzenia był szokująco donośny.

– Zabiłeś go? Dlaczego go zabiłeś? – syknął zdumionemu szoferowi w twarz Sartadź.

– Nie miałem z tym nic wspólnego.

Inspektor spojrzał na Katekara i jego szeroka dłoń znowu powędrowała do góry i opadła jak młot.

– To krew – wyjaśnił Sartadź. Nie był to fakt, nie była to nawet hipoteza, lecz Śarma uwierzył. Oczy miał pełne łez, dyszał trzymając się obiema rękami

---

* W wolnym tłumaczeniu: „rozmowa nigdy nie była dla mnie tak trudna" (ang. zapis: *baat karni mujhe kabhi mushkil ejsi to na thi*). Jest to początek *gazela* dziewiętnastowiecznego cesarza mogolskiego, Bahadura Szaha Zafara (por. słowniczek) i dlatego w tekście jest mowa o „dawnym narzekaniu cesarza".

za klatkę piersiową. – Nie wiedziałeś, że krew bardzo trudno jest zmyć, co? Choćbyś bardzo się starał, zawsze trochę zostaje. Myłeś samochód?

– Mówię panu, że nic o tym nie wiem. Przysięgam.

– Czemu jeszcze tu jesteś?

– Płacą mi za miesiąc trzydziestego. *Sahibie*, ja jestem zwykłym biedakiem. Odszedłbym, ale wypłatę dostaję trzydziestego. I tyle.

Sartadź pragnął poczekać i zobaczyć, kto spróbuje uciec. Winowajcy zawsze uciekają. Przypominało to wypłaszanie nieznanego zwierzęcia z zarośli. Ciskałeś kamieniem i sprawdzałeś, co z nich wypada.

– W porządku – rzekł. Katekar puścił Śarmę i odsunął się. Lecz szofer pozostał skulony, twarz miał zaczerwienioną. – Ale nie rozmawiaj z nikim o tej sprawie. Nie dotykaj tego auta. Zamknij teraz garaż i daj mi klucz. – Sartadź zwrócił się do Katekara: – Pilnuj garażu, dopóki nie sprowadzę tu kogoś z laboratorium na oględziny.

– Tak, panie inspektorze – odparł Katekar, kiwając głową i wciąż patrząc na Śarmę. Wyjął z kieszeni chusteczkę w niebiesko-białą kratę i otarł nią usta i policzki.

Sartadź pochylił się, zbliżając twarz do twarzy szofera.

– A ty nigdzie się nie wybieraj, przyjacielu, nie opuszczaj miasta. Będziemy cię obserwować.

„Będziemy cię obserwować" – powiedział Sartadź półszeptem, gdy wyszedł za budynek. Będziemy cię obserwować. Było to kłamstwo, do którego nauczył się uciekać bez trudu. Złudzenie, któremu podejrzani z łatwością ulegali i które działało nawet wtedy, gdy nie było w nim cienia prawdy. Parulkar wymusił kiedyś przyznanie się do winy oraz doprowadził do załamania nerwowego człowieka podejrzanego o zbrodnię rodzinną, który uwierzył, że policjanci czają się wszędzie, na dachu jego domu, w łazience oraz za nową lodówką marki Godrej. Śmietnik znajdował się na drodze poprowadzonej w głąb bagna, za blokami w budowie i rozmokłymi hałdami ziemi. Sam koniec drogi, urywającej się w gęstych zielonych krzakach, pokryty był grubą warstwą papieru, kości oraz rzeczy zgniłych i roztopionych. Muchy brzęczały wokół głowy Sartadźa, gdy ostrożnie stąpał po śmieciach. Przeszedł obok dwójki dzieci z torbami na ramionach, wybierających plastikowe przedmioty z tej mieszaniny. Stojące dalej trzy żółte psy przestały jeść, żeby go obserwować, nie ruszając się nawet o centymetr, gdy mijał je powoli ze ściśniętym żołądkiem. Przed nim rozciągał się wielki sczerniały krąg, który tlił się po drugiej stronie drogi. Widać było, jak drży od skwaru na obrzeżach. Inspektor kopnął w wilgotną powierzchnię odpadków. Pod spodem niepowstrzymanie płonął ogień. Pochylił się i oparłszy dłonie na kolanach, powoli obszedł czarny krąg. Na jego oczach rozmywały się twarze i nagłówki ze starych gazet. Wyprostował się i dużym krokiem postąpił w głąb kręgu.

Gdy stąpał dalej, popiół przywierał mu do stóp. Pochylił się nad skręconym kawałkiem plastiku i odwrócił go na drugą stronę. Była to na wpół stopiona osłona taśmy wideo. Chmury zmieniły położenie i słońce nagle przeniosło się na drugą stronę bagna. Odurzyła go cuchnąca, lecz wyraźna, intensywna woń. Nadleciały dwie białe czaple i Sartadź odchylił głowę, by obserwować, jak nad nim szybują. Znajdował się na drugim brzegu śmietnika, w pobliżu wody. Liście krzewów ocierały się o jego twarz. Pochylił się i ściągnął z buta rozmiękły zwitek papieru. Było to zdjęcie z kalendarza, niemal naga modelka w plemiennym stroju ze znanego domu mody, uśmiechająca się przez ramię. Sartadź odsunął to paskudztwo bokiem buta i rozerwał warstwy papieru, po czym schylił się szybko, by się przyjrzeć odręcznemu napisowi na pożółkłym skrawku. Kształtne litery pisma z książeczki czekowej tworzyły słowo „Patel". Inspektor kucnął i próbował odwrócić kawałek papieru, ale ten, szeleszcząc, pękł na pół. Sartadź wyjął z kieszeni długopis i grzebał nim w szczątkach. Pod kawałkiem plastiku znalazł rozdartą zadrukowaną kartkę. Chwycił ją między palec wskazujący a kciuk i podniósł. Papier był gruby i dzięki temu można było rozszyfrować pismo. „...wstawszy rano i spełniwszy niezbędne obowiązki, powinien umyć zęby, nasmarować swoje ciało niewielką ilością maści i skropić je perfumami, nałożyć ozdoby na siebie i przemyć oczy płynem, umalować usta *alaktaką* oraz przejrzeć się w lustrze. Po czym...". Gdy czytał, kartka rozdarła się pod własnym ciężarem i opadła. Pot spływał Sartadźowi po karku. Słyszał szczekanie psów.

Mur przed domem Parulkara rozpadał się na jego oczach. Kiedy czekał u drzwi, obserwował, jak deszcz niesie maleńkie kawałki kamienia i cegły do rynsztoka. Lecz gdy pochylił się za progiem, by zdjąć buty, okazało się, że podłoga jest chłodna i wyfroterowana. Najmłodsza córka Parulkara, Śaila, z włosami splecionymi w dwa kołyszące się z tyłu wielkie warkocze, przyglądała mu się ponuro. Miała czternaście lat i na czubku nosa nosiła okulary w stalowych oprawkach. Kiedy Sartadź ją poznał, uwielbiała, gdy łaskotano ją za uszami. Dławiła się wówczas ze śmiechu. Teraz była pełną godności młodą damą.

– Zaczynasz mi kogoś przypominać, Śailo – rzekł inspektor.

– Kogo?

– Och, sam nie wiem. Modelkę? Gwiazdę filmu? Chyba Madhuri Dixit...

Spojrzała na niego z ukosa, ale z lekkim uśmiechem.

– Postanowiłam, że pójdę do IIT – odparła. – Zamierzam studiować informatykę.

– Naprawdę? – zdziwił się Sartadź. – Koniec z Parulkarami w fizyce? – Obie jej starsze siostry były fizykami, jedna w ISRO, a druga na Uniwersytecie Bombajskim.

– Nudy. Nie wiesz, że to już stara bajka? Teraz na topie są komputery.

– O których nie mam bladego pojęcia.

– Jakbyś miał jakieś pojęcie o fizyce.

– Będziesz musiała mnie podszkolić.

Chwyciła go oburącz za przegub dłoni i zaciągnęła do dużego i skąpo umeblowanego dwoma kanapami i jednym *ćataiem* salonu. Przynajmniej z chodzenia z pochylonym do przodu ciałem postanowiła jeszcze nie wyrastać.

– Siadaj – powiedziała, wracając na korytarz. – Tata przyjdzie za chwilę.

Sartadź nie miał nic przeciwko krótszemu bądź dłuższemu czekaniu. Zawsze lubił ten pokój. Salon był długi i wychodził na mały ogród, w którym nawet rosło drzewo. Jego gałęzie zwisały nad oknem i woda skapywała teraz powoli z korony, a rozpraszane przez liście światło było łagodne i zielone. To światło stanowiło niespodziankę skrywaną przez nędzne mury domu i tego dnia Sartadź szczególnie się nim cieszył.

– Coś nowego? – zapytał Parulkar, gdy wszedł, podwijając rękawy niebieskawej od krochmalu białej *kurty.* Gdy nie był w mundurze, wyglądał bardzo elegancko. Sartadź opowiedział mu o Ghorpadem, Kszitidźu i jego matce.

– Dziś rano przyszła ekspertyza kryminalistyczna – wyjaśnił. – Wygląda na to, że wnętrze contessy wymyto wodą utlenioną. Nie było żadnych śladów krwi ani innej podejrzanej substancji. Samochód został wyszorowany do czysta. I bardzo profesjonalnie wytarty. Żadnych włókien, nic.

– Ale co ten samochód ma z tym wspólnego? Naprawdę mógłbyś już zamknąć tę sprawę – odparł Parulkar. – Masz zegarek, a więc dowód materialny i motyw, a podejrzany, jak mu tam, Ghorpade, trafia na miejsce zbrodni. Czegóż jeszcze moglibyśmy potrzebować? Czego szukasz?

– Niczego, panie komisarzu. To znaczy, nie wiem.

– To delikatna sytuacja, inspektorze – stwierdził Parulkar. – Wywieranie zbyt silnej presji na tę rodzinę bez wystarczającego powodu mogłoby doprowadzić do, nazwijmy to, nadwrażliwych zachowań. – Chodziło mu o to, że w wypadku outsidera, sikha, nawet lekka presja oznaczała silny nacisk. To prawda, mimo że Patelowie byli Gudźaratczykami, a więc także outsiderami. Bo outsiderzy byli różni. Nie wystarczyło powiedzieć: urodziłem się w Bombaju. Sartadź skinął głową. – Tymczasem zaś – dodał Parulkar – muszę porozmawiać z tobą o czymś innym.

Przerwał, gdy Śaila weszła do salonu z tacą. Sartadź przyglądał się komisarzowi, gdy ten nachylił się, by podnieść dymiący kubek z herbatą, ponieważ dotąd nie zdawał sobie sprawy, że Parulkar w obecności córek zachowuje dyskrecję w sprawach służbowych. W tym domu pełnym kobiet o śmierci i uszkodzeniach ciała rozmawiano otwarcie i bez emocji.

– Jest jeszcze coś – powiedział, gdy córka wyszła z pokoju, kołysząc warkoczami.

– Słucham.

– Wczoraj wieczorem zadzwonił do mnie Śantilal Najak.

– Rozumiem.

Najak był członkiem zgromadzenia ustawodawczego mieszkającym w Goregaon. Obecnie pełnił funkcję ministra spraw wewnętrznych, a na ślub Sartadźa przybył przede wszystkim jako gość rodziny Meghy.

– Wspomniał o jakichś dokumentach.

– Dokumentach?

– Które miałeś podpisać.

Sartadź poczuł nagle przypływ nienawiści do ludzi bogatych. Nienawidził ich za ich pewność siebie, ich spokój, za to, że uważali, że wszystko można załatwić. Odparł jednak:

– Tak, panie komisarzu.

– Posłuchaj – rzekł Parulkar, nachylając się nieco. – Gdybym mógł, dałbym wiele, żeby to wszystko cofnąć.

– Wiem – powiedział w końcu Sartadź. Komisarz nie kłamał.

W drzwiach Parulkar położył dłoń na jego ramieniu, a Śaila przybiegła, by znowu chwycić Sartadźa oburącz za przegub dłoni.

– Nie przemoknij – przestrzegł komisarz. – Jest zimno.

Inspektor skinął głową i rozbryzgując wodę z kałuż, ruszył do bramy, po czym zawrócił.

– Co to jest *alaktaka*?

– Co to jest co? – zapytał Parulkar.

– *Alaktaka.*

– Pierwsze słyszę.

– To coś, czym maluje się usta – wyjaśnił Sartadź.

– Moje usta?

– Nie pańskie, inspektorze. W ogóle. Mężczyźni używają tego do malowania ust.

– Czy to jest gdzieś powszechnie praktykowane?

– Tego właśnie chcę się dowiedzieć – rzekł inspektor. Czuł się absurdalnie, stojąc tam w płaszczu łopoczącym wokół kolan, z czołem ociekającym wodą. Odwrócił się gwałtownie i zostawił komisarza i Śailę, czując na karku ich pytające spojrzenia przez cały czas, gdy szedł uliczką. W drodze do domu, pod lodowatymi falami gniewu pojawiła się dręcząca wątpliwość, jego myśli obsesyjnie krążyły wokół czegoś nieznanego i nieuchwytnego. Dysponował informacjami o nieboszczyku i jego rodzinie – całkiem zwyczajnymi i pospolitymi, jak w każdej innej rodzinie przy tej ulicy lub gdziekolwiek w kraju. Wiedział coś o zabójcy, o ile był nim Ghorpade. Dwóch zwykłych ludzi natknęło się na siebie pewnego wieczoru na rogu bombajskiej ulicy. Sartadź przypomniał sobie zegarek marki Rolex i był pewien, że nic nie wie o człowieku, który go nosił, nic, co tłumaczyłoby jakość wykończenia tego lśniącego przedmiotu, co pokazałoby, jak to, co zwyczajne i pospolite, ma się do Ćetanbhaia Ghanśjama Patela. Nie wiedział tego i ta świadomość ciążyła mu jakoś niczym dług.

Sartadź odsunął na bok myśli o długu, gdy znowu pojechał na komisariat w Bandrze. Nie miał innej możliwości niż zamknięcie śledztwa i oskarżenie Ghorpadego o morderstwo, to było jasne. Powiedział to Moitrze, która potwierdziła skinieniem głowy i odparła:

– Tak, cóż, lepiej go obejrzyj.

Trzej pozostali aresztanci trzymali się od Ghorpadego z daleka. Leżał na boku, twarzą przy ścianie, zwinięty w kłębek. Powietrze wypełniające gładkie mury celi było chłodne i nieruchome.

– Zwraca wszystko, co zje – wyjaśniła Moitra. Cały areszt cuchnął wymiocinami.

– Ghorpade – rzekł Sartadź. – Ej, Ghorpade. – Mężczyzna leżał bez ruchu.

– Dziś wieczorem wyślemy go do Cooper Hospital – powiedziała Moitra. – Ale tak czy inaczej mamy jego oświadczenie. – Chodziło jej o to, że pobyt w szpitalu nie gwarantował jego przeżycia. – Chodź, dziś wieczorem chcę wcześnie skończyć robotę.

W jej gabinecie, kiedy podbijali i podpisywali dokumenty pod wiszącym na ścianie zdjęciem Nehru, zadzwonił telefon.

– Cześć – powiedziała cicho Moitra. Sartadź spojrzał na nią i policjantka powtórzyła swoim zwykłym urywanym głosem: – Cześć.

– Czy to Arun? – zapytał Sartadź.

– Tak – odparła, zakrywając dłonią słuchawkę i przyglądając się inspektorowi spokojnym wzrokiem, który ośmielał go do błazenady. – Więc?

– Mam do niego pytanie. – Arun był jej mężem, profesorem historii na Uniwersytecie Bombajskim.

Moitra wciąż miała się na baczności.

– Naprawdę?

– Tak, zapytaj go, co to jest *alaktaka.*

Wypowiedziała bezgłośnie to słowo, sprawdzając, czy nie kryje się za nim jakiś żart, po czym odsłoniła słuchawkę i powtórzyła pytanie.

– Twierdzi, że nigdy o tym nie słyszał – powiedziała po chwili. – Pyta, w jakim kontekście?

– Zapomniałem – odparł Sartadź. – To i tak nieważne.

Ostatecznie więc, na papierze, miała to być sprawa oczywista i szybko zamknięta, niegodna nawet nagłówka w popołudniowych wydaniach gazet. Mimo to Sartadź uważnie przeglądał książeczkę czekową Ćetanbhaia Ghanśjama Patela, gdy jeep kluczył na północ w przedwieczornym ruchu. Zapisy były zwyczajne, trzysta osiemdziesiąt trzy rupie za energię elektryczną dla BSES dwudziestego ósmego stycznia, dziewięćset dziewięćdziesiąt pięć rupii dla ShivSagar Co-op. Building Society dwudziestego dziewiątego stycznia, sto dwadzieścia pięć rupii dla Wydawnictwa Dźankidas pierwszego lutego, dwieście dziewięćdziesiąt dwie rupie dla Milind Pharmacy w tym samym dniu. Inspektor zgiął książeczkę i jej kartki przelatywały mu przed oczyma – znowu te same nazwy i identyczne drobne sumy, dla BSES, dla Hindustan Petroleum za butle z gazem do gotowania piętnastego kwietnia, jeszcze raz sto dwadzieścia pięć dla Wydawnictwa Dżankidas pierwszego maja, dwieście czterdzieści osiem dla Patekar College czternastego maja. Nie było tam żadnych dużych kwot, niczego, co wskazywałoby na zagrożenie czy choćby zdenerwowanie właściciela konta. W końcu Sartadź westchnął głęboko, zamknął książeczkę i włożył z powrotem do kieszeni. Pora dać za wygraną. Należało prowadzić inne śledztwa, co – jak wiedział – oznaczało inne zagadki, które go zaabsorbują, nie było więc powodu trzymać się kurczowo tej sprawy. Pora dać za wygraną.

Kiedy jednak stanął przed Kszitidźem, z trudem zmusił się do tego, by wyjąć książeczkę i wręczyć ją chłopcu.

– Jutro rano postawimy formalne zarzuty – wyjaśnił. – Przyjechałem powiedzieć ci o tym. To człowiek nazwiskiem Ghorpade.

Kiedy Kszititdź otworzył imponujące drzwi mieszkania, trzymał w dłoni ciężarek i był ubrany w biały szlafrok i szorty okrywające jego kościste biodra. Pierś mu falowała, gdy Sartadź opowiadał o Ghopardem. Twarz miał zarumienioną i skrzywioną, a kiedy inspektor umilkł, pokiwał głową. Próbował coś powiedzieć, ale tylko westchnął.

– Wkrótce się z tobą skontaktuję – rzekł Sartadź. Popatrzyli na siebie, po czym inspektor się odwrócił. Zawahał się, czując, że powinien znaleźć jakieś słowo otuchy dla tego osamotnionego chłopca, i w końcu z nienaturalnym uśmiechem powiedział: – Uprawiasz kulturystykę, *ha*?

Kszitidź potwierdził skinieniem głowy.

– Dobrze – pochwalił inspektor. – To dobrze.

Gdy zamykał za sobą drzwi windy, usłyszał głos chłopaka.

– *Wande mataram.*

Przystanął, z palcem na przycisku z literą „P". Kszitidź stał prosto z opuszczonymi rękami. Czując lekką absurdalność sytuacji, Sartadź wyprężył się jak struna i obaj spojrzeli na siebie przez metalowe drzwi. Był to staroświecki slogan, który Sartadź słyszał przez całe życie, przeważnie w filmach, nigdy jednak nie potrafił go wypowiedzieć bez przypływu wiary.

– *Wande mataram* – odpalił. Składam pokłon matce. I na przekór sobie, mimowolnie znowu poczuł w sercu kompletny brak wiary w Indie, przebiegłą, starą matkę, którą pozdrawiał, a zarazem rozpacz.

Szum deszczu nie ustawał. Dopiero co minęło południe, ale w budynku komisariatu było ciemno. Sartadź usiadł rozluźniony przy swoim biurku i przyglądał się, jak woda ścieka strużkami po szybach okna. W samym komisariacie panowała dziwna cisza. Tak jakby wszystko i wszyscy na coś czekali.

Parulkar wszedł do pokoju i zbliżył się do okna. Wyglądał na przygnębionego i skrępowanego. Kołnierzyk koszuli marszczył mu się na szyi.

– Dziś rano znowu dzwonił do mnie Najak – rzekł. – Tym razem do domu.

– Przykro mi, panie komisarzu.

Parulkar obszedł pokój, kiwając lekko głową.

– Nie rozumiem – powiedział w końcu zza pleców Sartadźa. – Czemu po prostu nie podpiszesz tych dokumentów i nie pozwolisz, by to się skończyło? Czego się obawiasz?

– Boję się umierania – powiedział niechcący Sartadź, który przyglądał się wodzie na szybie, sprawiającej, że świat za oknem był niewyraźną brązowo-zieloną plamą.

Parulkar niezdarnym ruchem położył na chwilę dłoń na jego ramieniu. Inspektor obrócił się na krześle, ale komisarz zdążył już ruszyć do drzwi. Gdy gwałtownie obciągał pas, zgarbił się w ramionach i ani na chwilę nie odwrócił głowy.

Sartadź czuł teraz zmęczenie w rękach i nogach, a oczy, nawet wtedy, gdy je zamknął, piekły go i szczypały. Każdy oddech przychodził mu teraz z trudem, bo obawiał się panującej wokół ciszy. Ta obawa nie pozwalała mu nawet odczuwać pogardy dla samego siebie.

Sartadź Singh leżał krzyżem na wznak na podłodze swojego mieszkania w białym *banijanie* i czerwonej *padźamie* i rozmyślał o śmierci. Miał w głowie te właśnie słowa: „rozmyślać" i „śmierć". Między nimi rozciągało się coś na kształt światłości, ogromne, bezchmurne, budzące lęk niebo, w którym został zawieszony. Gdy rozległ się ostry dźwięk dzwonka u drzwi, potrzebował całej minuty, by otrząsnąć się z tego kiepskiego, zabójczego nastroju, podźwignąć swoje nieważkie ciało z podłogi. Po czym, zakłopotany, przecierając oczy, podszedł chwiejnym krokiem do drzwi. To przecieranie sprawiało mu przyjemność i wyraźnie czuł nacisk kciuka na powiece, tak że gdy drzwi otworzyły się na oścież i ją zobaczył, niełatwo było mu rozpoznać w tej scenie obraz, który setki razy snuł w swojej wyobraźni.

– Witaj – rzekł w końcu, nie opuszczając ręki. Megha czekała, aż zrozumiał, że teraz obowiązuje ich pewna etykieta. – Proszę, wejdź – dodał i poczuł do siebie odrazę za te słowa.

Megha ruszyła sztywnym krokiem, wyprostowana w ramionach, trzymając na biodrze dużą czarną torebkę. Stanęła obok mebli, które wspólnie wybierali, w czarnej spódnicy oraz szpilkach, jak zawsze elegancka i z obojętną twarzą modelki na wybiegu.

– Usiądź – zaproponował. Wskazał na zieloną kanapę. Megha usadowiła się na niej, trzymając dłonie przed sobą. Torebka stała przed nią na niskim stoliku niczym szaniec. Sartadź usiadł na krześle naprzeciw z dłońmi ciasno splecionymi na brzuchu. Otworzył usta, ale się nie odezwał.

– Rahul powiedział mi, że już wiesz – zagaiła Megha.

– Powiedział mi o czym? – zapytał głośno Sartadź, chociaż wiedział, o czym mowa. Chciał, żeby wypowiedziała te słowa. Tak aby jego ból – jak zawsze bywało – ją zranił. Ale jej przyszło to z łatwością, jakby miała już to przećwiczone.

– Wychodzę za mąż.

– Czy właśnie dlatego przyszłaś? Po to? – Wykonując gwałtowny ruch głową, miał na myśli dokumenty leżące na stole jadalnym za jego plecami, ale w nagłym geście kryła się również policyjna obcesowość, zwiastun nagromadzonej gniewnej siły. Megha zamknęła oczy.

– Nie, nie przyszłam po to – odparła. Gdy spojrzała na niego, miała łzy w oczach i Sartadź poczuł, że się rozkleja, że cały się rozsypuje. – Przyszłam, bo pomyślałam, że powinnam ci to powiedzieć osobiście. – Nieznaczne wzruszenie ramieniem i ręka unosząca się i dotykająca ust. – Nie chciałam, żebyś dowiedział się o tym od kogoś innego.

Słońce w pokoju upstrzyło znajomą kanapę cętkami światła i ją odrealniło. Sartadź uświadomił sobie teraz, jak wielka odległość dzieli go od własnej cielesnej powłoki, jak obca jest ręka, która spoczywa niczym karbowana brązowa obladra na jego kolanach. Drżąc, rozparł się na krześle.

– Do kogo się uśmiechasz? – zapytała z wahaniem.

Sartadź się zamyślił.

– Jak to się stało, że się tak postarzeliśmy?

Roześmiał się, a po chwili ona śmiała się razem z nim i odgłos ich śmiechu rozniósł się szybko po pokoju, dotarł do fotografii, nielicznych bibelotów na półce i poplamionego stołu. Nagle oboje przestali się śmiać dokładnie w tym samym momencie.

– Przykro mi – powiedziała.

Sartadź wstał z wysiłkiem i zapytał:

– Napijesz się herbaty?

W kuchni musiał umyć dzbanek, a następnie, gdy woda zaczęła kipieć, filiżanki. Później, czujny i skupiony, czekał z cukrem, a woń podgrzewanego mleka i listków herbaty oraz smugi pary porwały go w wir wspomnień pierwszego ranka ich małżeństwa, gdy po raz pierwszy obudzili się razem, żar jej skóry przy jego ciele i jej wyznanie, że nie potrafi parzyć herbaty. „Mówiłam ci, że nie umiem gotować" – zachichotała mu do ucha. „Ale żeby herbatę" – odparł, udając, że się gniewa, później jednak zawsze rano sam ją parzył. Teraz ciepło promieniujące od kuchenki rozlało się po grzbiecie jego dłoni i Sartadź przypomniał sobie gazetę rozłożoną między nimi na stole oraz ich pochlebcze pocałunki. Poczuł rozdzierający ból w sercu szarpiącym się niczym zraniona istota i opadł na kolana na brudną podłogę, złapał się za głowę i zaszlochał. Ten szloch przemógł opór ramion Sartadźa i drewniane drzwi szafki pod zlewem zastukały lekko, gdy pochylił się i oparł o nie skulony.

Poczuł ręce Meghy na swoich ramionach i jej oddech na czole, gdy wymawiała szeptem jego imię, i odwrócił się od niej, zażenowany. Nie miał już jednak siły i Megha przyciągnęła z powrotem jego głowę mocnym krągłym ramieniem. Znowu wstrząsnął nim szloch i Megha przytuliła go mocno, aż poczuł na karku bolesny ucisk jej ręki. Wtedy zatracił się w znajomej woni perfum, nieobecnej w jego życiu od tak dawna, z jej kwiatowym zabarwieniem i dyskretnym słonawym posmakiem. Zastygł w zupełnym bezruchu. Wargi Meghy poruszały się przy jego policzku, wypowiadając półgłosem niedosłyszalne słowa. Później poczuł na ustach ich muśnięcie, dar łagodności, a następnie coraz większą uległość, w której zawsze wyczuwał pytanie. Pocałował ją rozpaczliwie, bojąc się oderwać usta, bo wtedy ona też by przestała. Ale Megha nie miała takiego zamiaru, trzymała jego twarz, jej smukłe dłonie mocno przylegały do policzków i brody Sartadźa, i spijała jego pocałunki, pomrukując cicho. Mimo woli przylgnął do niej, obejmując ramieniem, i poczuł brzemię jej piersi na swoim boku, a ona roześmiała mu się w usta: „Nie tutaj, nie tutaj".

Dotarli niemalże do kanapy w salonie. Kroczył za nią i patrzył, jak przewiewna tkanina spódnicy uderza lekko o jej nogi, patrzył na jej kark pod spiętymi włosami i na wyprostowane plecy pod kosztownym białym suknem. Sięgnął obiema rękami, by chwycić ją w ramiona. Znowu głęboki wstrząs w kontakcie z jej ciałem. Od razu opadła na niego, zbliżając kark do jego ust. Zadrżała, gdy wtulił weń twarz i rzuciła: „Zasłony". – Sartadź cofnął się chwiejnym krokiem, oszołomiony, i zasłonił okno. Kiedy się odwrócił w zapadłym nagle mroku, Megha siedziała na kanapie, z rękami na kolanach.

– Mam zamiar za niego wyjść – powiedziała cichym głosem. Sartadź odnajdywał drogę do niej krok za krokiem. Przyglądali się sobie z nagłej oddali. Wiedział, że to prawda, i nie potrafił tego w żaden sposób skomentować. Stłumił swój całkowicie absurdalny gniew i szukał odpowiednich słów. Wtedy usłyszał jej chichot. Podążył wzrokiem za jej spojrzeniem i zobaczył niedorzeczne wybrzuszenie na swojej piżamie, które kiedyś nazwała czerwoną *śamijaną*.

Tym razem odnaleźli się gdzieś nad niskim stolikiem. Sartadź wciągnął na niego Meghę, trzymając jedną dłoń na jej plecach, a drugą we włosach. Kiedyś znajdowali upodobanie w niespiesznym zrzucaniu z siebie ubrań, powolnym opadaniu jedwabiu, zsuwaniu się bawełny i stopniowych miłosnych objawieniach, teraz nie było jednak na to czasu. Sartadź zmagał się z zamkiem jej spódnicy, gdy Megha zrzucała z siebie bluzkę. Szarpnięta przez nią *nara* wpiła się mu w bok, lecz *padźama* opadła za sprawą jednego zręcznego ruchu jej dłoni.

– Sartadź – powiedziała Megha, odsunęła jego dłonie i zapięcie spódnicy puściło z wyraźnym podwójnym trzaskiem. Przywarła do niego. Teraz Sartadź ośmielił się spojrzeć jej w twarz. W ciemnym rumieńcu na jej policzkach dostrzegł to skupienie, ten wyjątkowy wyraz zawziętej stanowczości, którego od tak dawna nie widział. Przestał się bać. Sutki Meghy rozkwitły pod jego kciukami, zadrżała bezradnie i uśmiechnęła się.

Sartadź wyprężył jednak ciało, gdy boleśnie drasnęła go paznokciami po udach. Teraz była arogancka, tajemnicza i pewna, bardzo pewna siebie, gdy osunął się na kolana i pchnięty przez nią, ułożył na wznak. Siadła na nim okrakiem i wsparta rękami na ramionach Sartadźa, unosiła się nad jego biodrami, jej piersi muskały go z nieznośną lekkością. Znowu przesunęła palcami po jego brzuchu, zdzierając naskórek. Twarz Sartadźa wykrzywiła się w niemym błaganiu: „Zlituj się nad nim, nad moim małym, moimi mięśniami, moim kutasem, miejże litość nad jego osamotnieniem", a ona chwyciła go ręką. Pochyliła się nisko, chłonąc będące wyrazem miłosnego udręczenia oddechy kochanka. Gdy spojrzała w dół, Sartadź spojrzał razem z nią i zobaczył jej mocno zaciśniętą dłoń i wyrywający się z niej drżący członek. Kiedyś przekomarzali się i zastanawiali ze śmiechem, jak nazywać intymne części swoich ciał, Megha nie znosiła słów *land* i *ćut*. Oburzała się na ich dosadność, brutalność i wulgarność, „cock", „pussy" i „fuck" brzmiały obco w jego ustach, mówił to jej, a ona śmiała się z czułością, odpowiadała: „Chcę, żebyś w swoich ustach miał tylko mnie" i podsuwała mu pierś do ust, „mnie pod dowolnym innym imieniem". Teraz jednak jęczała, łącząc w tym osobliwym języku żądzę, radość, przygnębienie i tęsknotę. Ześliznęła się szybko w dół, sunąc niczym fala ciepła na jego skórze, i rozchyliwszy szeroko wargi, wzięła go do ust. *Mnie pod dowolnym innym imieniem.* Odurzonemu podnieceniem Sartadźowi zakręciło się w głowie, z jej zwilżonych śliną ust dobiegały zachłanne pomruki. Usłyszał swój krzyk, głowa Meghy podskakiwała i kołysała się nad jego podbrzuszem. W rozkosznym zamęcie przypomniał sobie *długi spacer po piaszczystej plaży nastrój zbliżającego się wschodu słońca,* uniósł głowę i spojrzał z zachwytem na jej usta. Rozciągnięta wspaniale i groteskowo zarazem skóra. Stłumione okrzyki dobywające się z jego ust. Żar jej ciała przenikający przez cienką jedwabistą tkaninę okrywającą biodra kochanki. Sięgnął prawą ręką i wyciągnął spinki z jej włosów, te zaś rozprostowały się niechętnie i powoli opadły na jego brzuch.

Gdy Megha uniosła wzrok, jej twarz była niewyraźna, a oczy zasnute mgłą pożądania.

– A kondom? – zapytała. – A kondom?

Sartadź jeszcze biegł z powrotem, cofał się znad krawędzi, do której go doprowadziła, z uczuciem ulgi, że się zatrzymała. I jak zawsze był zbity z tropu kategorycznym „om", z jakim kończyła to słowo.

– W sypialni – odparł w końcu. Podążył za nią, szedł śladem lekko drżącego ruchu jej pośladków, który nadal budził czułą dzikość w jego sercu. Bez trudu znalazł nienapoczętą paczkę prezerwatyw w szufladzie stolika przy łóżku. Kładąc się, Megha ściągnęła majtki jednym zamaszystym ruchem, który na moment wygiął jej ciało w łuk. Pomarańczowe światło wlewało się przez zasłony w zwróconym na zachód oknie, przecinało jej brzuch i tonęło w cieniu poniżej. Sartadź niezdarnie rozrywał plastikowe opakowanie.

– Daj – powiedziała i wzięła je od niego, gdy padł na łóżko. Pocałowała czubek jego członka muskając go językiem, po czym naciągnęła gumę. Po chwili kucnęła nad nim. Trzymała w dłoni jego penisa. Wtedy Sartadź pomyślał ze złością o tym drugim: „Spójrz, gdzie ona teraz jest. Popatrz". Któż jednak jest rogaczem, skoro tę rolę zawsze gra mąż? Poczuł dławiącą rozpacz o gorzkim smaku żelaza, ale już po chwili krzyczał z miłości w palącym oleistym uścisku jej łona. Wprowadziła go do środka, kawałek, tylko tyle, odrobinę. Gwałtownie poderwał biodra, a ona położyła mu dłoń na brzuchu. „Nie ruszaj się". Wiedział, co sprawia jej przyjemność. Jej pogrążanie się, stopniowo, w rozkoszy będzie trwało całą wieczność. Megha zastygła w całkowitym bezruchu, lecz – a jakże! – ześlizgiwała się w dół milimetr po nieskończenie małym milimetrze. Na jej twarzy malował się wyraz nieopisanej rozkoszy. Nawet podczas ich pierwszego zespolenia, w którym straciła dziewictwo, przejawiała pewność siebie. *Powiedziała: „Ach, nie poszło za dobrze, ale myślę, że następnym razem będzie lepiej" i owinęła się żółtym jedwabnym sari.* Sartadź zrozumiał teraz, że to jest ostatni raz, i znowu drgające cienie beznadziei przegnały uczucie rozkoszy. Otworzył szeroko oczy, by w padającym na ukos świetle zobaczyć jej jasnozłote piersi w czarnym biustonoszu, i pragnął ich dotknąć, ale wiedział, że jeszcze na to za wcześnie. Megha otworzyła usta. Zdawał sobie sprawę, że ona znajduje się na tej samej cienkiej jak ostrze brzytwy granicy między dręczącą rozkoszą a zniecierpliwieniem, siłą woli utrzymując ten stan. Bo w tym stanie kryła się radość. Dziecięce krzyki wpadały z ulicy do pokoju, tutaj jednak zamieniały się w ich chrapliwe oddechy. W Benaresie *przytłacza go czas, gdy sklepikarz z miną mędrca pokazuje Megsze swoje sari, wyrzuca je zamaszystym ruchem do góry i jedwab kłębi się w powietrzu, czerwony, złoty, ciemnoniebieski i zielony, a Sartadź śmieje się na widok unoszących się i opadających kolorów, ale przepełnia go poczucie straty i potem ona się dopytuje, o co chodzi. „O nic" – mówi. – „O nic".* Teraz z westchnieniem jęknęła:

– To jest takie przyjemne.

Rozważał niuanse tego wyznania, wychwytywał ślady żalu i euforii w jej głosie, ale teraz Megha z jeszcze jednym błogim westchnieniem dała za wygraną, uległa, sięgnęła prawą ręką ku swojemu łonu i sama zaczęła się pieścić. Sartadź czuł miłosne wibracje w jej ciele. Pamiętał o nich. Kiedy *ona dowiaduje się o nim i innej kobiecie, wybucha płaczem i wyjeżdża na ponad dwa tygodnie. Później, znacznie później, gdy on dowiaduje się o jej romansie, nie może w to uwierzyć, nie może sobie tego wyobrazić i wówczas chce umrzeć albo zabić kogoś.* Megha pieściła się palcem i Sartadź słyszał to w jej oddechu, wszystko inne zastygło w bezruchu. Uniósł głowę, by się przyglądać, a ona pochyliła się nagle i całowała go raz po raz, gwałtownie wsuwając język do jego ust. Sartadź czuł się rżnięty i był jej wdzięczny za to uczucie. Teraz powiedziała, krzyknęła mu coś do ust, po czym zadrżała, opadła nań całkowicie i dygotała bezbronnie w jego ramionach, aż w końcu znieruchomiała.

Sartadź odnalazł jednak swój rytm, gdy położył dłonie na jej pośladkach i dotknął twarzą jej szyi, jej ramienia. Megha drgnęła i poddała się temu rytmowi. Krótkotrwała niezdarność ruchów, niedające satysfakcji pchnięcia i nieprzyjemne plaśnięcia ciała o ciało poszły w niepamięć, gdy uniosła się nad nim, oparłszy dłonie na jego piersi. Włosy, opadając, przesłoniły jej twarz i oboje zjednoczyli się we wspólnym ruchu. Sartadź wślizgiwał się do słodkiego gniazda zaspokojenia, z kciukami na jej sutkach wydobytych ze stanika, i kołysał biodrami, ona zaś przy każdym jego pchnięciu wydawała z siebie ciche jęki ni to protestu, ni to przyzwolenia – w centrum wszechświata, a on gdzieś tam, czując łóżko poniżej, świadomy tego, gdzie jest dach, budynek, oraz tego, co oboje robią wysoko nad ziemią, ciała trudzące się ochoczo, on w swoim i poza cielesną powłoką, myśli biegnące i niewzruszone, krople potu na jej rękach, *mnie pod dowolnym innym imieniem,* wędrujące po niebie słońce. I wtedy spojrzała na niego oczami jaśniejącymi zachwytem, on chwycił za jej biodro i naparł na nią, unosząc się nad łóżkiem, i dotarł w głąb jej ciała wypowiadając jej imię, ona zaś opadła mu na spotkanie i w chwili najściślejszego zespolenia poczuł wytrysk, ekstazę i pełnię życia i w ostatnim momencie przebłysku świadomości zapytał: „Czy to ja? Czy to ty?".

Prezerwatywa opadła z żałosnym plaskiem na podłogę obok łóżka. Odwracając się, Sartadź miał wrażenie, że czas znowu rozpoczyna swój bieg. Ułożył się na boku, z dłonią na brzuchu Meghy i obserwował, jak jego palce poruszają się w rytm jej oddechu. Zakryła ręką oczy i Sartadź wytężył wzrok, usiłując dojrzeć zarys jej podbródka. Czuł bicie własnego serca. Nagle Megha odwróciła się do niego.

– Chyba oszaleliśmy – powiedziała, ale w jej głosie nie było smutku. Uśmiechnęła się i musnęła palcami jego policzek. – Muszę już iść.

Sartadź przyglądał się, jak idzie przez sypialnię, jak jej filigranowy cień przesuwa się po białej ścianie, i wiedział, że nigdy nie zapomni tego obrazu, tej osoby, tego lśniącego ciała odchodzącego z jego życia. Z łazienki dosłyszał szum płynącej wody.

Nie był już zły ani zrozpaczony, kiedy jednak tak leżał w pościeli, doznał olśnienia i słyszał, jak kończy się świat. W bezkresie czerwonego nieba, w odległych echach wieczoru czuł przygnębienie jego nieuchronną śmiercią. Przesunął powoli dłonią po przyjemnie kłujących włosach na swej piersi. Podniósł się z łóżka i wszedł do łazienki. Megha stała pod prysznicem, w niebieskim czepku Sartadźa na głowie, i w zamyśleniu namydlała sobie brzuch. Zabrał jej mydło i zaprowadził ją za rękę do sypialni, do łóżka. Kazał jej się położyć na wznak i starł dłonią mydliny z jej ciała. Pochylił się i znalazł na jej piersiach chłodne krople wody, a pod nimi nieuchwytną gładkość skóry. Zaczął lizać drobne brązowe sutki i Megha poruszyła się pod nim niespokojnie.

Kiedy sunął językiem po jej ciele, pociągnęła za *patkę*, która w końcu spadła mu z głowy. Rozczesywała mu palcami włosy, on zaś rozsunął jej uda i zgiął jedną nogę w kolanie. Słyszał jej ostry oddech. Wydęcie złączonych warg sromowych pod miękkim wzgórkiem czarnych włosów jeszcze raz – jak zawsze – wydało mu się dziwnie obce, znajome, a mimo to zaskakujące. Całując jej udo i pachwinę, poczuł w nozdrzach soczystą, intensywną, przypominającą zapach ziemi woń jej łona. Jego wnętrze zarumieniło się, zadrżało i stężało pod dotknięciami języka. Raz po raz zagłębiał się zachłannie w nagłym słonawym cieple, podążając wijącym się tropem jej dreszczy, tracąc z oczu jej sekret i znowu go znajdując. Megha trzymała go za głowę i oboje zbliżali się i oddalali od wyznaczonego przez nią celu. Lekko uderzał i gładził palcami fałdy jej sromu. W drżącym puszystym gąszczu rozciągał się czas oraz jego opowieści tysiąca i jednej nocy, *pierwszy flirt, lody waniliowe zlizywane z jej palców oraz plakat wyborczy Kongresu widoczny za oknem restauracji, w której się kłócili.* Sartadź nie trzymał się kurczowo żadnej z nich, przepływały i znikały, on sam też znikał czasami, jego język i usta i wsunięta pod pośladki dłoń nie ustawały w swoich poczynaniach. Potem usłyszał narastający krzyk i już wiedział, że Megha zaciska zęby na palcu wskazującym prawej dłoni. W końcu przyciągnęła Sartadźa do siebie i całowała, liżąc jego wargi i palce. Tym razem on założył prezerwatywę. Łóżko skrzypiało w rytmie ich wspólnych ruchów. Sartadź nachylił się nad Meghą i spojrzał przez ramię na ich splątane, wznoszące się i opadające cienie, potem zaś na nią i ich splecione włosy. Pochylił się, by złożyć pocałunek na jej ustach, a gdy odsunął głowę, zobaczył, że Megha płacze. Dotknął z jękiem jej policzka, a ona położyła dłoń na przegubie jego ręki.

– Nie przerywaj – powiedziała. – Ruszaj się, ruszaj. – Nie ustawał więc. W półmroku uniosła rękę ku jego ustom i Sartadź dostrzegł łzy w jej oczach. I wtedy nastąpił moment, w którym istniała tylko ona.

Później zapadł zmrok i prawie nie odzywali się do siebie. W progu mieszkania przytuliła policzek do jego twarzy i stali tak przez chwilę. Kiedy zniknęła, Sartadź zamknął drzwi, podszedł do kanapy i usiadł, zastygając w bezruchu. Czuł w sobie pustkę, jego umysł był niczym dziura, czarna otchłań w przestrzeni. Rozpaczliwie szukał czegoś, o czym mógłby myśleć. Pomyślał o Kszitidźu i jego rodzicach, o gniewie chłopca, o pełnej oburzenia mowie jego ciała, i jakby z wielkiej oddali zaczął dostrzegać jakiś kształt, jakąś postać. Siedział na kanapie i zastanawiał się nad tym. Za oknem zapadła noc.

– *Alaktaka.*

Dźwięk tego słowa uraził jego ucho. Serce biło mu pospiesznie i nie pamiętał nawet, że podnosił słuchawkę.

– *Alaktaka.*

– Słucham?

– Dowiedziałyśmy się dla ciebie, co to takiego. – Telefonowała Šaila, mówiła szeptem z wielkim podnieceniem.

– My, czyli kto?

– Ja i moja przyjaciółka Gisela Middlecourt. Wczoraj po południu poszłyśmy do biblioteki. – Słychać było odgłos szamotaniny. – Giselo, przestań.

Sartadź czekał, aż ucichnie dziewczęcy chichot, po czym zapytał:

– Czemu szepczesz?

– Posłuchaj – odparła Šaila. – Trochę się interesujemy środkami do malowania ust.

– Naprawdę?

– Oczywiście. Nic nie mów i posłuchaj. Tak więc zastanawiałyśmy się, co to takiego. Gisela powiedziała, że powinnyśmy zajrzeć do Britanniki. *Alaktaki* tam nie było. Następnie zajrzałyśmy do słownika oksfordzkiego. Nic. Wtedy pomyślałyśmy: w porządku, teraz słownik urdu-angielski, który, jak wiesz, stoi na końcu półki z wydawnictwami naukowo-informacyjnymi.

– Nie, nie wiem – rzekł inspektor, przybierając pozę Rodinowskiego myśliciela.

– Oczywiście, że nie wiesz. Tam też nie było. Potem więc słownik persko-angielski. Nadal nic. Wtedy znalazłyśmy słownik sanskrycko-angielski, ułożony ety... ety-mologicznie i fi-lo-lo-gicznie przez sir Algernona Algernon-Williamsa, magistra, komandora Orderu Cesarstwa Indii, oraz dyrektora A.S. Bharwego, wydany w tysiąc osiemset osiemdziesiątym dziewiątym roku.

– Šailo, w czym rzecz?

– Mógłbyś okazać choć odrobinę wdzięczności.

– Za co?

– Za *alaktakę*. Strona dwieście trzydziesta druga słownika sanskrycko-angielskiego. *Alakta*, rzadziej *alaktaka*. Czerwony sok lub szelak nieoczyszczony, otrzymywany z czerwonej żywicy pewnych drzew oraz z czerwonego soku koszenili. Używana przez mężczyzn i kobiety do barwienia pewnych części ciała, zwłaszcza warg i podeszew stóp. – Rozległ się następny wybuch stłumionego śmiechu. – R. 7.7. Mk. 4.15. Km 5.34.

– Co to znaczy?

– Rygweda, mandala siódma, hymn siódmy. To jest źródło. Powiedziała nam o tym siostra Carmina. A wiesz, co znaczy Km? Nie, to ci powiem. Siostra Carmina nie chciała nam powiedzieć. To jest Kamasutra, której, jak twierdzi, nie ma w bibliotece. Ale rodzice Giseli mają jeden egzemplarz, który, jak sądzą, jest dobrze ukryty na szczycie półki z książkami. Zajrzeliśmy do niej. *Alaktaka* figuruje w rozdziale piątym*). Rada dla młodego dżentelmena, bywalca. Po porannej kąpieli, przed wyjściem z domu nakładasz na siebie balsamy i *alaktę*. Przeczytam ci.

– Śailo?

– Słucham?

– Nie czytaj.

Sartadź utkwił wzrok w odbitym w lustrze na ścianie czubku własnej głowy. Zastanawiał się, co Ćetanbhai Ghanśjam Patel nakładał na siebie rano. Jakiego płynu po goleniu używał? Pomasował sobie skórę na przegubie ręki, pod swoją *karą*, wspominając jedwabisty połysk ciężkiego roleksa. Gdzie Ćetanbhai trzymał swój egzemplarz *Kamasutry?*

– Czemu nic nie mówisz? Zastanawiasz się? Nad czym? – zaszczebiotała mu do ucha Śaila, bardzo zaciekawiona.

– Nieważne, nad czym się zastanawiam – odparł. – Odłóż tę książkę tam, gdzie ją znalazłaś. I więcej do niej nie zaglądaj. – Kiedy odkładał słuchawkę, słyszał, jak się śmieją.

Westchnąwszy głęboko, Sartadź zagłębił się w bagnie. Poranne niebo było ciemne i ciężkie od nisko zawieszonych czarnych chmur. Woda szybko sięgnęła mu najpierw do ud, a później do pasa, i w oszołomieniu chwytał się trzcin, żeby zachować równowagę. Wszystko ruszało się pod jego stopami, woda pluskała wokół, w końcu jednak zdołał zrobić pierwszy, a potem jeszcze jeden krok. Powierzchnię wody pokrywał przypominający pianę osad, do trzcin przylgnęły szmaty i obryzgane błotem papiery. Po kolejnym kroku gęste zielone rośliny zamknęły się za nim i nie widział już budynków po drugiej stronie drogi. Próbował zatoczyć koło, ale nie potrafił już ocenić, gdzie się znajduje.

---

* W polskim tłumaczeniu: część I, lekcja czwarta, akapit 5, str. 26. *Kamasutra, czyli traktat o miłowaniu*, tłum. M. K. Byrski, PIW Warszawa 1985.

Brnął przed siebie, odsuwając splątane badyle. Twarz miał pokrytą kropelkami potu, oddech palił mu pierś. Coś zabzyczało przy jego policzku, po czym z lewej strony błysnęła biel. Usiłował się obrócić, stracił grunt pod nogami i wpadł po szyję do wody. Gdy podszedł bliżej, zrozumiał, że to przypominający kamień gładki przedmiot sterczący z płynnego bagna. Z trudem posuwając się naprzód, próbował umiejscowić go w swoich wspomnieniach, był pewien, że widział go już przedtem, i wtedy biały przedmiot odwrócił się w jego wyobraźni i jak chmura przybrał nową postać. Sartadź zrozumiał, że to ramię nimfy leżącej w wodzie twarzą w dół, niemal całkowicie zanurzonej, podtrzymywanej jednak przez splątane trzciny i parcie samego bagna. Dotarł do posągu i dysząc, usiłował go odwrócić. Zobaczył odwieczny uśmiech apsary, niewzruszonej swoim losem. Rozejrzał się w poszukiwaniu budynków i drogi. Daremnie. Starał się wyobrazić sobie żonę Ćetanbhaia wynoszącą posąg z domu i wrzucającą go do błota. Było to niemożliwe i nieprawdopodobne, za to bez trudu zobaczył Kszitidźa, jak w mroku wczesnego ranka wlecze biały przedmiot niczym trupa, nie patrząc nimfie w oczy, odwracając wzrok od jej obrzmiałych warg, i jak wtrąca ją do wody. Nie potrafił natomiast stworzyć logicznego uzasadnienia, praprzyczyny, powodu tego postępku. „Jeszcze, jeszcze nie" – powiedział, po czym zaczął szukać wyjścia z bagna.

– Cuchnie pan – rzekł Kszitidź, otworzywszy drzwi natarczywie pukającemu inspektorowi.

– Tak, do cholery – odparł Sartadź, wchodząc do mieszkania, czystego teraz, uporządkowanego i ogołoconego z jarmarcznych ozdób. Obrazy zniknęły, a książki na półce były teraz innego rodzaju, grubsze i ze złotymi napisami na grzbietach.

– Wpadł pan do rynsztoka czy co? – zapytał Kszitidź, spoglądając na kałuże wody na podłodze. – Mam nadzieję, że niczego pan nie połknął, bo jeśli tak, to musi się panem zająć lekarz.

– Niezupełnie. Niezupełnie. – Bagno służyło za rynsztok robotnikom, którzy wznosili budynki mieszkalne, oraz części pracujących w nich służących i Sartadź rozumiał zbolały wyraz odrazy na twarzy chłopaka, teraz jednak analizował tytuły książek na półce. – *A history of the Indian People* – powiedział. – Czy twój ojciec dużo czytał?

– Nie, niespecjalnie.

– A twoja matka?
– Nie.
– Rozumiem. A ty?
– Tak, ja czytam. Czy coś się stało?
– Chciałbym zobaczyć tę książeczkę czekową, którą ci dałem. Jeśli można.
– O co chodzi? Myślałem, że już pan ma sprawcę.
– Mam. Gdzie jest książeczka?

Przez chwilę Sartadź widział w oczach chłopaka strach i analizę własnych szans, zakończoną wzruszeniem ramion i nerwowym śmiechem.

– W porządku. Nie ma sprawy.

Minutę później Sartadź trzymał książeczkę końcami palców, z dala od tułowia i przewracał jej kartki.

– Zachowam ją – oświadczył.
– Jasne, tylko po co?

Sartadź spojrzał na Kszitidźa, zastanawiając się nad czymś.

– Bardzo ciekawią mnie czytelnicze nawyki twojego ojca.

Okazało się, że Wydawnictwo Dźankidas tworzą jeden mężczyzna, jedna kobieta i dwa umieszczone w garażu komputery. Garaż znajdował się z tyłu starego trzypiętrowego budynku w zaułku koło dworca w Bandrze. Na wszystkich balkonach nad garażem wisiały na sznurkach świeżo wyprane ubrania i gdy Sartadź, teraz już suchy i czysty, rozsznurowywał buty, zdawał sobie sprawę, że z różnych mieszkań, zapomniawszy o praniu, obserwują go co najmniej trzy kobiety. Zadzwonił do Katekara z domu, przebierając się, i kazał mu czekać przed domem Ćetanbhaia w cywilnym stroju i w razie potrzeby śledzić jego syna. Czuł teraz podniecenie i mrowienie na rękach nieobce myśliwym. Kiedy pociągnął za sznurówkę w lewym bucie, znowu nastąpiło to niewyraźne ożywienie umysłu, ukazał się nieokreślony kształt czegoś jeszcze z trudem rozpoznawalnego, ale poruszającego. Instrukcję „Proszę zdjąć buty" sporządzono wyszukanym zakręconym krojem pisma na czerwonym papierze, zaś pan Dźankidas jadł lunch koło komputera pod fioletowym napisem oznajmiającym: „Wierzymy w Boga i Gotówkę. Nie udzielamy kredytu". Pani Dźankidas, która podobnie jak jej mąż nosiła okulary w stalowych oprawkach i pomijając bujne włosy, była bardzo do niego podobna, trzymała w ręce mały pojemnik z lekkim posiłkiem i od czasu do czasu serwowała *puri* i *bhadźi*. Pan Dźankidas siedział po turecku na krześle, bardzo zadowolony i był to najdoskonalszy obraz rodzinnego spokoju, jaki kiedykolwiek widział Sartadź. Zakłócił ten spokój z lekką satysfakcją.

– Wiem o pewnych transakcjach między panem a niejakim Ćetanbhaiem Ghanśjamem Patelem – powiedział. – Który niestety występuje w roli ofiary w bardzo poważnej sprawie o morderstwo.

– Bardziej poważnej niż przeciętna sprawa o morderstwo? – zapytał pan Dźankidas, który od razu przypadł Sartadźowi do gustu.

– Na to wygląda. Może się okazać bardzo skomplikowana. I właśnie dlatego muszę zwrócić się do pana. Pan Patel miał zwyczaj wystawiać panu czeki. Co miesiąc, o ile mi wiadomo.

– Był naszym klientem – wyjaśnił właściciel wydawnictwa.

– Klientem niewątpliwie zadowolonym. Co od was kupował?

Pani Dźankidas przechyliła nieznacznie głowę i Sartadź spostrzegł, że małżonkowie wymienili między sobą spojrzenia-rozkazy.

– Obiecujemy naszym klientom poufność – odparł jej mąż. – To, sam pan rozumie, jeden z warunków umowy.

Sartadź rozparł się na krześle. W klimatyzowanym garażu było mu dość wygodnie.

– Zastanawiam się, czy prowadzenie firmy w garażu w tym budynku jest dozwolone? Zgodne z przepisami spółdzielni mieszkaniowej? A przepisy komunalne? – Swoje słowa kierował do pana Dźankidasa. – Trzeba będzie to sprawdzić. – Odwrócił głowę, żeby spojrzeć na inne napisy w pomieszczeniu. Właściciel wydawnictwa wierzył w słowo pisane. Kurz wrogiem wydajności. Klient naszą radością. Kiedy popatrzył z powrotem na pana Dźankidasa, ten był już gotów rozmawiać.

– Świadczymy wielorakie usługi. Broszury. Wizytówki służbowe. Papiery firmowe. Pisanie dokumentów prawnych na maszynie. Zaproszenia. Zawiadomienia o ślubie. Wedle potrzeby.

– To wszystko?

– Publikujemy również magazyn.

– Tak?

– Bo widzi pan, działamy jako pomost. Do wymiany informacji. Wzajemnej komunikacji.

– Jakich informacji?

Pan Dźankidas pochylił się na krześle i sięgnął pod pulpit z komputerem. Wyciągnął magazyn z gładkimi okładkami, całymi w czerwono-żółtych barwach, olśniewający wieloma krojami pisma. Na pierwszej stronie jakaś młoda kobieta spoglądała prosto do aparatu pod zielonym tytułem „The Metropolitan". Sartadź widział to czasopismo już przedtem, na dworcowych stoiskach z książkami, z porządnie zszytymi stronami. Wziął je od pana Dźankidasa, otworzył i na środku szpalty przeczytał: „R-346. (M) Bombaj: Mam trzydzieści dwa lata, jestem technikiem pracującym jako urzędnik pierwszej kategorii w placówce administracji centralnej, 168 cm wzrostu, 72 kg wagi, serdecznie skorzystam z bzł. tow. szczerych, urodziwych pań lub par o ou. wpw, nie w barach. Dyskr. zapewniona i oczekiwana, św. zdr. wysoko cenione. H: gry, przyroda, wycieczki. ZJ: angielski, hindi, marathi".

– Co znaczy „o ou"? – zapytał Sartadź.

– O otwartym umyśle – odezwała się nagle pani Dźankidas. – H to hobby, ZJ znajomość języków.

– Języków. No jasne – rzekł inspektor. – Rozumiem. – Oczywiście wcale nie rozumiał, ale kontynuował rozmowę. – Rozumiem, że Ćetanbhai korzystał z tych usług.

– Owszem – potwierdził pan Dźankidas. – Oni co miesiąc zamieszczają jedno ogłoszenie zwykłe.

– Oni?

Pan Dźankidas podniósł rejestr, przesunął palcem po poliniowanej kartce i oświadczył.

– M-434.

Sartadź odnalazł M-434 na końcowych stronach magazynu „Bombaj: gdy brak prawdziwej i serdecznej przyjaźni, życie staje się tylko długim procesem znużenia. Zespólmy swoje siły! Spotkajmy się, żeby penetrować fascynującą przyszłość. Wykształcone, urocze, bardzo przyjazne małżeństwo zachęca osoby stanu wolnego/małżeństwa o zbliżonych upodobaniach, by uczyniły swoje życie barwnym ciągiem rozkosznych niespodzianek, budzących dreszcze chwil czułości. Czekają was momenty harmonii i niewiarygodnego szczęścia oraz serdeczne przyjęcie. Na co czekacie?".

– Co miesiąc zamieszczali to samo ogłoszenie – wyjaśnił pan Dźankidas.

– Pewnie przynosiło owoce – zauważył Sartadź.

Właściciel wydawnictwa podniósł ręce.

– Tego nie wiemy. My tylko przesyłamy dalej listy, oczywiście za drobną opłatą.

– Rozumie pan – wtrąciła pani Dźankidas. – Wzajemna komunikacja.

Sartadź jechał swoim motocyklem do Kolaby oszołomiony zdumieniem. Patrzył na mijanych ludzi, na ich twarze, podziwiając malujący się na nich spokój, dziwiąc się ich jawnej pospolitości. Jakaś kobieta w czerwonym sari, z siatką pełną ziemniaków, czekała na skrzyżowaniu, aż przejedzie autobus. Jakiś taksówkarz wysypywał sobie tytoń na dłoń, opierając się o swój samochód. Dziewczynka w zielono-białym szkolnym mundurku odwróciła wzrok, zauważywszy spojrzenie Sartadźa. Lecz policjant pytał jedynie w duchu, czy ona, one, ile z nich przeżywa barwne rozkoszne niespodzianki, chwile budzącej dreszcze czułości. Zrozumiał, że w końcu usłyszał głos Ćetanbhaia Ghanśjama Patela, czuł chłopięce ożywienie, jakby o niczym nie wiedział. „Momenty harmonii" – powiedział pod nosem. „Momenty harmonii". Po zaparkowaniu wyciągnął z akt zdjęcie nieboszczyka z rodziną i siedząc, patrzył na nie, na okrągłą twarz Ćetanbhaia, słodycz uśmiechu malującego się na jego twarzy, dumę w oczach jego spoglądającej w obiektyw żony, bezpiecznej w swoich grubych złotych bransoletach i w gronie rodziny, ufnie patrzącej w przyszłość. A za nimi Kszitidź, poważny i przejęty, a z prawej strony zdjęcia błyszcząca biel na samym skraju kadru, łuk miękkiego biodra.

Znalezienie parkingu, z którego korzystał Ćetanbhai, było proste. Skłonienie dwóch braci, którzy przesiadywali na zmianę w drewnianej budce, wręczając bilety parkingowe i wydając resztę, żeby przypomnieli sobie Patela, nie nastręczyło trudności – byli podnieceni myślą, że mają swój udział w toczącym się śledztwie, i starszy, który w soboty pracował za dnia, natychmiast przypomniał sobie czerwoną contessę.

– To oni – rzekł, gdy Sartadź pokazał mu zdjęcie. – Ci dwoje.

– W którą stronę szli? – zapytał inspektor.

– Zawsze tam – odparł mężczyzna, pokazując sztywnym palcem. – Tam.

Sartadź znał ogólny kierunek, więc ruszył. Sklepikarze byli zajęci obsługą turystów i wszędzie coś sprzedawano, począwszy od ułożonych w sterty posążków Kryszny, a na zakazanych substancjach, oferowanych półgłosem niemal w zasięgu słuchu inspektora przez mężczyzn opartych o framugi drzwi, skończywszy.

– A kto tam ma dzisiaj czas na obserwacje – rzekł jeden ze straganiarzy, pakując kilka sandałów parze Japończyków. – Ludzie przychodzą i odchodzą. – Później jednak spojrzał na zdjęcie i przypomniał ich sobie. Nigdy niczego nie kupowali, ale mijali go od lat. Stali się mu dobrze znani ze względu na regularność swoich wizyt.

Za rogiem i rzędami obuwia sprzedawanego przez straganiarza, na całej długości zaułka ciągnęły się piwiarnie. Sartadź wszedł do pierwszej z nich, w klimatyzowany mrok, i zastał tam cierpliwie oczekujące w kolejce kobiety w błyszczących zielono-czerwonych *ćuridarach.* Na widok fotografii z premedytacją kręciły głowami i pieczołowicie zachowywały całkowitą obojętność w wyrazie swoich twarzy. Sartadź pokiwał głową, podziękował i poszedł do sąsiedniego baru. Wreszcie, na końcu drogi, koło nabrzeża natrafił na hotel, z którego głównie korzystali arabscy turyści. Mężczyźni stojący w holu obok sięgającego sufitu obrazu jakiegoś emira nic nie wiedzieli, nic nie widzieli, nie byli zainteresowani.

– Bo my, widzi pan, jesteśmy przewodnikami – powiedział najstarszy, jakby to w naukowy wręcz sposób tłumaczyło niewidzenie niczego. – Przewodnikami Arabów. – Wyprostował czerwony krawat i zrobił bardzo poważną minę. Sartadź uśmiechnął się w odpowiedzi na te delikatne drwiny i poszedł dalej, do recepcjonisty, który nic nie wiedział. Stojący na zewnątrz *darban* pamiętał jednak Patelów. Zawsze sądził, że mieszkają gdzieś nieopodal.

Późnym popołudniem Sartadź zrozumiał, że zbliża się do celu. Trop zgubił tylko raz, gdy skręcili w lewo, a powrót i odnalezienie właściwego zajęło mu godzinę. Teraz szedł dziarskim krokiem uliczką, wzdłuż której stały trzypiętrowe budynki mieszkalne o wyblakłych ścianach. Choć jezdnia była zastawiona samochodami, panował tu spokój, a drzewa rzucały cień, Sartadź wyczuwał więc dawną elegancję w nazwach budynków i w półkolistych balkonach, które kiedyś musiały być ostatnim krzykiem mody. Na lewo, w cieniu drzewa *nim*, za bramą z napisem „Willa Nadmorska" klęczał wśród kwiatów jakiś mężczyzna o białych włosach. Inspektor minął bramę, po czym zawrócił.

– Ty – powiedział, kiwając palcem.

Mężczyzna podniósł się i podszedł do bramy, otrzepując ręce o wytarte spodnie khaki.

– Twoje nazwisko – rzekł Sartadź.

– A. M. Khare, emerytowany pracownik IFS.

Mimo podartego podkoszulka odznaczał się pewnością siebie obieżyświata.

– Panie Khare, czy widział pan tych ludzi?

– Wiele razy. On rozmawiał ze mną o moich kwiatach.
– A co to za kwiaty?
– Orchidee. Bardzo trudne w uprawie.
– Znał się na nich?
– Nie, ale bardzo mi gratulował.
– Zauważył pan, dokąd szli po rozmowie z panem?
Khare wzruszył ramionami. Wydawał się zakłopotany.
– Tak.
– Tak?
– Do tamtego budynku – odparł wskazując ruchem głowy – zwanego *Damanem*.

Na pierwszym piętrze *Damanu* Sartadź znalazł pensjonat, który tak naprawdę był dużym mieszkaniem z cienkimi przepierzeniami tworzącymi maleńkie pokoje wynajmowane głównie praktykantom z hotelu Taj. Pani Khanna powiedziała, że piętro wyżej, obok jej mieszkania, jest jednak luksusowy apartament, który wynajmuje bardzo rzadko i tylko znanym sobie osobom. Pani Khanna miała na sobie zielony kaftan, paliła jednego papierosa za drugim i mówiła w rzeczowy sposób, mający onieśmielać lokatorów. Na widok zdjęcia pokiwała głową.
– Znam ich od wielu lat. Stali klienci. Mili ludzie. Płacili gotówką, z góry.
– Za co? Kto ich odwiedzał?
– Ja nie zadaję pytań. To nie moja sprawa.
– Ale dostrzega pani różne rzeczy.
Z premedytacją pokręciła głową.
– Nie moja sprawa.
– Obejrzyjmy to mieszkanie.
Z mieszkania pani Khanny do apartamentu prowadził długi korytarz z zamkniętymi na klucz drzwiami na obu jego końcach. Drzwi wewnętrzne otwierały się na mały pokój zajęty w całości przez niski stolik i cztery stare fotele. Na ścianie wisiał pejzaż: ruiny na urwistym brzegu rzeki.
– Widzi pan – powiedziała pani Khanna. – Z łazienką. Bardzo ładny.
Sartadź wszedł za nią do sypialni. Zielone zasłony były zaciągnięte i było tam bardzo ciemno. Miał wrażenie, że jego głowa pływa w nagłej ciszy. Wiejska piękność błyskała do niego ciemnymi oczami znad brzegu swojej stylizowanej żółtej *dupatty* z portretu nad łóżkiem. Inspektor sięgnął do magnetofonu stojącego na wezgłowiu i wyciągnął kasetę. Nie miała żadnej etykiety.

Włożył ją z powrotem do magnetofonu i wcisnął przycisk. Mehdi Hassan śpiewał: *Randźiś hi sahi*[*].

– To jego taśma?

– Tak. Taśma pana Patela.

– A obrazy?

– Też jego. Powiedział, że sypialnia jest bardzo skąpo wyposażona. – Rozejrzała się po pokoju, gestykulując z papierosem w dłoni. – Bo widzi pan, on był człowiekiem bardzo *śokin.*

– Owszem, miłośnikiem chwil niewiarygodnego szczęścia.

– Słucham?

Sartadź, zamiast odpowiedzieć, rozsuwał zasłony. Pani Khanna przyglądała się niecierpliwie, jak przemierza sypialnię i wchodzi do małej, lśniącej czystością łazienki. Wyraźnie ją rozbawił, gdy się schylił, żeby zajrzeć za toaletę.

– Mieszkanie jest sprzątane codziennie. Albo wtedy, gdy ktoś z niego korzysta – wyjaśniła. – Nic nie zostaje. Nie ma czego szukać.

– Bardzo chwalebne. Na pewno nigdy nie widziała pani żadnych gości?

– Nie. Są tam osobne drzwi, otwierają się naprzeciw windy. Przychodzą i wychodzą.

– A ten chłopiec na fotografii? Syn pana Patela? Widziała go pani kiedyś? Czy kiedyś tu przyszedł?

– Nie.

– Wie pani, on nie żyje. Pan Patel został zamordowany. Wie pani o tym?

– Czytałam w gazecie.

– Co pani o tym sądzi?

Pani Khanna trzymała ostrożnie papierosa w dwóch wyciągniętych palcach. Poruszał się jedynie dym.

– Nie ciekawi mnie to. Nie moja sprawa. Nie chcę wiedzieć.

Sartadź przeszukał sypialnię. Materac okazał się czysty, podłoga pod łóżkiem pozamiatana, wszystkie powierzchnie były czyste i wypucowane, a kosz na śmieci opróżniony. Pani Khanna była dobrą gospodynią. W szufladzie komody stojącej obok łóżka leżała otwarta paczka „supercienkich" kondomów marki Trojan.

– A to? Własność pana Patela?

---

* *Randźiś hi sahi* (ang. *Ranjish hi sahi*) to tytuł i pierwsze słowa utworu współczesnego pakistańskiego poety, Ahmeda Faraza (właśc. Syed Ahmad Shah, ur. 1931).

– Być może – stwierdziła pani Khanna.
– Amerykańskie. Bardzo drogie.
– Był *śokin.*

Sartadź popatrzył na komodę i zajrzał pod mebel. Zerknął za wezgłowie łóżka, a następnie za komodę z lewej strony. Komoda stała tuż przy ścianie. Inspektor wetknął końce trzech palców za drewniany blat i szarpnął. Drżące z bólu palce oderwały się od krawędzi, a poobijany mebel nawet nie drgnął. Inspektor kucnął, chwycił za nogi komody i pociągnął. Stęknął raz, drugi i w końcu ją przesunął. Teraz mógł zajrzeć za komodę. Dostrzegł coś między zielonym drewnem a listwą przypodłogową. Wsunął palce w szczelinę. Okazało się, że to polaroidowe zdjęcie. Starł z niego kurz i barwne plamy stworzyły obraz. Obróciwszy fotografię na różne strony, zrozumiał, że przedstawia ona nagie kobiece ciało o zamazanych konturach, z brązem skóry ukrytym miejscami pod smugą ruchomej bieli, jak gdyby ktoś ściągnął prześcieradło, a fotografowana kobieta się odwróciła, cały kadr był rejestracją szybkiego ruchu. Twarz kobiety przesłoniła dłoń, wyrzucona w górę ręka, ledwie widoczna broda sugerowała jedynie, kto jest na zdjęciu, ale za to widać było włosy, długie, gęste i bujne. Oraz łuk nagiego biodra.

– Wie pani, kto to jest?

Pani Khanna zastanawiała się przez chwilę.

– Nie – odparła znudzona. Na świecie było wiele spraw, o których nie chciała wiedzieć, a nagie ciało nie stanowiło dla niej żadnej nowości.

– Czy widziała pani kiedyś pana Patela z aparatem fotograficznym?

– Nie.

Sartadź patrzył na zdjęcie, próbując wyczytać z widocznych fragmentów czoła i brody, czy zarejestrowano na nim protest, czy śmiech. Pani Khanna przyglądała mu się i inspektor spostrzegł, że jest lekko rozbawiona uwagą, z jaką analizuje fotografię. Uniósł rodzinne zdjęcie Patelów.

– Na pewno nigdy nie wiedziała pani tego chłopaka?

– Już panu mówiłam, że nie.

– Zdaje sobie pani sprawę ze swojej kłopotliwej sytuacji. Z tego, że prowadzi pani dom publiczny bez zezwolenia?

– Nikt tutaj nie uprawia nierządu.

– Mimo to sprawa kwalifikowałaby się do śledztwa.

– Przeprowadźcie je, jeśli macie ochotę. Ja nie jestem w to zamieszana.

– Rozumiem, że nie chce pani być w to zamieszana.

Wzruszyła ramionami. Sartadź pokręcił głową i się odwrócił. Kiedy był już w drzwiach, powiedziała:

– W porządku.

Odwrócił się do niej.

– Słucham?

– Powiem panu, bo nie spodobał mi się ten mały drań na tym zdjęciu. Groził mi. Ale jeżeli spróbuje mnie pan w to wplątać, wszystkiego się wyprę. Niczego nie podpiszę i nigdzie się nie stawię.

– Dobrze. Niech mi pani powie. O co chodzi z tym małym draniem?

– Przyszedł tu.

– Kiedy?

– Nie wiem, dziewięć, dziesięć dni temu.

– Sam? Czego chciał?

– Owszem, sam. Najpierw nie chciał mi zdradzić, kim jest, ale powiedział, że chce obejrzeć mieszkanie wynajmowane przez państwa Patelów. Odparłam, że nie znam państwa Patelów i czemu niby miałabym wpuszczać go do jakiegokolwiek mieszkania. Wtedy zaczął mnie przekonywać, a ja kazałam mu zabierać się z mojego domu, zanim każę go wyrzucić. Zapytał, czy coś, cokolwiek, tam zostawili. Wyjaśniłam, że mam dość tej rozmowy, i zawołałam Dźaggana z parteru, żeby go wyrzucił. Wówczas zaczął krzyczeć, naubliżał mi. „*Randi*", powiedział. Wobec tego Dźaggan go lekko poturbował.

– A później?

– Później powiedział, że jeszcze wróci. Z kolegami. „Wróć z całym swoim *paltanem*", zaproponowałam. „Do zobaczenia", odparł. „*Rakszacy* zajmą się takimi jak ty. Znają cię i osoby twojego pokroju. Wiedzą, jak radzić sobie z takimi kurwami". – Pani Khanna w zamyśleniu przyglądała się końcowi swojego papierosa.

– Powiedział *rakszacy*? – zapytał Sartadź.

Kobieta przechyliła głowę na bok w dziwnym, zrezygnowanym geście.

– Tak, to właśnie powiedział. Te sukinsyny są kompletnie obłąkane. Zdolne do wszystkiego. Pozwoliłam mu więc obejrzeć mieszkanie. Po co niepotrzebnie narażać się na kłopoty?

– To prawda – rzekł Sartadź. – Co robił w mieszkaniu?

– Przeszedł się po nim. Tak samo jak pan, przeszukał je, otwierał szuflady, zajrzał pod łóżko, do łazienek. Oraz do kubła na śmieci. Tak jakby czegoś szukał. Dowodów. Tropów. Pozostawionych rzeczy.

Rozumiem.

– Ale trząsł się i miał zaczerwienione oczy. Mówił do siebie pod nosem. Wariat.

– Owszem. Znalazł coś?

– Nie, nic. To ich syn?

– Tak.

Pani Khanna zgasiła papierosa w popielniczce.

– Ćetanbhai był dobrym człowiekiem – powiedziała. – Biedaczysko.

Jadąc na motocyklu, Sartadź czuł na udach wibracje metalu i myślał o ludzkich ciałach. Próbował wyobrazić sobie własne ciało i stwierdził, że wyimaginowany obraz tego ciała jest dziwnie zamazany, a jego wiedza o nim przytępiona i niepełna. Znał je od zawsze, ale jak wyglądały jego ramiona, gdy odczuwał ból? I tylne części ud, gdy spał? Meghę znał, pamiętał tętno na przegubie i mocny puls na szyi, ale ilekroć, kiedyś, wtulali się w siebie, czuł się zobligowany do ponownego sprawdzenia. Niczym człowiek obawiający się zaniku pamięci. Głośny warkot silnika raził jego uszy. Próbował sobie wyobrazić Ćetanbhaia Ghanśjama Patela nagiego, takiego jak pod prześcieradłem w kostnicy, jego krągłą twarz i spadzistą klatkę piersiową, wystający brzuch, rozsunięte uda. Czy ktoś w jego życiu przyglądał mu się rano, budził go natarczywą pieszczotą? Starał się sobie wyobrazić rodziców i myślą wrócił do nich. Wrócił i zatrzymał się tak raptownie, jak uczynił to jego motocykl w konwulsyjnym ruchu w godzinach szczytu przed świątynią Mahalakszmi. Swoją matkę ujrzał w delikatnej pulchnej postaci, widział jej powolny chód, przyjemność, jaką czerpała z popołudniowej rozmowy i podwieczorku. Przypomniał sobie ojcowski wigor, energię, którą jego stary tak bardzo szczycił się w wieku pięćdziesięciu lat, wbiegając po schodach, reagując niespodziewanie gromkim śmiechem na sporadyczne dowcipy syna. Czy jednak leżeli wtuleni w siebie późną nocą, zaspokojeni, ale niezdolni zasnąć? Dotykając się nawzajem? To były tylko słowa i Sartadź nie potrafił tego zobaczyć. Było to niewyobrażalne. Nie istniała fotografia, którą mógłby stworzyć, wskrzeszając barwy ze swojego dzieciństwa, zaznaczając tu i ówdzie liniami, aż zarysowane kształty przeobrażą się w ciała.

Gdy inspektor dotarł do osiedla Narajan, Katekar czekał na końcu zaułka, paląc *biri* koło stoiska z *panem*. Sartadź miał na sobie swoje najbardziej wyświechtane cywilne ubranie, ale gdy rozluźniony szedł wolnym krokiem z udawaną beztroską, jego wyglądający nijako w lśniących spodniach ze sztucznego jedwabiu podwładny miał sceptyczny wyraz twarzy. W szafie inspektora nie było też nic, czym mógłby dorównać okropnej bezbarwnej koszuli Katekara. Pogodził się z tą krytyczną oceną, ponieważ już od czasu szkolenia wiedział, że nie jest zbyt dobry w śledzeniu, a jego turban był tylko częścią problemu. Chodziło o sposób chodzenia i ułożenie ramion – zawsze trudno było mu nie rzucać się w oczy, wtopić się w tłum.

– Matka wyjechała – rzekł Katekar, odwracając wzrok i zaciągając się *biri*. – Sprawiali wrażenie dwóch przyjaciół spędzających wspólnie czas. – Dziś wieczorem odwiózł ją na dworzec centralny. Pojechała ekspresem Saurasztra do Okhy. To w Gudźaracie.

– Wiem. Zaczęli uciekać. I bardzo dobrze. A później?

– Nie czekał na odjazd pociągu – odparł Katekar z twarzą stężałą z dezaprobaty. – Wsadził ją tylko do przedziału i przyjechał tutaj. Dopiero co wrócił. Jest w domu.

– Dobrze. Wracaj na komisariat. Odpocznij. Dobra robota.

Katekar skinął głową.

– Ostrożnie, *sahibie*. Dzieje się tutaj coś dziwnego.

– Wiem – odparł Sartadź. Przyglądał się, jak Katekar odjeżdża na starym rowerze marki Hero. Pod wieloma względami Sartadźowi ostrożność przychodziła z trudem, ponieważ kiedyś w swej zarozumiałości uważał, że wszystko, czego chce, uzyska, po prostu prosząc. Teraz jednak, z wiekiem, znalazł w sobie cierpliwość. Usiadł przy stoliku za oknem w restauracji o nazwie East Haven w pobliżu skrzyżowania i zamówił kolację. Po pierwszym kęsie pożałował swojego wyboru. *Ragra-pati* paliły podniebienie jak wszystkie potrawy z tanich restauracji, w których stołował się kiedyś z Meghą. Nie mógł uwierzyć, że naprawdę podobało im się w wyłożonych laminatem spelunkach, takich jak ta. Teraz lokal zapełnił się szybko nastolatkami w T-shirtach. Sartadź słuchał uważnie tego, co mówili, przesuwając kawałek chleba na swoim talerzu. Ulica za oknem była zapchana samochodami i skuterami. W całym tym tłoku Sartadź widział bramę, przez którą musiał przejść Kszitidź, ale minęła godzina, a potem dwie i wciąż go nie było. Przy sąsiednich stolikach oraz na małym patio na zewnątrz zmieniały się grupki przyjaciół i teraz towarzystwo było nieco starsze, mniej hałaśliwe, umilkł przedwieczorny entuzjastyczny śmiech niedorostków, nadal jednak nie było ani Kszitidża, ani żadnej wzmianki o nim w rozwlekłych plotkach, które snuto w zadymionej sali. Tutaj, podobnie jak na jego osiedlu, wszyscy się znali. Sartadź pamiętał takie posiedzenia, ramię w ramię w nieskończonej serii głupich *patt* i filiżanek herbaty. Oraz dziewczyny, które wchodziły do środka i siadały przy osobnych, lecz niezbyt odległych stolikach. Inspektor zastanawiał się, czy Kszitidź zostanie w domu, za inkrustowanymi miedzią drzwiami przez całą noc, sam, pozbawiony nawet towarzystwa apsary, po czym natychmiast zarzucił tę myśl – nikt nie zniósłby okropnej atmosfery samotności w czterech nagich ścianach tego mieszkania. Prędzej czy później przyjdzie.

O jedenastej East Haven była prawie pusta i kelnerzy przestali wypytywać Sartadźa, czy ma jeszcze na coś ochotę. Na jezdni ustał już szalony wieczorny zamęt, a mimo to inspektor zupełnie przeoczył samochód Patelów, który przejechał obok i już dawno zniknął z pola widzenia za jakimś autobusem, gdy Sartadź ujrzał w swoim wspomnieniu czerwoną contessę i sylwetkę śledzonego za kierownicą. Podbiegł do swojego motocykla, zostawiwszy na stoliku sturupiowy banknot, i przeklął maszynę, gdy silnik zakrztusił się i zgasł. Zanim wydostał się z bazaru, contessa była daleko z przodu, para czerwonych kropek w ciemności, i teraz jego złość na siebie za to, że oczekiwał pieszej eskapady, sprawiła, iż szybko, zbyt szybko dogonił samochód Patelów. Przed następnym skrzyżowaniem zaczął utrzymywać właściwy dystans, na lewym pasie jezdni, oddzielony dwoma autami, ilekroć zaś wjeżdżali na oświetlony odcinek drogi, wyłączał reflektor, tak aby w lusterkach contessy nie było widać stale zwracających uwagę i budzących podejrzenia świateł mijania.

Nic jednak nie wskazywało, że kierowca z przodu wie, iż jest śledzony – jego samochód przejechał w jednostajnym tempie, nie za szybko i nie za wolno, przez tunel Andheri i dalej na północ szosą po drugiej stronie, minął zjazd na Sahar, skręt w prawo do Film City i podążył jeszcze dalej na północ – i Sartadź z radością nabierał coraz większej pewnością, że ta podróż jest zbyt daleka i zbyt późna, by być niewinną przejażdżką. Chwilę później przypomniał sobie, jaką przyjemność sam czerpał – nie tak dawno – z bezcelowych i niezmiernie długich przejażdżek, i zganił się w duchu za to, że całkowicie i do głębi stał się tym, czym nigdy nie miał się stać – policjantem jak jego ojciec, a wcześniej dziadek.

Samochód stanął przed nowym blokiem mieszkalnym na osiedlu zbudowanym tak niedawno, że za nim rozciągało się faliste zbocze zalesionego wzgórza. Sartadź zgasił silnik i delikatnie zatrzymał się na wolnym biegu, chrzęszcząc kołami po żwirze, kiedy jakaś postać wysiadła z contessy i weszła przez dwuskrzydłową bramę. Od wzgórza dotarł chłodny powiew. Sartadź pchnął nogą podpórkę motocykla i ostrożnie zbliżył się do samochodu, lgnąc plecami do niskiego muru, który biegł wokół budynku. Słyszał ten odgłos nocy, ginący zawsze w miejskim zgiełku, owady i krzyczące ptaki, widział ogrom nieba. Z drzwi wyszło teraz dwóch mężczyzn, każdy niósł coś ciężkiego, ciemne pakunki, które ładowali do bagażnika, a potem na tylne siedzenie. Chodzili tam i z powrotem, nosząc kanciaste pudła do samochodu, i teraz Sartadź spostrzegł błysk okularów Kszitidźa. Gdy auto było pełne, wsiedli do środka. Silnik zapalił z bardzo głośnym warkotem i oślepiający krąg świateł mijania przesunął się w stronę inspektora. Inspektor odetchnął głęboko i unosząc rękę, wkroczył na jezdnię.

Kazał im stanąć z rękoma opartymi o maskę silnika i dokładnie ich zrewidował.

– Czego pan chce? – rzekł Kszitidź, marszcząc brwi na widok pistoletu pod koszulą inspektora. – Czemu pan to robi?

– Zamknij się – odparł Sartadź. Obszedł samochód. Na tylnym siedzeniu było pełno pękatych paczek. Serce mu waliło. Bagażnik otworzył się z łatwością i Sartadź wsadził rękę do pudła na górze. Był tam tylko papier, jakieś broszury. Przytrzymał pudło za krawędź i wyciągnął je z samochodu, przewrócił i na asfalt wysypały się małe pozszywane notesy. W pudle nie było nic innego.

– Czemu pan to robi? – zapytał drugi chłopak, większy niż Kszitidź, odznaczający się większą swobodą ruchów. – To tylko nasza literatura.

– Czyja literatura?

– Nasza – odparł chłopak, wskazując ruchem ręki na siebie i Kszitidźa, a później na budynek.

– Nasza, *rakszaków.*

– Jesteś *rakszakiem*? – zapytał inspektor Kszitidźa.

– Owszem – rzekł Kszitidź, stojąc prosto. – Jestem.

Teraz cała złość chłopaka, jego dziki gniew, ledwie skrywane pod maską niewinnej powierzchowności, stały się zrozumiałe. Dla wszystkich z wyjątkiem człowieka na tyle próżnego, by nie wierzyć, że może być przedmiotem pogardy za to, kim jest, za swoją brodę, za swój turban. Kszititdź przestał jednak ukrywać swoją pogardę, swoją wielką, ostrą niczym skalpel wrogość. Ta wrogość ożywiła jego twarz*).

– Nie ma pan prawa tego robić – rzekł jego przyjaciel. – Jesteśmy organizacją kulturalną.

– To? – zapytał Sartadź, schylając się, żeby podnieść jedną z broszur. – To jest ta wasza kultura? – Na okładce widniał rysunek szrafowany jakiejś bogini, nałożony na mapę Indii, a poniżej słowo „Obrońca". Inspektor widział już kiedyś to czasopismo. Było to wezwanie do broni, nawiązania do idealnej przeszłości, czasów cnoty i siły oraz wytłumaczenie wszystkich dotychczasowych klęsk. – Wy niczego nie bronicie. Jesteście napastnikami**).

– Atakujemy tylko tych, którzy nas atakują. I tych, którzy atakują naszą kulturę.

– Jak masz na imię?

– Pramod Wagle – odparł chłopak, wypinając pierś.

– Pramodzie Wagle, chcę zobaczyć, co jest w środku – oświadczył Sartadź.

Popchnął ich w stronę budynku, a gdy do niego wchodzili, z jakichś drzwi wyszli dwaj mężczyźni i przyglądali się im w milczeniu. Na parterze, obok niewykończonego holu, znajdowały się dwuskrzydłowe drzwi z tą samą boginią namalowaną we wszystkich kolorach tęczy nad nimi, odzianą w olśniewająco białe sari. W korytarzu pojawiło się teraz trzech innych przyglądających się im mężczyzn. Mieszkanie było podzielone na biuro, w którym mieścił się duży powielacz, oraz przejmująco wilgotną salę gimnastyczną z lustrami na ścianie i stojakiem z drewnianymi pałkami.

– Wszystko jest legalne – rzekł Pramod Wagle. – Jesteśmy oficjalnie zarejestrowaną organizacją.

Sartadź dotykał długiego *lathi*, wodząc wzrokiem po ciemnym lśniącym drewnie.

---

* Sartadź Singh jest z wyznania sikhem, a wyznawcy tej religii, choć obecnie spotykani w całych Indiach, wywodzą się ze stanu Pendżab. Sikhijscy mężczyźni noszą charakterystyczne turbany i brody, co czyni ich rozpoznawalnymi w każdym zakątku kraju. Tym samym pracujący w Bombaju Sartadź może być przez niektórych mieszkańców tego miasta postrzegany jako „obcy". Innym powodem wrogości Kszitidża może być kwestia różnicy wyznań – syn państwa Patelów jest hindusem.

** W indyjskich kręgach patriotycznych i nacjonalistycznych częste jest wyobrażanie Indii jako bogini. Na ilustracjach przedstawia się postać hinduskiej bogini, ze wszystkimi jej atrybutami, na tle mapy Indii. Słowo *rakszak*, nazwa organizacji, do której należy Kszitidż, znaczy „obrońca, strażnik".

– Owszem – przyznał. Cztery miesiące wcześniej widział człowieka zabitego *lathi* w bójce, rozpłatano mu głowę, ale Wagle miał rację, to było legalne. Podobnie jak wszystko inne. – Chodź – powiedział do Kszitidża i odwrócił się do drzwi, jednak w korytarzu za progiem to właśnie oni go obserwowali, cała falanga ciemnych, milczących jak głazy twarzy. Odsunęli się, żeby go przepuścić, ale właśnie o tę jedną chwilę za późno uzmysłowił sobie, że mogli zrobić wszystko, co chcieli, chociaż miał pistolet i był policjantem.

– Jedź na komisariat – polecił inspektor. – Ja pojadę za tobą na motorze.

– Dlaczego?

– Musimy ci zadać pewne pytania.

– Jestem aresztowany?

– Nie – odparł Sartadź. Tuż za plecami Kszitidża stłoczyli się jego przyjaciele. – Czy twój ojciec miał polaroid? – W milczeniu chłopaka, w jego całkowitym bezruchu krył się bezgraniczny strach. Inspektor nachylił się i czując słabą woń olejku do włosów powiedział mu do ucha: – Mam zdjęcia, chłopcze. Mógłbym wyciągnąć je teraz na oczach wszystkich i pokazać ci je.

– W porządku – rzekł w końcu głośno Kszitidż. Odwrócił się do Pramoda Wągle. – Wszystko w porządku. Tylko parę pytań.

W komisariacie nie chciał jednak odpowiadać na pytania. Nie wiedzieć czemu, podczas jazdy na komisariat, gdy reflektor motocykla Sartadża mrugał i podskakiwał w lusterku wstecznym contessy, uznał, że nie ma takich pytań, na które może odpowiedzieć. Siedział ze skrzyżowanymi rękami, zaciskając szczęki.

– Dlaczego pan mnie o cokolwiek pyta? Macie już sprawcę w więzieniu. Chcę się skontaktować z adwokatem.

– Daj spokój – odparł inspektor, rozsiadając się wygodnie na krześle. – Daj spokój. – Posadził Kszitidża w swoim gabinecie, po drugiej stronie biurka. Za plecami chłopaka, pod ścianą siedział Katekar, rozparty na krześle, lecz czujny. – My wszystko wiemy. Tak naprawdę nie potrzebujemy twoich zeznań. Wiemy wszystko, co do joty. Wiemy, co robili twoi rodzice. Proszę, spójrz na to ogłoszenie. Dziwne, co? Porządni, zwyczajni ludzie. Robiący coś takiego. Niewiarygodne, gdybyśmy nie mieli tego czarno na białym. Mamy też zeznania kobiety prowadzącej dom, w którym wynajmowali mieszkanie. To w rzeczywistości tani burdel. Ta kobieta, kierowniczka, mówi rozmaite rzeczy. I wreszcie mamy też fotografie. Kolorowe zdjęcia polaroidowe. Jak samo życie. Możesz sobie wyobrazić? Odrażające fotografie. Odrażających rzeczy, które robią Bóg wie z kim. Robić coś takiego, a potem pstrykać zdjęcia... Sam bym w to nie uwierzył, gdyby mi ktoś powiedział. Człowiek może uwierzyć, dopiero gdy zobaczy na własne oczy. Czy te właśnie zdjęcia paliłeś na stercie śmieci?

Kszitidź wpatrywał się w mosiężną tabliczkę na biurku, na której widniało nazwisko inspektora wypisane wielkimi ozdobnymi literami. Wydawał się czytać je tam i z powrotem. Twarz siedzącego za nim Katekara rozciągnęła się powoli w bladym uśmiechu.

– Cóż więc się stało, chłopcze? – zapytał Sartadź. – Znalazłeś te zdjęcia? Widziałeś je?

– Nie wiem, o czym pan mówi.

– Widziałeś swoją matkę na tych zdjęciach?

– Nie wiem, o czym pan mówi.

– Z innymi mężczyznami?

– Nie wiem, o czym pan mówi.

– Robiącą różne rzeczy?

– Nie wiem, o czym pan mówi.

– Matka jest niepokalana, chłopcze. Przecież to matka. Ale twoja matka, chłopcze. Kim ona jest? W burdelu? A twój ojciec? Żeby robić zdjęcia? Co widziałeś, chłopcze? Wiesz, że i tak się dowiemy. Prowadzimy śledztwo, nasi ludzie wypytują w Oksze. Wiemy, że pojechała do domu brata koło Dwarki. Samnagar, tak nazywa się to miejsce, prawda? Sprowadzimy ją z powrotem. W kajdankach do więzienia. Ludzie dowiedzą się wtedy. Wszyscy twoi przyjaciele. Wszyscy będą wszystko o niej wiedzieli. Równie dobrze mógłbyś więc powiedzieć nam teraz. Może uda nam się utrzymać to wszystko w sekrecie. Co się stało? Zobaczyłeś zdjęcia i się wkurzyłeś?

– Nie wiem, o czym pan mówi.

– Zobaczyłeś na zdjęciach coś okropnego, chłopcze? Oczywiście, że to było okropne. Twoi rodzice. Twoja matka. – Sartadź przerwał, przełknął ślinę, po czym nachylił się blisko. – Zobaczyłeś swoją matkę z jakimś obcym mężczyzną? Obciągającą mu?

Światło w pokoju było żółte, za oknem panował nocny bezruch i rozbrzmiewały ciche odgłosy z daleka. Policjant widział zarys swojej głowy, turban w oczach Kszitidźa i zdawał sobie sprawę, że przybrał oblicze śledczego, z mętnymi oczyma, a w jego ciele, rękach i nogach krył się narastający głód, gniewna potrzeba wiedzy. Gdzieś tam kryło się również współczucie, wstręt i przerażenie, to wszystko było jednak słabe, odległe i szczelnie zamknięte, bezpiecznie zakopane pod ziemią.

– Nie wiem – zaczął mówić Kszitidź, po czym przerwał. Jego ciało zastygło w bezruchu, było jednak napięte, niczym powierzchnia wody, na której nie widać prądu. Z upływem nocy coraz bardziej obojętniał, jak kamień zagłębiając się w wytartym suknie krzesła, jednakże gdzieś w jego zapadniętych oczach oraz u nasady szyi widać było ten niepokój. O drugiej nad ranem zaczął padać deszcz. Sartadź zostawił chłopaka Katekarowi i wyszedł z pokoju na biegnący wzdłuż biur korytarz. Przed komisariatem toczyły się zwykłe nocne rozmowy i panował spory ruch, pijacy wędrowali do aresztu. Inspektor przeciągnął się i wystawił otwartą dłoń na deszcz. Jego *kara* przesunęła się powoli na przegubie ręki. Woda miarowo kapała na jego skórę. On i Katekar przetrzymaliby podejrzanego bez snu przez całą noc, zmieniając się w roli przesłuchującego, nużąc go powtarzanymi raz po raz pytaniami, zasypując domysłami i insynuacjami, aż wczesnym rankiem załamałby się pod wpływem wyczerpania. Było to prawdopodobne. Wielu się załamywało.

Usłyszał za sobą odgłos powłóczenia nogami. Był to posterunkowy, niosący telefoniczne wiadomości przekazane nocą. Pierwsza, z dziesiątej trzydzieści, pochodziła od Rahula, który prosił o oddzwonienie. Druga to tradycyjny późnowieczorny telefon matki Sartadźa, zaś trzecia – informacja z Cooper Hospital. Ghorpade nie żył. Zmarł o północy po całodziennych dolegliwościach i kłopotach z oddychaniem. Sartadź wsadził świstki papieru do kieszeni, podrapał się w czoło, a potem wrócił do swojego gabinetu. Katekar stał pochylony, wisząc nad podejrzanym i pozwalając, by Kszitidź czuł jego pot i woń tytoniu. Chłopak znalazł jednak w sobie resztkę hartu ducha.

– Jeżeli macie zamiar oskarżyć mnie o coś, to mnie oskarżcie – rzekł. – Złóżcie doniesienie, zdobądźcie nakaz sądowy. Bo inaczej, o co w tym wszystkim chodzi? Robicie to, ponieważ należę do *rakszaków.*

Sartadź usiadł za biurkiem. Przekręcił zegarek na przegubie ręki, raz, dwa razy. Miał wrażenie, że jego policzki są przekrwione z wściekłości.

– Katekarze, ten *ćutija* uważa nas za idiotów – powiedział. – I myśli, że jest bardzo sprytny. Zabierz go na dół do pokoju przesłuchań i pozbaw go części tego sprytu. Niech posmakuje tego, co robimy tutaj z cwanymi kutasami.

Katekar chwycił Kszitidźa za kark i poderwał go z krzesła, zanim chłopak zdążył zareagować, otworzyć choćby usta. Gdy go odwracał w stronę inspektora, Sartadź zmusił się do tego, by unieść dłoń: tylko spokojnie, nie zostawiaj śladów. Katekar wypchnął Kszitidźa przez wahadłowe drzwi na korytarz.

– *Ćala* – krzyknął ze strasznym gniewem w głosie.

Sartadź uporządkował papiery na biurku i próbował pracować. Lał deszcz i szum wody tłumił wszystkie dźwięki. Po paru minutach inspektor dał za wygraną, usiadł wygodnie i ukrył twarz w dłoniach. Gdy zadzwonił telefon, podniósł słuchawkę dopiero po szóstym dzwonku.

– Sartadź Singh.

– Wziąłeś pieniądze? – Dzwonił Rahul, a jego głos był wysoki i miękki jak puch.

– Co się stało? Ty płaczesz?

– Rawinder Mama przyszedł dzisiaj na obiad. Rozmawiali o tobie. Pytali, czy podpisałeś już dokumenty.

– No i?

– Megha powiedziała, że jeszcze nie. Wtedy Ravinder Mama powiedział, że pewnie czekasz na forsę. Twierdził, że każdy może cię kupić, więc powiedziałem mu do słuchu. Tata kazał mi się zamknąć. Rzuciłem talerz na ziemię i wyszedłem.

Sartadź zamknął oczy.

– Nie, nie biorę pieniędzy – rzekł, ale wtedy przypomniał sobie wszystko to, co mu proponowano z uwagi na jego mundur, to, że kiedyś brał – garnitury za pół ceny od krawca koło Kala Ghory, posiłki z Meghą w pięciogwiazdkowej restauracji, cudem zdobyte bilety z miejscówką na pociąg w środku lata. Uśmiechnięty wykonawca drogowych robót budowlanych przyniósł kiedyś puszkę *ghi* do domu jego dziadka jako prezent z okazji Diwali i staruszek wylał mu to masło na głowę. Życie wprowadzało jednak w pustą przestrzeń między ważnymi decyzjami chwile nerwowości i Sartadź nie potrafił się oprzeć specjalnej zniżce na buty u Lucky'ego. „W stylu włoskim" – powtarzał raz po raz właściciel sklepu – „w stylu włoskim". Tamtego odległego wieczoru Megha i Sartadź zabrali Rahula na kolację z okazji jego trzynastych urodzin, Rahul zauważył te buty i Sartadź obiecał mu jedną parę, a potem opowiadał mu o wykrywaniu przestępstw. Inspektor siedział w fotelu i poruszał wargami: „I aresztowałem jednego człowieka za przestępstwo, którego nie popełnił, i ten człowiek nie żyje, a życie jest bardzo długie i śledztwo stanowi sposób na to, by przez nie przebrnąć, ale nazywanie tego wymiarem sprawiedliwości to tylko pół prawdy". – Nie, nie biorę pieniędzy – powiedział do słuchawki.

– Rozmawiałeś z Meghą?

– Tak, rozmawiałem. To... się nie uda.

– Dlaczego?

– Nie pasujemy do siebie.

– To znaczy nie potrafiliście się porozumieć?

– Tak. Właśnie o to chodzi – odparł Sartadź, wdzięczny za podpowiedź.

– Trzeba było się nauczyć.

– Owszem.

– Co to za odgłosy? – zapytał Rahul. Rozległ się nagły wrzask zaskoczenia, który odbił się słabym echem na korytarzu.

– Chyba jakiś kot na dworze.

– Kot?

– Kot.

– W porządku. – Rahul, jak zawsze, mu uwierzył. Przejawiał pełną, niezmąconą, wspaniałą w swojej czystości wiarę: wierzył. Teraz próbował pomóc. – Wiesz, w życiu zdarzają się takie rzeczy. Między mężczyznami a kobietami. Zawsze będę służyć ci pomocą i wszystkim, czego potrzebujesz.

– Dzięki – rzekł Sartadź stłumionym głosem. – Wiem o tym.

Megha nie wierzyła. Pewnego ranka przy śniadaniu odłożyła gazetę pełną gniewnych nagłówków i po raz trzeci w ciągu miesiąca zapytała z chmurą zwątpienia na czole: „Naprawdę bijecie ludzi? Torturujecie ich?" – i Sartadź zrozumiał, że łatwa odpowiedź już nie wystarczy. „Owszem" – odparł – „czasem to konieczne. To narzędzie, instrument". Tej i następnej nocy spała na drugim końcu łóżka. Kiedy przy śniadaniu dotknął jej karku, powiedziała, nie podnosząc wzroku: „Nienawidzę świata, w którym żyjesz". Chciał powiedzieć: „To również twój świat, ale ja mam trzydzieści jeden lat i żyję w tych jego rejonach, których ty nie chcesz oglądać. Żyję tam dla ciebie", ale tylko spokojnie wziął teczkę ze stolika w korytarzu i bez słowa zamknął za sobą drzwi. Był to jeden z wielu ich cichych dni.

Teraz Sartadź kroczył korytarzem ku pewnemu pokojowi istniejącemu w jego świecie. Idąc, widział faliste plamy światła żarówek niknące w ciemności podwórza, z której docierał odgłos liści szeleszczących w padającym deszczu. Wszedł przez jedne, a potem drugie drzwi. Katekar kazał przywiązać Kszitidźa do ławki, twarzą do podłogi. Nad jednym jej końcem wisiała jego naga stopa. Pokój był pusty, jeśli nie liczyć ławki i krzesła, miał sklepiony sufit, jeden wentylator umieszczony wysoko na ścianie i – wysoko, wyżej niż człowiek sięgnąłby wyciągniętą ręką – gruby biały metalowy pręt biegnący od ściany do ściany. W ręce Katekar trzymał *lathi* błyskające ciemnobrązowym drewnem w żółtym świetle.

Sartadź przyciągnął krzesło i założywszy nogę na nogę, siadł naprzeciw Kszitidźa. Chłopak miał czerwoną twarz.

– Przykro mi, że mnie do tego zmuszasz, chłopcze – rzekł inspektor. – Bardzo nie lubię tego robić. Może byś tak wykazał rozsądek i powiedział mi, co widziałeś, co zrobiłeś? Czy wyszorowałeś samochód do czysta? Dlaczego? Co w nim się znajdowało?

W oczach Kszitidźa było zdumienie, jakby widział coś niewyobrażalnego. Wydawał się rozważać jakąś nową, lecz istotną, właśnie odkrytą prawdę. Sartadź poklepał go delikatnie po policzku i rzekł:

– Wiesz, chłopcze, rozmawiałem o twoim ojcu z wieloma ludźmi. Wszyscy bardzo go lubili. – Kszitidź uniósł wzrok, napinając kark i poruszając ustami. – Wszyscy darzyli go sympatią. Koledzy z pracy mówili, że był godny zaufania, pracowity, pełen oddania. Uważali, że daleko zaszedł: miał zajść jeszcze dalej. Twierdzili, że traktował kłopoty sąsiadów z budynku jak własne. Zawsze chętnie pomagał, nie tylko radą, ale i praktycznie. „Ile pracy wkładał w przygotowanie ślubów synów i córek innych ludzi" – mówili. „W czasach smutku dobry przyjaciel. Wielkoduszny i radosny. Świetny kompan, zawsze rozśpiewany, stale puszczający te swoje *gazele*, zawsze gotowy obejrzeć film lub odbyć wycieczkę. Dobry mąż w szczęśliwej rodzinie".

Kszitidź miał łzy w oczach, z lewego nozdrza wyciekła mu strużka śluzu.

– Nie był dobrym człowiekiem. – Głos chłopca tłumiła udręka. W całym swoim życiu Sartadź nie widział twarzy tak pełnej bólu jak ta.

– Co on zrobił, chłopcze? – zapytał inspektor, nachylając się blisko. Czuł mdłości, bulgotanie w żołądku, ale nie mógł przestać. – Co on zrobił? Powiedz mi. Wiem, że nie był dobry, oszukał ich. Co zrobił? – Czuł, że zaraz nastąpi wyznanie, ale Kszitidź zawahał się przez chwilę na krawędzi prawdy, po czym odnalazł się i cofnął z przerażającym wysiłkiem. Sartadź spostrzegł tę walkę, gdy twarz chłopca uspokoiła się, zapanował nad chaotyczną gonitwą myśli.

– Nie mam nic do powiedzenia – odparł Kszitidź.

Sartadź usiadł wygodnie i wzruszył ramionami.

– W takim razie nie mogę ci pomóc. Bardzo mi przykro z tego powodu. – Poczekał, aż chłopak uniesie wzrok, po czym posłał Katekarowi znak głową. – Bardzo proszę – dodał i podniósł się z krzesła.

Był na środku pokoju, gdy usłyszał głośny teraz głos Kszitidźa.

– O co chodzi, draniu? Sam nie potrafisz mnie uderzyć?

Sartadź odwrócił się, a następnie rozejrzał się dokoła. Obok drzwi znajdował się rząd haków z czarnego metalu, a na jednym z nich wisiał wytarty rzemień, kawałek mocnego paska służącego do napędu maszyn, szeroki na cztery cale i przymocowany do uchwytu z drewna. Inspektor poczuł w rękach bolesne pulsowanie krwi. Wziął *pattę*, odwrócił się i wykonując pełny zamach, uniósł pas i uderzył nim w pośladki Kszitidźa. Raz, a potem znowu. Odgłos smagnięcia przypominał dźwięk dwóch uderzających o siebie płaskich kawałków drewna. Kiedy znowu uniósł ramię, usłyszał mimo szumu w uszach głos chłopaka.

– Słucham? – zapytał, nieruchomiejąc. Odetchnął głęboko i podszedł do ławki. W końcu zdołał zrozumieć jego słowa.

– Nie możesz sprawić mi bólu – mówił Kszitidź.

– Och, a słyszałeś swoje jęki? – zapytał Katekar.

– To było tylko ciało – odparł chłopak, a Sartadź spostrzegł krople śliny znaczące brudną podłogę ciemnymi plamami.

– Jeszcze sprawię ci ból, *behenćodzie* – obiecał Katekar.

– Nie możecie sprawić mi bólu – odparł Kszitidź. – Ani mnie zabić. Tylko moje ciało.

Sartadź widział jego oczy, błyszczące i skupione, patrzące prosto przed siebie, przez brudną ścianę, na obraz oddalony o tysiąc mil i tysiąc lat. Upuścił pas i potykając się, podszedł do drzwi, które zatrzeszczały pod naporem jego drżącej dłoni. Kiedy ratował się ucieczką ku chłodniejszemu powietrzu za progiem, słyszał, jak Kszitidź skanduje: „*Dźaj Hind, Dźaj Hind*". Ale tam, na korytarzu, szum padającego deszczu był tak głośny, że głos chłopaka utonął w płynącej z nieba wodzie. Sartadź oparł się o filar, przechylił się nad uginającym się w ciemności żywopłotem i zwymiotował.

Kiedy już zdołał się wyprostować, zobaczył, że Katekar obserwuje go zza filaru.

– Nic mi nie jest – rzekł Sartadź.

Katekar skinął głową, po czym odwrócił się do drzwi.

– Wystarczy, Katekarze – powiedział inspektor. – Po prostu z nim porozmawiaj.

– Wystarczy? Nie sądzi pan, że puści farbę, jeżeli go jeszcze trochę przyciśniemy?

– Ten nie.

Katekar pokiwał głową i rzekł:

– Cóż moglibyśmy mu zrobić? Już i tak ma przesrane.

Sartadź siedział na ławce w korytarzu, założywszy nogę na nogę, wpatrzony w szarzejące niebo. Potem przyglądał się, jak Katekar podchodzi do niego, przeciągając się w ramionach.

– Ten nie będzie mówił, panie inspektorze.

– Wiem.

– To jeden z tych, którym przybywa sił.

– Nie ma sprawy. Usiądź.

– Słucham?

– Usiądź, Katekarze.

Po chwili Katekar usiadł z rozsuniętymi nogami, kładąc dłonie na kolanach.

– Czy zawsze chciałeś być policjantem?

– Mój ojciec był policjantem, panie inspektorze.

– Mój też.

– Wiem, panie inspektorze.

Deszcz ustał. Zaległa cisza, jakiej Sartadź nigdy wcześniej nie doświadczył.

– Będą mnie bolały plecy – stwierdził Katekar.

– Będą?

– Teraz nie bolą, ale będą. Może nie w tym miesiącu ani w przyszłym, ale kiedyś, niedługo, zabolą. I później będą boleć coraz bardziej.

– Chodzi o mięśnie czy o dysk?

– Lekarze twierdzą, że to nic poważnego. Dają mi pigułki i tabletki, a plecy dalej bolą. Wtedy żona posyła mnie na pielgrzymkę do Pandharpuru.

Chodzę z *palki* Dźńaneśwara*. Razem z setkami pielgrzymów. Nie mówię nikomu, że jestem policjantem. Nie można nas odróżnić. Idziemy za dnia i jest bardzo gorąco. Przez pierwszy dzień i przez następne bolą mnie nogi, czuję w nich ucisk. Stopy mi puchną i pokrywają się bąblami, a nazajutrz rano trudno jest wstać i iść dalej. Słońce praży i wszędzie rozciąga się równina, żadnych drzew, tylko prosta droga. Marsz jest trudny. Wszyscy idziemy razem. Dni mijają i wydaje się, że to się nigdy nie skończy. Człowiek pamięta tylko o marszu. Wieczorem pielgrzymi śpiewają pieśni. Toczą się dysputy. Zwykle jednak zasypiam wcześnie na twardej ziemi i śnię o marszu. Budzę się rano i idę. Oczywiście nie wierzę w to ani trochę. Wysyła mnie żona. Kiedy jednak po piętnastu dniach pielgrzymka dobiega końca, nawet nie pamiętam, w którym momencie plecy przestały mnie boleć, ale ból zawsze ustępuje. Wracam do miasta zmęczony, lecz plecy mam zdrowe. Przez jakiś czas. Później znowu zaczynają mi dokuczać.

Sartadź pomyślał, że powinien coś powiedzieć, jednak odpowiednia ku temu chwila minęła i tylko siedzieli w milczeniu obok siebie. Po drugiej stronie drogi rysowały się teraz wyraźne kontury drzew, murów, dachów budynków. Niebawem pojawią się kolory, ogromna przestrzeń pokrywającej wszystko zieleni.

W Samnagarze było pełno anten telewizyjnych i solidnych domów, tamtejsze nowoczesne urządzenia socjalne stanowiły świadectwo ducha przedsiębiorczości i ryzyka jego synów i córek. Dzięki rupiom, dolarom i funtom szterlingom unowocześniono wszystko z wyjątkiem lee-enfieldów.303, które nosili towarzyszący mu ludzie, co wskazywało na pewien pocieszający tradycjonalizm utrzymujący się w miejscowych kręgach przestępczych. Nie bardzo potrafił zdecydować, czy zagadkowe materiały zawarte w aktach sprawy, które nosił w swojej teczce, są stare, czy nowe. „Jedź sam – powiedział Parulkar. – Nie mamy czasu, by ją tu sprowadzić, chłopaka możemy trzymać tylko przez dwie, może trzy doby, jesteśmy pod silną presją polityków. Już otrzymuję żądania twojego przeniesienia".

---

* W stanie Maharasztra znajduje się miejscowość Pandharpur, bardzo ważny ośrodek religijny ze względu na znajdującą się tam świątynię boga Withoby (Witthala). Raz do roku, w lecie, odbywają się pielgrzymki piesze do Padharpuru, podczas których niesione są *palki* (*palankiny*) z wyobrażeniami dwóch średniowiecznych świętych, Dźńaneśwara i Tukarama.

Tak więc pojechał.

– Kiepska droga – rzekł kierowca. – Woda. – Dom, którego szukali, stał w odległości dziesięciu kilometrów od wioski, miasteczka, którym się stawała. Szutrowa droga zniknęła po pierwszych dwóch kilometrach i między polami bawełny wznosił się i opadał pokryty koleinami polny trakt. Teraz skrył się pod taflą wody.

– Idziemy pieszo – postanowił Sartadź. Po pierwszych trzech krokach przestał się troszczyć o swoje spodnie i potem, chlapiąc wodą, brnął z furią naprzód. Chmury spiętrzyły się przed nim, czarne i gęste. Pod tym sklepionym niebem, w przewlekłej ciszy czuł się naprawdę nic nieznaczącą istotą. Minęli zagajnik i jakąś ruinę, jedną ścianę z drzwiami i oknem. Idąc, uświadomił sobie, że jakiś ptak wykrzykuje raz po raz.

Dom, do którego dotarli późnym popołudniem, stał między żywopłotami u zbiegu trzech pól. Na *ćarpai* przed domem drzemał młody posterunkowy. Obudziwszy się, siłował sięgnąć po czapkę, przerażony obecnością wysokiego rangą funkcjonariusza, w końcu zdołał jednak wymamrotać:

– Ona jest wewnątrz.

Siedziała na ziemi w kącie pokoju, we wdowiej bieli i w pozie tak dojmującej rozpaczy, że Sartadź zatrzymał się w progu, a cała żarliwa wola dotarcia do sedna sprawy pierzchła, zniknęła bez śladu.

– Odkąd tu przyjechała, nie odezwała się ani słowem – wyszeptał mu do ucha brat Aśaben. – Ani słowem.

Nie było w tym nic dziwnego. Jej rozpuszczone włosy sięgały podłogi. Wpatrywała się w ziemię i nie uniosła wzroku, gdy Sartadź ściągał buty i gdy kucał obok. Pochylił się i zaczął jej mówić do ucha, że o wszystkim wie. Wyjawił, co wie, a potem zademonstrował starą policyjną sztuczkę, snując swoje domysły: „Tak, właśnie tak się to wydarzyło, Kszitidź się dowiedział, zobaczył zdjęcia, pokłócił się z ojcem, coś się stało, coś zostało powiedziane, zgadza się, czy pamięta pani", ale mówiąc, wyobraził to sobie i bał się, że ona powie: „Tak, właśnie tak się to wydarzyło", i nagle się wystraszył. Ona jednak patrzyła w ziemię i Sartadź nie był pewien, czy w ogóle słyszy jego słowa. Później nie miał jej już nic więcej do powiedzenia. Umilkł i usłyszał ptasi krzyk za oknem. Przysunął się bliżej, tak że jej włosy łaskotały go po nosie, i rzekł:

– Chcę wiedzieć, jak to się stało. Jak do tego doszło. Kszitidź twierdzi, że pani mąż nie był dobrym człowiekiem. – Wtedy spojrzała na niego i uznał, że jej twarz jest brzydka i pospolita. Położył przed nią na ziemi polaroidowe zdjęcie. – To pani. Czy zmuszał panią do tego? Czy mąż zmuszał panią do wizyt w tym pokoju w Kolabie?

Pokręciła głową.

– Proszę się nie bać. To wszystko już przeszłość. Zmuszał panią?

Jej spojrzenie było spokojne i pod maską żalu Sartadź wyczuł dumę.

– Nie – odparła. – Nie, nie zmuszał. Nikt mnie nie zmuszał. – Trzymała go za przegub ręki i mówiąc, owiewała policzek inspektora swoim gorącym oddechem. Mówiła szybko w kaććhi, niezupełnie dla niego zrozumiałym, zrozumiał jednak, że nie było przymusu, prostego rozwiązania w postaci złego mężczyzny, a jedynie szereg fragmentów, kolacja w restauracji Khyber z mężem i synem, ich miesiąc poślubny przed laty w Khandali, podróż pociągiem i noc spędzona razem na górnej kuszetce w zatłoczonym przedziale, na śniadanie on musi wypić szklankę ziemnego mleka, film w Bangalurze i kłótnia podczas przerwy, i wiedział już, że to, co Ćetanbhai i Aśaben robili razem, było tak niepodzielne i niewytłumaczalne jak to, co stało się między nim a Meghą, rzeczywiste, prawdziwe i niemożliwe do opisania post factum. Jakoś się stało. Nie jakoś, ale byle jak. Sartadź pomyślał, że zdarzają się różne rzeczy, jedna po drugiej, a my chcemy nadać temu jakiś kształt, formę raportu w określonej sprawie. Wciąż trzymając inspektora, Aśaben spojrzała na niego wzrokiem wyrażającym potrzebę spowiedzi. Widział już wcześniej takie spojrzenie i wiedział, czego wymaga.

– Rozumiem – rzekł i niczego nie zrozumiał.

Zanim wyszedł, z poczucia obowiązku zapytał od drzwi:

– Złoży pani zeznania? Podpisałaby pani oświadczenie?

Aśaben Patel rozpłakała się.

Gdy ruszyli z powrotem do jeepa, zaczęło mżyć. Niesiona podmuchami wiatru woda z kałuż pryskała im w twarze. W końcu pobiegli ku zagajnikowi, za zrujnowanym domem. Pośrodku zagajnika można było nawet usiąść na ziemi, wilgotnej wprawdzie, lecz przyjemnie chłodnej. Sartadź przez na wpół przymknięte powieki nadal widział ścianę, róg otworu drzwiowego. Cegły muru były małe i miały dziwny kształt. Sartadź uczył się w college'u historii, ale nie miał pojęcia, czy resztki budowli mają pięćdziesiąt lat i wznieśli ją Anglicy, czy są pozostałością mogolskiego seraju. Albo dawnej Dwarki, starożytnego miasta Kryszny, według legendy spoczywającego pod powierzchnią morza gdzieś na południu[*]. Siedząc na ziemi, Sartadź czuł ją pod swoimi udami, dotykał łydkami jej ziarnistej powierzchni.

– Co to za drzewo? – zapytał, opierając się o pień.

– Mango, *dźanab* – odparł najstarszy z posterunkowych. – Odpocznij, *sahibie*. Mamy mnóstwo czasu.

Sartadź myślał o gipsowym posągu apsary kołyszącym się w wodzie na bagnach nieopodal osiedla mieszkaniowego Narajan, na północny zachód od Andheri West w Bombaju. Pomyślał o tym, jak tonie, a następnie wypływa na powierzchnię tysiąc lat później, żeby zbić z tropu niektórych historyków, i się roześmiał. Pomyślał o jej krągłym ramieniu i wówczas krople deszczu spadły na niego przez liście. Zamknął oczy. Pomyślał o Megsze i spróbował odpowiedzieć na to pytanie, pytanie Rahula, swoje, i rzekł: „chodzi o to, że kochaliśmy się i że byliśmy wobec siebie nieżyczliwi, i niecierpliwi, i niewierni, i rozczarowani, a jednak chcieliśmy tego na zawsze, ale to tylko słowa". I wtedy napłynął i porwał go strumień obrazów, intensywnych od barwy i zapachu jej włosów. Sartadź poczuł, że się unosi, i to go uspokoiło, później jednak nastąpiła chwila szalonego strachu, tonął, zaciskał kurczowo ręce, trzymał się siebie bardzo mocno. Poczuł jednak, jak budzi się jego duma, to słowo, *alaktaka*, zabrzmiało nagle, puścił się i teraz opadał ciężko w ciemność.

Rolex ślizgał się bez trudu w palcach Sartadźa. Swoboda, z jaką sunął po skórze, i jego zaskakująco pokaźny ciężar sprawiały mu wyraźną, niewątpliwą i niekłamaną przyjemność. Ręce inspektora spoczywały na zamkniętej teczce z aktami sprawy Ćetanbhaia. Zgodnie z ich zawartością śledztwo było zakończone, wykryto mordercę, który zmarł w szpitalu. Kszitidź opuścił areszt tego rana, podszedł powoli do przyjaciół przed komisariatem. Potem wspólnie, z ostrożnym szacunkiem przyglądali się obserwującemu ich policjantowi.

Sartadź podniósł słuchawkę telefonu i wybrał numer. Kołysał się w fotelu, słuchając miarowego dzwonienia, sześciu, potem dziesięciu dzwonków. W szybie gabloty z mapami widział zarys swojego turbanu.

---

* Dwarka to zarówno nazwa współczesnego miasta w stanie Gudźarat, jak i mitycznej siedziby boga Kryszny. Ta dawna Dwarka miała według legend zatonąć i wiele osób uważa, że jej ruiny znajdują się na dnie morza, na południe od Dwarki współczesnej. Niektórzy twierdzą również, że dotychczasowe podwodne znaleziska archeologiczne potwierdzają istnienie mitologicznej Dwarki.

– Cześć, mamo – powiedział. – *Peri pona.* – Zdawał sobie sprawę, że przeszła przez salon, trzymając się za bolące biodro.

– *Dźite raho, beta.* Gdzie byłeś?

– Pracowałem nad jedną sprawą.

Kiedy matka mówiła, sięgnął głęboko w odległe wspomnienia, starając się odnaleźć najwcześniejszy przemijający fragment jej wizerunku. Pamiętał ją z pobytu w Dalhousie, zimny dzień, jej białe sari na białym fotelu w świetle słońca, wznoszące się za nią góry, zimne ośnieżone szczyty daleko przed nim. I on, biegnący do niej. Ile miała wtedy lat? Niewiele mniej niż Megha.

– Mamo – rzekł.

– Tak?

Chciał jej powiedzieć coś o swoim ojcu. Coś o nich dwojgu, o tym, co mówili do siebie, gdy szli za nim krętą górską drogą, pod drzewami na nieznanym wzgórzu, nachylając się ku sobie.

– Co takiego, synku?

Przełknął ślinę.

– Nic, mamo.

– Czy coś się stało?

– Nie, wszystko w porządku, mamo.

Po odłożeniu słuchawki telefonu Sartadź odwrócił się do biurka i zebrał akta. Gdy wstawał z zegarkiem grzejącym się w zaciśniętej dłoni, przypomniał sobie nagle, jak matka wstawała od kuchennego stołu, jak przechodziła za plecami ojca, który pochylał się nad gazetą i filiżanką herbaty, i jak dłonią muskała jego mocne ramię, dotykając przez chwilę jego policzka. Nieznaczny wahadłowy ruch kobiecych włosów, gdy odchodziła. I nieznaczny uśmiech, który przemknął po twarzy mężczyzny.

Przy Sophia College Lane, naprzeciw domu Meghy znajdował się otwór drzwiowy, w którym czekał na nią, kiedy spotkali się po raz pierwszy. Teraz, w nowym mundurze, znowu się w nim ukrywał, i to drugie dawne „ja" wydawało się na swój sposób obce, było nieco zagadkowym „ja" innego Sartadźa. Z okna nad drzwiami docierała muzyka, *gazel, je dhua sa kaha se uthta he*[*],

---

* W wolnym tłumaczeniu: „skąd unosi się ten dym" (ang. zapis: *ye dhuan sa kahaan se uthta hai*). Jest to fragment utworu *Dekh to dil...*, którego autorem jest indyjski poeta, Mir Taki „Mir" (1722-1810). Również i ten *gazela* śpiewał Mehdi Hassan.

oraz odgłosy samochodów kłębiących się poniżej na Warden Road. Słuchał muzyki, a gdy Megha wyszła z budynku, nie poznał jej. Włosy miała obcięte krótko, nad ramionami, nosiła ciemne okulary i wyglądała bardzo gustownie i młodo. Przystanęła z ręką na drzwiach mercedesa, uniosła głowę i rozejrzała się, jakby coś usłyszała. Cofnął się w cień. Megha wsiadła do auta, drzwi się zamknęły i mercedes szybko odjechał, mijając Sartadża. Zanim zniknął, inspektor ujrzał w przelocie jej twarz z profilu.

Wyprostował się. Przeszedł na drugą stronę ulicy do bramy, gdzie czekali ci sami portierzy. Kiedy po raz pierwszy przyszedł do niej do domu, w swoich, jak sądził, najlepszych olśniewających dżinsach, zatrzymali go i kazali mu zaczekać na potwierdzenie wizyty u góry.

– *Sahibie* – powiedział jeden. – Dawno pana nie było.

– Owszem – przyznał Sartadż. – Przekażecie to na górę? Do domu *memsahib*? – Były to dokumenty rozwodowe, każda strona opatrzona jego inicjałami, ostatnia z datą i poświadczonym podpisem.

– Oczywiście. – Gdy odchodził, odźwierny zawołał: – Nie zaczeka pan na odpowiedź?

– Nie ma potrzeby – odparł inspektor. Katekar czekał na niego w jeepie zaparkowanym poniżej, przy Breach Candy, Sartadż chciał jednak przez chwilę pospacerować. Obok przejechała furgonetka z okropną, dudniącą, amerykańską muzyką, którą poczuł w piersiach. Minął go szkolny autobus i trzy jadące nim dziewczynki w niebieskich mundurkach wyszczerzyły do niego zęby w uśmiechu. Roześmiał się i podkręcił wąsa. W ogłuszającym zgiełku wieczornego szczytu czuł ogrom tego miasta, obecność milionów jego mieszkańców, ogrom tętniącego w nim życia i brzemię wszystkich niewyjaśnionych przypadków śmierci. Piętrowy autobus zatrzymał się ze zgrzytem na przystanku po drugiej stronie ulicy i czekający na niego ludzie zaczęli wpychać się do środka, potrącając wychodzących pasażerów. Plakat na boku karoserii reklamujący jakiś nowy film obwieszczał: „Miłość, miłość, miłość”[*]. Gdzieś tam, także w tym mieście był Kszitidż i jego partyjni koledzy ze swoim budynkiem pełnym broni i marzeniami o przeszłości. Sartadż zrozumiał, że nic się nie zakończyło, że zapamiętali go równie dobrze jak on ich. Właśnie miał przejść na drugą stronę, gdy zmieniło się światło i rzeka aut wyrwała dziko naprzód, powodując,

---

* Love Love Love (*Miłość, miłość, miłość*) to film z roku 1989.

że odskoczył do tyłu. Uliczni sprzedawcy i ich klienci uśmiechnęli się do niego. On także się uśmiechnął, czekając na właściwy moment, po czym wtargnął na jezdnię.

Artha

No więc, dokąd właściwie się wybierasz? – zapytała pewnego kwietniowego wieczoru Aisza. Znam ją od czasów nauki w college'u, ona też dobrze mnie zna, i kiedy jej powiedziałem, stwierdziła: – Jakiś obskurny bar na odludziu, zgraja starców i jeden staruszek snujący opowieści? Przestań wciskać kit, *jar*. – Myślała, że trzymam gdzieś w ukryciu jakąś kobietę, po cóż bowiem bym zostawiał ją, Crimson Cheetah i zbyt drogie piwo dla jakiegoś *ghati* baru. Aisza pracowała wtedy od prawie roku dla jednej z nowych telewizji kablowych, grono jej nowych przyjaciół tworzyły więc same modelki, referenci prowadzący rachunki klientów oraz ludzie, których nazywała „osobowościami", czasami tak wyrafinowani, że nie mogłem zrozumieć, co do siebie mówią.

– To prawda, kilku starców – odparłem. – Rzeczywiście. – Poszła więc ze mną. Z chwilą gdy coś ją zaciekawi, zaprzeczając, po prostu wzbudzasz w niej przekonanie, że ukrywasz coś, o czym ona musi wiedzieć. Tak czy inaczej wkurza ją myśl, że gdzieś w mieście może być klub, w którym jej nie chcą, sądzę więc, że właściwie była nieco zawiedziona, gdy Subramaniam zrobił jej miejsce przy stoliku i podał jej ogień. Pod koniec wieczoru nazywała go wujkiem Subem i drocząc się z nim, pytała, dlaczego nigdy nie przyprowadza do baru pani Subramaniam. Wcześniej nawet nie wiedziałem, że istnieje jakaś pani Subramaniam. Aisza wróciła dwa dni później i przyprowadziła ze sobą dwie przyjaciółki, obie w telewizyjnym typie i na bardzo wysokich obcasach. Powiedziały, że mają zamiar produkować w Zee TV talk show dla mężczyzn.

Tak więc w naszym starym barze nagle zebrała się nowa paczka. Balkon zapełnił się dziennikarzami, sypiącymi jak z rękawa potwornymi opowieściami z czasów wyborów w głębi subkontynentu, młodymi maklerami jeżdżącymi maruti 1000, a także grupą praktykantów z pewnego hotelu, którzy zawsze mawiali: „Nasza grupa bawi się najlepiej, człowieku". Subramaniam nadal siedział w swoim kącie sali, reszta z nas narzekała, ja zaś przebąkiwałem o planach sprzedaży lokalu synowi jakiegoś pieprzonego hodowcy bydła mlecznego, który nadałby mu *maha*-odjazdową nazwę typu Farma Szkarłatnej Mrówki[*]) i przepędził nas cenami piwa wyłącznie na kieszeń pazernej imperialistycznej hołoty z zagranicznych banków. Tak naprawdę jednak bar całkiem nam się podobał, darmowy *papar* nagle nabrał lepszego smaku, a pewnego dnia przyszliśmy i stoliki były nakryte ceratowymi obrusami, które skrzypiały pod naciskiem naszych łokci. To wszystko robiło dość imponujące wrażenie.

Teraz, tego wieczoru Subramaniam tłumaczył Aiszy, że musi wyjść za mąż.

– Ależ wujku – odparła. – Przypuśćmy, że wyjdę za kogoś. – Uczyniła z „kogoś" dwa oddzielne, bardzo długie słowa i przewróciła oczami w stronę wentylatora. – Przypuśćmy, że to zrobię. I gdzie będziemy mieszkać? Na obrzeżach Kandiwli? – Byłem pewien, że nigdy tam nie była. – Już i tak – dodała tragicznym tonem – jedyne w miarę porządne lokum, jakie dało się załatwić, było w cholernej Bandrze.

– Inni ludzie jakoś żyją – zauważył Subramaniam.

– Tylko jak? – zapytała Aisza. – Jak?

Przyglądałem mu się od tygodni, jak w swoim kącie obserwował nas i wszystkich innych, znowu więc napełniłem mu szklankę.

– Właśnie – powiedziałem. – Jak?

Ramionami Subramaniama wstrząsnął śmiech. Podniósł szklankę i wypił.

– No dobrze – odparł. – Posłuchajcie.

Parę lat temu (powiedział) podróżowałem z Delhi do Bombaju w ekspresie Radźdhani. Czasy były niespokojne, kuliliśmy się w na wpół pustym pociągu, pędzącym przez miasta, wyglądając ognisk i tłumów i bojąc się potwierdzenia pogłosek, które błyskawicznie przedostawały się z wagonu do wagonu[**]). W moim przedziale siedziała jeszcze tylko jedna osoba, chudy młodzieniec w białej koszuli i czarnych spodniach. Mieliśmy zgaszone światło, oglądałem więc jego twarz w błyskach świateł, które mknęły w rozdzierającym wyciu wiatru. Kanciaste cienie sunęły wówczas po jego ciele i widziałem fragmenty

---

* *Maha* znaczy „wielki", jest to jednak przymiotnik używany jedynie w języku literackim, nie potocznym. Stąd autor ironizuje, że barowi nadana zostanie nazwa zaczynająca się od *maha-*.

** Prawdopodobnie odwołanie do krwawych zamieszek hindusko-muzułmańskich, do których doszło w Indiach w latach 1992-1993.

jego twarzy, zmęczone oczy pod rzednącymi włosami, zaskakująco wydatne wargi na nadąsanej posągowej twarzy, a także splecione szczupłe ręce. W sumie człowiek, który – gdy jadąc przez pogrążony w nocnym szaleństwie kraj, tęskniliśmy do swoich domów – siedział po drugiej stronie przejścia, kolano w kolano, odznaczał się podnoszącą na duchu zwyczajnością. Rozmawialiśmy – przyznaję – o Pięknie i Sztuce. Kiedy wypowiedziałem te słowa, wybuchnął krótkim śmiechem.

– Mógłbym panu powiedzieć to i owo na ten temat – stwierdził.

– Proszę to zrobić – zaproponowałem. Jechaliśmy wówczas mostem, stukot pociągu przeszedł nagle w głuchy żałobny ton, a mój rozmówca cały czas mi się przyglądał.

– Ponieważ nigdy więcej pana nie zobaczę – rzekł – moje imię, a także imiona innych osób zostały nieco zmienione. Ale cała reszta jest prawdą.

– Rozumiem – odparłem. – Proszę opowiedzieć.

I tak opowiedział mi pewną historię. W tamtym pociągu, tamtej nocy. Oto jego opowieść.

Dwadzieścia rupii i dwadzieścia pajs to nie tak dużo (powiedział ten młody człowiek), ale suma ta akurat warta jest posady i kariery, a więc i życia. Zrozumieliśmy to tamtego popołudnia, gdy Das zatelefonował z informacją, że mamy trzynaście dni na znalezienie i skorygowanie błędu. „Potem muszę powiedzieć o tym moim szefom" – oświadczył i nie drążył tematu, co było bardzo uprzejme z jego strony, zważywszy, że przyjął naszą ofertę na oprogramowanie księgowo-finansowe i do zarządzania zasobami magazynowymi, rezygnując z ofert większych firm, i to w instytucji, gdzie uważano, że w porównaniu z porządnym liczydłem kalkulatory są efekciarskie i zawodne.

– Wyrzucą go, Ikbalu – powiedziała Sandhja.

Zaprzeczanie dla samego pocieszenia nie miało sensu, ponieważ było to oczywiste.

– Chyba że znajdziemy błąd w programie – odparłem. Das przepchnął naszą ofertę wbrew wszystkim starcom, będącym właścicielami firmy. I gdyby teraz się dowiedzieli, że ten program napisany przez kobietę nie tylko powoduje awarie systemu, ale też gubi gdzieś pieniądze, znikające po prostu w wirtualnej przestrzeni, wyrzuciliby go na bruk, zanim zakończy się kwartalne zebranie zarządu. Do tego stracilibyśmy dwie trzecie naszego honorarium.

– Cholera. Mamy trzynaście dni – stwierdziła.

– Znajdźmy go zatem. Dwadzieścia rupii i dwadzieścia pajs.

– Zgoda – odparła, prostując się w swoim ulubionym, rozdartym i poszarpanym fotelu i uśmiechając się do mnie. – Znajdźmy go.

Próbowała być przywódcą, jak ci ludzie z podręczników zarządzania, które stale kupowała u Crossworda, widziałem jednak, że jest wykończona. Takie są konsekwencje instalowania nowego oprogramowania użytkowego, bo coś zawsze szwankuje na miejscu instalacji, to, co działa w domu, nigdy nie działa tam, a cholernym użytkownikom przychodzą do głów coraz to nowe pomysły i każą zmieniać to i tamto, jakby wystarczyło machnąć czarodziejską różdżką, żeby to wszystko zrobić, i nawet nie można powiedzieć tym sukinsynom, że przecież przed trzema miesiącami zatwierdzili ten właśnie projekt. W dodatku był to nasz pierwszy projekt indywidualny, pierwsze oryginalne oprogramowanie naszej Mega Computers, Ltd., i zapewniam pana, że patrząc na Sandhję, widziałem, iż prowadzenie własnej firmy wydaje się wspaniałe dopóty, dopóki naprawdę się jej nie poprowadzi. A poza tym marny był ze mnie pomocnik.

– Co to znaczy, że marny z ciebie pomocnik? – zdziwił się tamtego dnia Radźeś. Czekał na mnie jak zwykle na przystanku autobusowym na rogu Carter Road. – Pracujesz dla niej i spędzasz tam cały dzień i większość wieczoru.

Minęła jedenasta i większość sklepów była już zamknięta. Czułem na twarzy wilgotne tchnienie morza, odrobinę chłodu. Zarzuciłem mu rękę na ramię.

– Ale nie cały wieczór – powiedziałem, dotykając włosów Radźeśa czubkami palców. Odtrącił moją rękę. Szliśmy dalej. – Pomagam przy dziecku i w księgowości, płacę rachunki, uspokajam nawet jej matkę, parzę herbatę dla artysty malarza, ale nie potrafię jej pomóc w tym, co robi.

– Jesteś programistą – powiedział ponuro. – Tak mówiłeś.

Teraz nawet nasze kłótnie były swojskie i wyważone. Dopasowaliśmy się niezgorzej do siebie. Położyłem dłoń na jego biodrze, wsuwając palec przez szlufkę paska, i jeszcze raz wyjaśniłem, że ja koduję, używając języków wysokiego poziomu, a ona niskiego, że gdy ja klecę moje prozaiczne bzdury w bazie danych xBase, od komputera oddziela mnie gruby pancerz metafor, natomiast ona wnika głęboko w sprzęt komputerowy setkami wierszy języka C++, których widok przyprawiał mnie o ból głowy, potem zaś pojawiają się samorodki języka asemblerowego rozsiane po całym załączniku, „dla szybkości działania, gdy jest to naprawdę ważne" – wyjaśniła. I w tych kluczowych rozdziałach to wszystko, odległe od jakiegokolwiek języka, który mógłbym chociaż czuć, umyka mi w jakieś niesamowite miejsce pełne ostrych jak brzytwa instrukcji: „MOV BYTE PTR [BX],16". Ona jednak poruszała się w tym swobodnie, jakby od urodzenia mówiła językiem pokrewnym binarnemu.

– Me-ta-for? – zapytał Radźeś. – Rozmawiałeś z malarzem.

Znajdowaliśmy się teraz na skałach, pod wysokim nabrzeżem, i udawałem, że odnajduję w ciemności ślady moich stóp, każdą wychodnię znałem trochę lepiej niż schody prowadzące do mojego pokoju w moim domu, domu moich rodziców. Skały górowały nad nami i w ciemnościach widać było zarysy skulonych ciał, pary w skalnych wnękach i cienie.

– Jasne, że rozmawiałem z malarzem – odparłem, zwracając się twarzą ku morzu. – Nic na to nie poradzę, skoro przez cały czas przebywa w mieszkaniu. Sandhja jest w nim szaleńczo zakochana.

– Jest tam przez cały czas, prawda? I mówi o me-ta-forach? – Pociągnął mnie do tyłu, tak że przylgnąłem do niego, jak zawsze przyjemnie zaskoczony kontaktem z wyprężonymi mięśniami jego klatki piersiowej i ud, kształtnych i mocnych. Rzęsy Radźeśa musnęły brzeg mojego ucha niczym pióra. – Podoba ci się, gdy mówi o me-ta-forach?

Roześmiałem się cicho i odwróciłem twarz po pocałunek, po jego usta nieco gorzkie pod koniec dnia, ale chętne, spragnione i uległe.

– Nie tylko wtedy – odparłem, nie przestając się śmiać, po czym dech mi zaparło, gdy brutalnie wsunął mi rękę pod pasek. – Nie tylko. Ale tobie też się podoba. – Radźeś nie odzywał się, lecz dotykał z ostrożną czułością mojego obojczyka, a ja zaczynałem się poruszać w gorączkowym napięciu w rytm falowania morza, z uwięzłym w gardle głosem, rzucając, dopóki mogłem, spojrzenia ku szczytowi wału, gdzie czasami przechadzali się policjanci.

Później Radźeś był przygnębiony. Stąpał ociężale drogą, a ja szedłem za nim, przyglądając się jego plecom. Ćwiczył w klubie *bhaiji**) koło swojego domu w Sionie, na wysypanej drobnym piaskiem arenie otoczonej przez zapaśników o lśniących ciałach. Raz poszedłem tam i go obserwowałem, jego smukłe ciało

---

* *Bhaija* znaczy dosłownie „brat" lub „starszy brat". Jest to również uprzejmy sposób zwracania się do obcych osób. Jednakże w Bombaju *bhaija* oznacza także przybysza z północnych Indii lub szerzej: ulicznego sprzedawcę czy inną osobę wykonującą ciężkie, gorzej płatne, „uliczne" prace (które bardzo często wykonują właśnie osoby przybyłe z północnych Indii). A zatem „klub *bhaiji*" może oznaczać klub nieprofesjonalny lub prowadzony przez osobę z północnych Indii.

w kolorze gęstej czekolady pod brzęczącymi świetlówkami oraz biały *langot* ciasno przeciągnięty między pośladkami. Przyglądałem się błyskawicznie dźwiganym ciężarom i powiedziałem zapaśnikom, że to mój najlepszy przyjaciel.

– Mam tego dosyć – rzekł Radźeś.

– Czego? – zapytałem, ale wiedziałem, w czym rzecz.

– Dymania na skałach. Mam trzydzieści dwa lata. Chcę się pieprzyć w moim mieszkaniu.

Jego mieszkanie nie było jego mieszkaniem, ale mieszkaniem, które pragnął kupić, w budynku niedaleko Yari Road. Był to prostopadłościenny żółty budynek z klatką schodową biegnącą wzdłuż ścian i czerwonymi drzwiami co kilka jardów na długich mrocznych korytarzach. Mieszkanie Radźeśa tworzył wąski korytarz wejściowy, łazienka z lewej strony, kuchnia u wylotu korytarza oraz jeden jedyny pokój o wymiarach dwanaście na dwanaście stóp z prawej.

– Ile teraz kosztuje? – zapytałem.

– Dwa miliony dwieście – odparł i dodał bezradnie: – Sześćdziesiąt pięć tysięcy.

Co tydzień z czymś w rodzaju ponurej dumy sprawdzał bombajskie ceny, gdy te gwałtownie pięły się w górę.

– Najdroższe nieruchomości na świecie – zauważył energicznie. – Droższe niż w Tokio i Nowym Jorku.

Tak więc w Tokio lub w Nowym Jorku mogło znaleźć się miejsce dla programisty i urzędnika poczty, a przynajmniej na większą fantazję – to właśnie chciałem powiedzieć, ale sięgnąłem po jego rękę i nie wypuszczałem jej z dłoni, dopóki nie dotarliśmy do przystanku autobusowego z milczącym szeregiem wyczerpanych ekspedientów, kierowców i kucharzy. Siedzieliśmy tam, trzymając się za ręce, wyglądając po prostu jak dwóch najlepszych przyjaciół*), dopóki o północy nie nadjechał z rozpaczliwym zgrzytaniem skrzyni biegów autobus. Wtedy nie byłem już w stanie dłużej znieść wyrazu jego twarzy, wyciągnąłem ramiona, przytuliłem go jak najmocniej do siebie i w nagłym ścisku wsiadających i wysiadających pasażerów natrafiłem na chwilę na jego okolone kilkudniowym zarostem usta. Radźeś pokręcił głową, ale posłał mi bardzo blady uśmiech. Potem autobus odjechał i zostałem sam.

---

* W Indiach dwóch mężczyzn trzymających się za ręce jest widokiem normalnym i nie musi to bynajmniej oznaczać relacji homoseksualnych ani wzbudzać podejrzeń o nie.

Gdy nazajutrz rano dotarłem do domu Sandhji, malarz siedział skulony na podłodze swojego pokoju, ściskając w ręku rozłożoną gazetę. Radźeś i ja zawsze nazywaliśmy go malarzem, głównie dlatego, że żaden z nas nigdy wcześniej nie spotkał malarza, on jednak nazywał się Anubhaw Radźadhakszja i właśnie darł „The Times of India".

– Sukinsyn – powiedział z twarzą tuż przy kartce. – Sukinsyn do kwadratu.

– Co się stało, Anu? – zapytałem. Przeszedłem nad rozrzuconymi kartkami w głąb pokoju, gdzie przed dużym, biegnącym na całej długości ściany oknem stał, oparty jednym końcem o stare biurko, jego obraz.

– Słucham? Ikbal... Nic, drobiazg.

Długie płótno było kolorowe u góry, lawowane czerwienią, odcieniami żółci i czernią. Na obrazie, na drugim planie widniał plakat filmu *Deewar*, ten, wie pan, przedstawiający stojącego w szerokim rozkroku Amitabha Bachchana ze sznurem kulisa na szyi. Przed plakatem stał jakiś opierający się o mur mężczyzna, prawdziwy młodzieniec z papierosem, jeszcze niepokolorowany.

– Chrzań to, Anu – powiedziałem. – Nie próbuj być taki opanowany i beztroski. Wyglądasz, jakbyś chciał zabić kogoś z tej gazety. W czym rzecz?

– Ty też się pieprz, Ikbalu – odparł i usiadł wygodnie na piętach. – Dobra, posłuchaj. „Instalacja Widjarthiego jest zwięzłym komentarzem do ograniczonego życia obdarzonych wyobraźnią ludzi pozbawionych praw i ich tłumionego, kipiącego gniewu. Artysta umiejętnie wykorzystuje elementy kiczu bombajskiej ulicy, żeby uzyskać niemal absolutny efekt przekreślenia przestrzeni i emocjonalnego zamknięcia się w sobie. Seria nacięć na tylnej ścianie przepuszcza tafle wody – sugestywny psycho-symboliczny obraz energii podświadomości przenikającej do sfery artystycznej ekspresji i przesiąkającej przez nią, a mimo to niedostrzeganej przez nieobecnych mieszkańców instalacji. Jego projekt jest krystalizacją pustki". A teraz spójrz na to. – Zobaczyłem ziarniste niewyraźne zdjęcie pokoju pełnego kawałków drewna, mosiężnych naczyń, z zapadającym się *ćarpai*, rozdartym materacem, podartymi plakatami filmowymi i oprawionymi obrazami bogów i bogiń oraz jakimiś innymi zwisającymi z sufitu rzeczami, które nie bardzo potrafiłem rozpoznać. W pokoju była ściana z biegnącymi w poprzek pęknięciami.

– No więc? – zapytał Anubhaw. – Uważasz, że to zwięzły komentarz?

– Skoro piszą tak w „The Times of India", to musi być prawda – odparłem.

– *Maderćodzie* – wybuchnął Anubhaw. – Po co w ogóle próbuję rozmawiać z ludźmi takimi jak ty? To najdurniejsze, najpłytsze, najbardziej prostackie gówno, jakie kiedykolwiek widziałem. To jest... to jest dowód zupełnego beztalencia. Ten pieprzony Mahatre jest tak zauroczony zwykłym faktem, że to *instalacja*, że jego zdaniem musi być naprawdę nowoczesna i dobra. Kurwa, kurwa mać. – Teraz już rwał gazetę i rozrzucał jej kawałki, wędrując tam i z powrotem po pokoju, a ja próbowałem ukryć uśmiech, gdy ostrożnie wymykałem się na korytarz. Jego nawyk myślenia, że to on jest najinteligentniejszy i najlepszy, zawsze ułatwiał napieprzanie się z jego potknięć. A może po prostu myślał, iż reszta z nas jest trochę głupsza od niego. Tak czy inaczej, kiedy tak się złościł i biegał, perorując o sztuce i życiu, był sexy.

W długim korytarzu za progiem matka Sandhji człapała w swoich pantoflach.

– *Namaste*, Ma-dźi – krzyknąłem, a ona rzuciła mi spojrzenie przez ramię i powlokła się dalej, ostrożnie trzymając swoje sari tuż nad błyszczącą kamienną posadzką. Niezbyt mnie lubiła, wiedziałem też, że za moimi plecami nazywała mnie *kalua, musalta* i *kattu*, co nie odbiegało zbytnio od prawdy, skórę miałem czarniejszą niż oni, nie trochę, ale znacznie, i byłem niewątpliwie obrzezanym muzułmaninem, oni zaś bardzo wysoko postawionymi braminami z grupy zielonookich braminów maharasztriańskich, a zatem czystymi. Przypuszczalnie powinienem był nienawidzić Ma-dźi za to, że uważała mnie dość otwarcie za reprezentanta kasty niższej w muzułmańskim przebraniu, ale z drugiej strony mój ojciec co wieczór wygadywał na „kafirów" i „plugawych hinduskich pederastów". To ostatnie określenie zawsze śmieszyło Radźeśa, ponieważ mój drogi tata nie wiedział, co mówi[*)].

* *Kalua* znaczy „czarnuch", *kattu* („obrzezaniec") i *musalta* to pogardliwe określenia muzułmanów. Część współczesnych indyjskich muzułmanów to potomkowie konwertytów z niskich hinduskich kast. Z kolei ciemniejszy odcień skóry uważa się za oznakę pochodzenia właśnie ze „społecznych dołów". To dlatego bohater jest wyśmiewany i jako muzułmanin, i jako osoba o ciemnym odcieniu skóry i sądzi się o nim, że jest „reprezentantem kasty niższej". *Bramini* to kapłani w hinduizmie i najwyższa warstwa hinduskiego społeczeństwa. Za szczególnie konserwatywne, a co za tym czasem idzie – uprzedzone do muzułmanów – uważane są pewne grupy *braminów* z Maharasztry. Określenie „czysty", którego tu użyto względem *braminów* z Maharasztry, może odnosić się do ich czystości rytualnej (która oznacza niezadawanie się z osobami nisko urodzonymi i innowiercami) i do ich czystości genetycznej (która oznacza niezawieranie związków małżeńskich z przedstawicielami innych grup społecznych niż *bramini*). Kafir – „niewierny" to termin używany przez muzułmanów w stosunku do innowierców.

Ma-dźi powoli weszła do kuchni, gdzie lubiła dokuczać *bai* Ambie z powodu gotowanych przez nią potraw. Dreptała, odmawiając szeptem modlitwy, przerywane – mógłbym przysiąc – sporadycznymi przekleństwami pod adresem Anubhawa. Na mnie patrzyła zwykle z czymś w rodzaju lekkiej odrazy, ale jego naprawdę nienawidziła i wiedziałem, dlaczego tak jest, bo niemal to samo mówiłem Sandhji – Anubhaw był krętaczem o niepewnych dochodach i nieuczciwych zamiarach – lecz ona uważała, że jest członkiem bohemy, więc obecnie wykorzystywał jeden z pokojów w jej domu jako swoje atelier. Kiedy użyła tego określenia, „członek bohemy", po raz pierwszy, wyjaśniła mi jego sens, ale – o ile zdołałem zrozumieć – oznaczało ono kogoś, kto mieszka z rodzicami, nie ma gdzie trzymać swoich pędzli i nie chce się żenić, co mnie również czyniło członkiem bohemy, ale Sandhja nie była zbyt rozbawiona tym spostrzeżeniem. Powiedziała, że jestem wyzbytym ogłady ignorantem. Ona – pod nadzorem Anubhawa – kupowała u Crossworda również duże, lśniące książki o sztuce, z których każda kosztowała więcej niż tuzin tekstów na temat zarządzania. Na tym polega problem z osobami, które zaczynają udane współżycie seksualne w wieku lat trzydziestu. Mówisz im prawdę, a one gadają o braku ogłady.

Teraz jednak Sandhja nie myślała o ogładzie. Siedziała pochylona w niebieskawej poświacie siedemnastocalowego monitora, nieruchoma niczym skradający się żuraw i równie ożywiona, z palcami lekko opartymi o klawiaturę. Zamknąłem za sobą drzwi gabinetu, wypowiedziałem jej imię – raz, potem drugi, lecz tym, co przeszkadzało jej mnie usłyszeć, wcale nie było przypominające odgłos odrzutowca wycie klimatyzatora.

– Sandhjo – powiedziałem jeszcze raz, trochę głośniej. Nauczyłem się nie klepać jej po ramieniu; przypominało to budzenie lunatyka, a nagły zdławiony dźwięk, który wtedy z siebie wydawała, i pustka w jej oczach bardziej przerażały mnie niż ją. – Sandhjo.

W końcu odwróciła się do mnie powoli i niechętnie. Kiedy mało spała, jej skóra w jakiś dziwny sposób robiła się półprzeźroczysta, tak że było widać, jak drobna jest w rzeczywistości, jak dobre chęci i szybkość działania stale natrafiają na opór jej wątłego ciała i ile sił ją to kosztuje.

– Dziś rano pociągi kursowały z opóźnieniem – powiedziałem. Przez pierwszych parę minut, dopóki Sandhja nie opuściła migotliwego świata, w którym wiązki kodu mijały się bezgłośnie, dopóki w pełni nie stała się na powrót osobą siedzącą przede mną na krześle, należało mówić o niczym. – W dodatku koło wiaduktu przy Pedder Road zdarzył się wypadek.

Patrzyła prosto na mnie, ale jej spojrzenie było beznamiętne, chłodne i obojętne.

– Jutro w parlamencie zostanie przedłożony budżet – dodałem i w końcu Sandhja zmrużyła oczy i zobaczyła mnie, to znaczy zobaczyła mnie naprawdę.

– Ikbal – powiedziała. – *Kejsa he*?

– Żyję – odparłem. – Ty jednak wyglądasz dziś na trochę przepracowaną, moja droga. – O której położyłaś się spać?

– O czwartej – odparła, przesuwając dłonią po twarzy. – Nie bądź małoduszny. – To znaczyło, że może zasnęła o czwartej i obudziła się o szóstej, żeby wyprawić Lalita do szkoły, a może w ogóle nie spała, tylko przez jakiś czas przewracała się na podwójnym łóżku, analizując jakąś funkcję lub procedurę pod każdym kątem, gdy za oknem świt rozjaśniał niebo.

– Weź kąpiel – poleciłem i pociągnąłem ją w stronę drzwi.

– Ik... balu – zaprotestowała.

– Wygląd więźniarki jest dobry tylko nocą, Sandhjo. I pomyśl, co powiedziałby nasz miłośnik piękna.

– Jest tutaj?

– Owszem.

– On nie jest miłośnikiem piękna – stwierdziła ze znużeniem. – To poważny artysta. – Nagle przestąpiła próg gabinetu. Obróciłem jej krzesło z powrotem do biurka i zacząłem sprzątać, zaczynając od umycia klawiatury, która zawsze była pokryta plamami herbaty. Pokój był zastawiony sprzętem komputerowym – mieliśmy serwer Novella z czterema terminalami, od starego XT po pentium 166, i dwie drukarki, jedną starą mozaikową marki Epson z dużym przesuwem karetki oraz laserową, która niedawno zaczęła wpadać w gwałtowne wibracje po wydrukowaniu trzydziestu stron. Nad oknem zainstalowaliśmy trzcinową *ćik* chroniącą przed upałem, ale po południu klimatyzator wył alarmująco, a palce moich stóp, spoczywających koło obudowy komputera pod biurkiem, robiły się ciepłe. Poza tym w gabinecie znajdowały się instrukcje obsługi ułożone nad biurkami w stertach sięgających sufitu, pudła z dyskami i taśmami, przypominające akordeon grube pliki wydruków oraz zetknięte oparciami krzesła. Nawet gdybyśmy mogli sobie pozwolić na dwa kolejne kodery do naszych terminali, nie było na nie miejsca, gdyż w pełni zdawaliśmy sobie sprawę, że dwa w tym pokoju to już i tak o jeden za dużo, a obecność czterech skończyłaby się morderstwem. Zrobiłem, co mogłem, z instrukcjami obsługi i wydrukami, układając je w równych stertach pod ścianą, włożyłem pióra do kubków i wyrzuciłem zmięte kawałki papieru. Następnie doprowadziłem do porządku nasze notatki i wyczyściłem telefony starym ręcznikiem. W końcu wytarłem wszystkie ekrany. Kiedy skończyłem, pokój nie był całkowicie uporządkowany i prezentował się niezbyt pięknie, ale przynajmniej stał się miejscem, gdzie można było przeżyć jeszcze jeden dzień. Później wziąłem się do pracy.

Sandhja weszła do gabinetu z włosami owiniętymi ręcznikiem, w białej kurcie i dżinsach. Usiadła przy swoim biurku, zaczęły klikać przyciski, a tymczasem ja otwierałem koperty, wystawiałem faktury i wypisywałem czeki. Mijały minuty i gdy odwróciłem głowę, widziałem nad ramieniem Sandhji rzędy czarnych liter przesuwających się w górę i w dół białego ekranu, zbyt szybko, żebym mógł je odczytać. Kiedy usuwała błędy w programie, miała fatalny nawyk udoskonalania, przykrawania go tu i ówdzie, żeby wszystko ciaśniej upakować, i teraz siedziała z twarzą okrytą wspaniałym rumieńcem skupienia i oddania swojej pracy. „Elegancja, grunt to elegancja" – zawsze mi powtarzała. Mój kod był pstrokaty, poskręcany i splątany niczym kable telefoniczne MTNL, a skoro działał, naprawdę było mi obojętne, czy trzeszczy w szwach, na tym jednak polegała różnica między nami i z tego powodu tak bardzo ją lubiłem.

– W porządku, geniuszu – powiedziałem, masując jej ramiona. – Pora zrobić przerwę.

Nie przerwałem masażu i w końcu Sandhja rozsiadła się wygodnie, odsunęła od klawiatury.

– Cholera – powiedziała. – Jak długo pracowałam?

– Pięć kwadransów.

– Minęło błyskawicznie.

Zawsze tak było. Umówiliśmy się kiedyś, że co godzinę będę jej przerywał na dziesięć minut, na co przystała dopiero wtedy, gdy w rękach i w ramionach zaczęły ją chwytać tak silne kurcze, że za każdym razem musiała robić przerwę na pół dnia. Nadal jednak zerkała na monitor.

– Dlaczego to siada, Ikbalu?

– Nie wiem – odparłem i odwróciłem jej krzesło. Odchyliła głowę do tyłu, podciągnęła kolana pod brodę i uśmiechnęła się kwaśno.

– Zjawił się wczoraj wieczorem – wyjaśniła. – Po twoim wyjściu.

Rozpoznałem ten grymas i wiedziałem, o kim mowa. O jej byłym mężu, Wasancie, który zachowywał się tak, jakby nawet teraz nadal był nie tylko mężem, ale i jej przenajświętszym *Parameśwarem,* mającym wskutek tego boski obowiązek zadawać jej cierpienie i ból.

– Czego, u diabła, chciał?

– Znowu złościł się z powodu Anubhawa.

Zmierzyłem ją przenikliwym spojrzeniem i Sandhja odwróciła wzrok. Po rozwodzie Wasant uderzył ją tylko raz, ale jej romans z Anubhawem doprowadzał go do furii, a wtedy był zdolny do wszystkiego.

– No i?

– Powiedział, że pójdzie do sądu, żeby dowieść, że jestem amoralna. Rozwiązła. Niezdolna wychowywać Lalita.

– Proszę. On nie powinien w ogóle się odzywać. Gdybyśmy poszli do sądu, moglibyśmy dowieść nie wiadomo czego.

– Tak. W każdym razie to właśnie powiedział. Był obelżywy.

– Sukinsyn.

– Owszem. Tak czy inaczej... Wracamy do roboty. – Obróciła szybko krzesło i po chwili rozległo się powolne klikanie klawiatury. Nasłuchiwałem odgłosów zwyczajnego u niej szalonego tempa pracy. *Parameśwar* to słowo, które w prawdziwym życiu usłyszałem po raz pierwszy od Ma-dźi, kiedy zacząłem pracować dla Sandhji. Dotąd znałem je tylko z filmów, ale Ma-dźi mimo wszystko chciała, by Sandhja została z Wasantem, naprawdę tak powiedziała, ponieważ był *Parameśwarem.* „Musisz nauczyć się odporności" – radziła swojej córce, i chociaż byłem nowym pracownikiem i w ogóle, miałem ochotę krzyknąć: „Jak dużej odporności, po co?". Nie krzyknąłem jednak ani razu przez cały okres skomplikowanego rozwodu, gdy Wasant groził, próbował odebrać jej mieszkanie, usunąć ją z rodzinnej posiadłości, gdy była samotna, gdy bała się, że odbiorą jej syna. Swojej matki, która nauczyła mnie odwiecznej cierpliwości oraz *sabr* w imię innego zbawiciela, też nigdy o to nie zapytałem. Odporność. Jak duża, po co?

Następnego wieczoru wszyscy poszliśmy na jakieś pretensjonalne przyjęcie. W rzeczywistości nazywało się ono wernisażem, urządzonym jakiemuś znajomemu Anubhawa, którego nazwisko nic mi nie mówiło. Wypadło ono drugiego dnia okresu naszego odliczania, zostało jedenaście, błąd w programie nadal był niewykryty, nieuchwytny dla Sandhji. Moja chlebodawczyni miała na sobie szeroki w ramionach czarny kostium i nowy, jedwabny, jaskrawoczerwony szal, a włosy spływały jej elegancko po policzku na ramię. Kiedy weszła jak modelka do salonu i okręciła się na pięcie, ja i Radźeś klasnęliśmy w dłonie. Jednak w taksówce, mimo upału i trąbienia pojazdów w ulicznym korku, spała z głową kołyszącą się na oparciu siedzenia. Gdy zwiesiła dolną wargę, Radźeś zamknął jej usta, delikatnie musnąwszy je dłonią.

– Szalona dziewczyna – rzekł, szczerząc zęby w uśmiechu, i przez resztę podróży podtrzymywał ją ramieniem. Mimo całego swojego utyskiwania na czas mojej pracy i moje spóźnienia, gdy miała kłopoty, zaproponował, że naśle na Wasanta płatnego mordercę. „Tylko pięć tysięcy rupii – powiedział, robiąc z palców lufę pistoletu – paf-paf, dwie kulki w tył głowy i więcej nawet nie usłyszysz o tym *maderćodzie*". Wyśmiałem go i powiedziałem, że jako groźny przestępca wygląda uroczo.

Obudziliśmy Sandhję przy galerii Puszkara, co nie było zadaniem łatwym, podczas czterdziestu minut trzykilometrowej jazdy usnęła bowiem głęboko. Poderwała się ze snu, zapłaciła taksówkarzowi, przejrzała się w lusterku wstecznym i wysiadła na chodnik, trzymając przed sobą małą czarną torebkę. Podążyliśmy za nią, gdy wmaszerowała do galerii przez otwarte, błyszczące, szklane drzwi przytrzymane przez odźwiernego, poruszając elegancko ramionami w rytm swoich stukających obcasów. Ja i Radźeś spoglądaliśmy na siebie, drepcząc za nią, normalnie bowiem trochę balibyśmy się wejść do takiego miejsca. Z Sandhją na czele nie obawialiśmy się jednak niczego, nawet krótkiego spojrzenia, jakie posłała nam jakaś kobieta w radźasthańskiej *ghagrze* i *ćoli* obszytej lusterkami z czarną *bindi* w stylu wiejskim na czole. To właśnie krótkie spojrzenia rządzą światem. My jednak, nie przejmując się plamami potu na naszych koszulach ze sztucznego jedwabiu, minęliśmy już *darbana* oraz powierzone jego pieczy drzwi i zajęliśmy swoją zwykłą pozycję na takich imprezach: plecami do ściany, w pobliżu baru. Sandhja poszła szukać Anubhawa w tłumie gości, którzy przenosili się z miejsca na miejsce, śmiali się i piszczeli, oraz, muszę przyznać, roztaczali wokół siebie naprawdę ładne zapachy. Niebawem trzymaliśmy w dłoniach kieliszki z szampanem, którego picie stało się naszym świeżo zakorzenionym nałogiem o delikatnym posmaku cudzoziemskiej bezbożności. Opróżniliśmy je w okamgnieniu.

– Co tu robi ta przypominająca choinkę sztuka? – zapytał Radźeś, zwracając wzrok ku obwieszonej lusterkami kobiecie, która od czasu do czasu słała nam zabójcze spojrzenia. Myślę, że była właścicielką lokalu.

– To radźasthański strój, idioto – odparłem.

– Więc?

– No wiesz, znaczy etniczny.

– Nie wiem. Etniczny *mandźhe*?

– Etniczny, czyli autentyczny. Jak ze wsi.

Zrobił zdumioną minę, wtedy jednak nadeszła pochylona do przodu Sandhja, ciągnąc za sobą przez tłum Anubhawa. Anubhaw miał na sobie bardzo tradycyjną *kurtę* z białego jedwabiu z czarnym szalem przewieszonym przez ramię, i jeżeli ktoś twierdzi, że uroda nie ma znaczenia, to nigdy nie był na pretensjonalnym przyjęciu. Właściwie nie był urodziwy, ale miał kędzierzawe czarne gęste włosy przystrzyżone w aureolę, piękny długi nos, ładne piwne oczy, był wysoki, i gdy się rozejrzałem, spoglądając zmrużonymi oczyma przez srebrzystą szampańską mgłę, spostrzegłem, jak wszyscy patrzą tęsknie na niego, doceniając urok arogancji absolwenta szkoły z wykładowym angielskim, dostojeństwo jego szacunku dla samego siebie. Stojąc obok, czuliśmy się wieśniakami.

Skinął nam głową. Uniosłem kieliszek, a on wzruszył ramieniem i zaczął rozmawiać z jakimiś ludźmi stojącymi u boku Sandhji. Po twarzy Radźeśa przemknął niczym cień wyraz jakiegoś uczucia – nie zawodu ani niezadowolenia, lecz chwilowej nadziei. Nie byłem zazdrosny – to wcale nie było pożądanie, nie, ja też to czułem, odwieczne oszołomienie outsidera. Dotknąłem jego dłoni, uniosłem ku niemu kieliszek i napiliśmy się. Wtedy minął nas jakiś mężczyzna. Był niski, ubrany na biało, kiedy jednak szedł przez tłum, ludzie robili mu miejsce. Idąc, omiótł mnie obojętnym spojrzeniem.

– Znasz go? – odezwał się do Radźeśa Anubhaw, unosząc brew. – Widziałem, jak na ciebie spojrzał.

– Kto to był? – zapytałem.

– Ratnani – odparł Radźeś. – Właściciel Ratnani Construction. Doprawdy, czasem sprawiasz wrażenie kompletnego głupka. Ratnani wybudował połowę dużych obiektów w mieście.

– Ach, oczywiście – mruknąłem.

– Więc skąd go znasz? – nie dawał za wygraną Anubhaw. – Powiedz, *jar*. – Stał teraz obok Radźeśa, z ręką na jego ramieniu. Radźeś wzruszył ramionami i ostentacyjnie opróżnił kieliszek. Widziałem jednak, że jest zadowolony.

– Pracuję dla niego – odparł.

– Myślałem, że pracujesz dla poczty – zdziwił się Anubhaw.

– Nie. Pracuję dla pana Ratnaniego.

Roześmiałem się i przy okazji wciągnąłem nosem łyk szampana. Anubhaw przyglądał się, jak prycham i ścieram z siebie alkohol.

– Kłamiesz – powiedział i odwrócił się od nas.

– Nie kłamię – odparł Radźeś. Powiedział to spokojnie, ale był zły i uwierzyłem w jego zapewnienia. Położyłem mu dłoń na ręce. To, co mówił, w co tak nagle uwierzyłem, nie miało sensu. On jednak patrzył na Anubhawa.

– W Bombaju dla Ratnaniego pracują setki ludzi – rzekł Anubhaw. – Może więc zrobiłeś coś dla kogoś, kto dla niego pracuje.

– Nie w ten sposób. Pracuję bezpośrednio dla niego. Byłem nawet w jego domu. Mógłbym cię przedstawić.

– Oczywiście – odparł Anubhaw po angielsku, uśmiechając się. – Oczywiście.

– Chodź – rzekł Radźeś i odtrącił moją dłoń. Wziął Anubhawa za rękę i poprowadził go przez tłum. Podążyłem za nimi, rozgorączkowany, sam nie wiem dlaczego, przepychając się i pozostawiając za sobą oburzone spojrzenia i szepty. Radźeś i Anubhaw zatoczyli łuk, ale Ratnaniego nigdzie nie było. Stali teraz w kącie sali, wyciągając szyje. Ja gapiłem się na Radźeśa, próbując przykuć jego wzrok, i ujrzałem, jak Ratnani pcha skrzydło czarnych drzwi za jego plecami. Radźeś podążył wzrokiem za moim spojrzeniem, zobaczył białe ramię, białe spodnie i zamykające się za nimi drzwi.

W toalecie biel stroju Ratnaniego robiła przytłaczające wrażenie. Ściany były wyłożone czarnym marmurem, podłogi czarne, pisuary też, nawet lustra, nie wiedzieć czemu, miały odcień czerni. Widziałem odbity obraz Anubhawa zwielokrotniony w szkle luster. Toaleta była tak przestronna, odjazdowa i luksusowa, że bałbym się tam wysikać. Ratnani stał jednak przed jednym z pisuarów z szeroko rozstawionymi nogami i odrzuconą do tyłu głową. Wyglądał tak, jakby rozmyślał o czymś bardzo ważnym. Mocz przedsiębiorcy głośno spływał do pisuaru.

– *Salam, sahibie* – rzekł Radźeś.

Ratnani odwrócił głowę, przez chwilę patrzył na Radźeśa, po czym odwrócił się z powrotem do swojego odbicia w ścianie.

– *Salam* – odparł.

– Nazywam się Radźeś Pawar, proszę pana.

Plusk przycichł i ustał zupełnie. Ratnani zgarbił się w ramionach i usłyszałem odgłos zasuwanego zamka błyskawicznego. Przedsiębiorca odwrócił się do umywalki.

– Dobrze – rzekł.

Twarz miał szeroką, śniadą i nalaną, a włosy rzedły mu na skroniach, pozostawiając wąski czub.

Radźeś wystąpił naprzód, odkręcił kran, Ratnani pochylił się, namydlił i umył ręce. Kiedy skończył, Radźeś wręczył mu mały biały ręcznik.

– Pracuję dla pana.

– Naprawdę? – zdziwił się Ratnani, wycierając ręce do sucha. – To dobrze.

– Pamięta pan, że przyszedłem do pańskiego domu?

– Wiele osób przychodzi do mojego domu.

– Ale ja przyszedłem z...

Ratnani podał ręcznik Radźeśowi i spojrzał prosto na niego. W oczach miał spokój.

– Nigdy wcześniej cię nie widziałem – rzekł, po czym odwrócił się, przeszedł obok Anubhawa i pchnął drzwi. Anubhaw przeszedł przez nie, zanim zdążyły się zamknąć. Wtedy Radźeś i ja zostaliśmy sami, on wciąż trzymał ręcznik w prawej dłoni.

– Radźeśu – powiedziałem.

Odwrócił się ode mnie w stronę umywalek. Położyłem dłoń na jego ramieniu, a on wyszarpnął się i odwróciwszy twarz, zrobił jeszcze jeden krok. Było to niedorzeczne, ale miałem wrażenie, że płacze. Nigdy nie widziałem, żeby płakał, pchnąłem więc czarne drzwi i wkroczyłem z powrotem w zgiełk galerii. Sandhja i Anubhaw stali nieopodal, skroń przy skroni. Podszedłem do nich, a później otoczył nas nagle wianuszek ludzi, śmiali się i ściskali nam dłonie, widziałem lśniące białe zęby, brylanty, a jedna twarz oddaliła się ode mnie, unosząc się niczym kwiat na martwej fali brzęczącego trajkotania.

Zmrużyłem oczy i usłyszałem podniesiony głos Anubhawa:

– Ładne prace, Widjarthi. Interesujące. Naprawdę interesujące.

Kelner przeszedł przez salę z uniesioną tacą. Odwróciłem się z kolejnym kieliszkiem w dłoni i gdy piłem, denerwujący tłum niósł mnie ze sobą. Wędrowałem równie bezradnie jak... jak człowiek pozbawiony przyjaciół na tym świecie. Zimny płyn spłynął ściśniętym gardłem, zatoczyłem się i roześmiałem raz i drugi. Stałem pośrodku długiej sali, trzymałem kieliszek przy ustach i piłem powoli i ostrożnie. Kiedy był pusty, wróciłem do toalety i stwierdziłem, że też jest pusta. Pchnąłem drzwi każdej z kabin i okazało się, że nie są zajęte. W sali zobaczyłem Sandhję, to znaczy jej czerwony szalik i kość policzkową w gąszczu ramion. Przecisnąłem się do niej. Rozmawiała z obwieszoną lusterkami kobietą i mężczyzną o włosach ściągniętych w koński ogon. Stała między nimi.

– Gdzie jest Radźeś? – zapytałem, kładąc dłoń na jej ramieniu.

– Nie teraz, Ikbalu – odparła.

– Ale Radźeś.

– Nie widziałam go. – Wraz z pozostałą dwójką patrzyła na mnie przez długą chwilę. – Kupuję, Ikbalu.

Chciałem zapytać, co i za co dokładnie, ale mężczyzna wziął ją pod rękę, a kobieta wskazała na coś po drugiej stronie galerii. Odeszli, trzymając się wzajemnie. Wziąłem następny kieliszek z tacy i z trudem ruszyłem dalej. Nagle zrobiłem się ociężały z wyczerpania, a światło docierało do mnie spiralnym torem, krążąc nad moją głową. Gdy pochyliwszy się, zbliżyłem twarz do jakiegoś obrazu, powierzchnia płótna tchnęła kolorem, wypełniając moje oczy różowym blaskiem.

– Jeżeli staniesz dalej, zobaczysz, co przedstawia – powiedział mi ktoś głośno do ucha.

– Chcę sprawdzić, z czego jest zrobiony – odparłem i usłyszałem stukot oddalających się kroków. Czułem, że kołyszę się w przód i w tył, w stronę zawiłego wzoru grzbietów i dolin wijących się jak węże po plamach oranżu i zieleni. Wtedy na moim ramieniu spoczęła czyjaś dłoń. Odwróciłem się, szurając nogami i zobaczyłem obwieszoną lusterkami kobietę.

Nachyliłem się ku jej piersi, chcąc dokładnie przyjrzeć się lusterkom, i kobieta cofnęła się, marszcząc nos.

– Niech się pani mnie nie boi – uspokoiłem. – To nie tak. Chcę tylko obejrzeć.

Sandhja pojawiła się za nią, przewracając oczami.

– Dobra, Ikbalu – powiedziała. – Do domu. Chodź. – Wzięła mnie za rękę i holowała w tłoku. Wszyscy cofali się teraz, żeby nas przepuścić. Warczałem i śmiałem się, gdy deptali sobie po nogach,

Radźasthanka dogoniła nas na zewnątrz, na chodniku.

– Porozmawiamy jutro, Sandhjo – powiedziała.

– Oczywiście.

– Miło było cię spotkać, kochana.

Pomachała palcami i mocno zamknęła za nami drzwi.

– Gdzie jest Radźeś? – zapytałem.

– Nie widziałam go tam. Myślę, że sobie poszedł.

– Nie mogę wracać bez niego – powiedziałem, ale Sandhja odgrodziła mnie od szklanych drzwi i pchnęła w stronę maruti zaparkowanego pod plakatem filmu *Droh Kaal*.

– Nic nie rób – poleciła. – Zostań tu. Zaraz wrócę.

Zapadał już zmrok. Maska silnika była gorąca, powietrze otulało mnie ciasno i czułem, jak pot spływa mi po plecach. Zamknąłem oczy i odetchnąłem głęboko, raz i drugi, broniąc się przed atakiem duszności, przed ciążeniem ociekającego potem ciała. Wciąż jednak czułem, jak piecze mnie skóra, ciężka i uniemożliwiająca ucieczkę. Otworzyłem oczy i zobaczyłem niebieskawy, przypominający kryształ prostokąt drzwi oraz unoszące się w nich niewyraźne złote i srebrne sylwetki. Później zaś usłyszałem muzykę, eteryczną i odległą, która zapewne zawsze tam rozbrzmiewała, ale dopiero teraz dotarła do moich uszu. Słuchałem jej uważnie. Miałem wrażenie, że próbuje mi coś powiedzieć. Odwróciłem głowę i ujrzałem jeszcze jednego mężczyznę opierającego się o samochód, chyba kierowcę. Zapalił papierosa i w nagłym blasku dostrzegłem jego twarz, a na niej rzadki wąs. Czekaliśmy razem.

Później drzwi się otworzyły i Sandhja podeszła do mnie szybkim krokiem, kręcąc głową.

– Nie ma go tu. Zniknął.

– Tak po prostu wyszedł?

– Wsadzę cię do taksówki – zaproponowała.

– Mogę jechać pociągiem.

– Nie bądź głupcem. Wsadzę cię do taksówki. – I wsadziła, dosłownie, trzymając mnie za rękę i pochylając moją głowę. Włożyła sturupiowy banknot do kieszeni w mojej koszuli i bez słowa zatrzasnęła drzwi.

– Dokąd twoim zdaniem poszedł? – zapytałem, ale byliśmy już w połowie kwartału i taksówkarz odwrócił głowę, by na mnie spojrzeć, nie miał jednak odpowiedzi. Nie miało jej również miasto, moje miasto, które przemykało za oknem, migocząc w mroku. Pokonaliśmy majestatycznie długi łuk Marine Drive, minęliśmy Kemp's Corner i popędziliśmy Pedder Road, Mahalakszmi, Worli i Mahim. Beton budynków, biały w blasku księżyca, majaczył u góry – już zapomniałem, że są tak wysokie – ja zaś leżałem bezradny pod jego ciężarem, przytłoczony jego nieokreślonym pięknem.

– *Parameświar, Parameświar* – powiedziała z cichym westchnieniem Ma-dźi, siadając na drugim końcu kanapy, z dala ode mnie. Siedziałem w długim korytarzu, zaciągając się łapczywie papierosem, na przekór bolesnemu pulsowaniu w głowie, na przekór gniewowi i przygnębieniu. Palenie rzuciłem cztery lata temu, teraz jednak uznałem, że Radźeś zostawił mnie w galerii, zostawił mnie – tak jakoś się stało, że wiedziałem o tym, zanim jeszcze się przebudziłem – dla jakiegoś niesamowitego, pyszałkowatego, bogatego chłopca. Zły i nadąsany zniknął, zniknął mimo poczucia solidarności z krzepkimi ludźmi pracy i oskarżeń pod moim adresem, gdy stale powtarzał, żebym wrócił do swoich szlachetnych i pięknych ciot z Malabar Hill, których tak lubiłem. Tak więc teraz wciągałem w płuca wstrętny dym, balsam na gorycz w moim sercu, i nawet cudowny fakt, że Ma-dźi zdecydowała się usiąść obok mnie, choćby na wyciągnięcie ręki, wcale a wcale mnie nie rozbawił. Siedziałem, wydmuchując kłęby dymu.

– Dwadzieścia dwa tysiące za coś takiego – powiedziała i wszystko stało się jasne. „Coś takiego" było obrazem, który obwieszona lusterkami kobieta (okazało się, że to panna Wiweka Gupta) przywiozła tego ranka do domu, owinięty potrójną warstwą gazet i wniesiony przez dwóch bosych mężczyzn w krótkich spodniach, a dwadzieścia dwa tysiące ceną, zapłaconą w całości czekiem, ponieważ zaś to ja ograniczałem polecenia wypłaty i stale kłóciłem się z Sandhją o to, że szasta pieniędzmi i wyrzuca je niczym karmę dla gołębi, byłem teraz sojusznikiem Ma-dźi w walce z marnotrawstwem i błyskotkami. Ranek spędziła, obserwując z progu salonu, jak pod nadzorem panny Wiweki jej *mistri* zdejmują z długiej ściany oprawiony w ramę plakat z wieżą Eiffla, ołówkiem zaznaczają od poziomnicy wysokości i kąty, i jak wieszają to arcydzieło za dwadzieścia dwa tysiące rupii. I przez cały czas klęła pod nosem.

– To sztuka, Ma-dźi – powiedziałem.

Popatrzyła na mnie jak na szaleńca.

– Sztuka? A my co, jesteśmy *nawabami*?

– Myślę, że jesteście – podparłem. – Na pewno, a przynajmniej *radżami*.

Spojrzała na mnie swoimi wodnistozielonymi oczyma, z głową ciasno owiniętą białym *pallu*, nie do końca pewna, czy to ma jej pochlebiać, czy doprowadzić ją do furii. Zerknęła też na drzwi salonu i spostrzegłem, że niewidzialna teraz i potężna obecność kosztownego genialnego dzieła skłania ją do pospiesznego zerwania naszego kruchego rozejmu, wtedy jednak Lalit wbiegł z kuchni i wybawił mnie z opresji.

– Wujek Ik-bal – rzekł, rzucając się na kolana babci. – Chcę akwarium.

– Co takiego?

– Ak-wa-rium, głupiutki wujku – odparł, gdy Ma-dźi gładziła go oburącz po włosach. Zawsze martwiła się o jego przedziałek. – Nie wiesz? Dla ryb.

– Wiem, wiem. Ale skąd ten szalony pomysł?

– Z morza – wyjaśnił chłopiec. – Tam. – Nie patrząc na babcię, spokojnie jednak i delikatnie wyswobodził się z jej rąk i ciągnął mnie za rękaw, dopóki nie wstałem i nie pozwoliłem się zawlec do drzwi salonu. Stanął obok, opierając się o moją nogę, i wskazał obraz na ścianie.

– Morze – oznajmił z dumą stwórcy.

Było to kwadratowe płótno, mierzące blisko pięć stóp w pionie i w poziomie, z cienką powłoką zielonej i niebieskiej farby, która zdawała się ulatywać z obrazu, tak że cały pokój nagle nabrał morskiej atmosfery. Były na nim cienie, pojawiające się i znikające podczas oglądania. Jeżeli obraz cokolwiek przedstawiał, to zapewne morze.

– Morze – potwierdziłem. – A więc chcesz mieć akwarium?

– Oczywiście – odparł Lalit, śmiejąc się z mojego zacofania. – Dla ryb.

– No jasne.

– To akwarium będzie sporo kosztowało – zauważyła Ma-dźi, stając u mego boku. Przejście z miejsca na miejsce zawsze zajmowało jej całe wieki, ale gdy tylko przestawałeś ją obserwować, zjawiała się zaskakująco nagle, obrzucając cię przekleństwami. Teraz, znowu, gdy skoczyło mi tętno, zakryła chłopcu rękami uszy i szepnęła:

– I ten obraz, tyle pieniędzy. Ona wpaja mu takie fatalne nawyki.

Lalit trzymał się mojej koszuli, nachylając się ku morzu przez próg salonu, do którego nie wolno było mu wchodzić. W salonie znajdowała się nowa, wyglądająca na szwedzki wyrób kanapa Sandhji oraz kozetki z białymi poduchami, niski, pokryty szkłem stolik, sprowadzone z Ameryki kryształy, nowa niebieska wykładzina dywanowa z perskim wzorem, sztuczne kwiaty, które wyglądały jak prawdziwe. Był to pokój idealny i nikomu z nas nie wolno było tam wchodzić. Nawet Sandhja rzadko to robiła

– Ostrożnie, Lalitja – powiedziałem. – Nie przekrocz progu.

W tym momencie zadzwonił telefon i aż podskoczyło mi serce. Zadzwonił jeszcze raz i chciałem podejść do aparatu, ale Lalit nadal opierał się o moją nogę, Ma-dźi mamrotała coś za moimi plecami, a ja poczułem głęboką ulgę i starałem się nie zapomnieć okazać swojej złości. Dzwonienie raptownie ucichło i ruszyłem powoli korytarzem, niosąc chłopca. I wtedy usłyszałem głos Sandhji.

– Ikbalu! – zawołała. – Kolejna awaria. To Das. Tym razem siadł cały system.

Pojawiła się w drzwiach biura ze zbolałą miną. Zebrałem narzędzia i czekałem na nią przy drzwiach, przy pomarańczowym posągu Ganeśi, kiedy ubierała się dla ludzi za oknem. Z miejsca, w którym opierałem się o ścianę, widziałem Anubhawa pracującego w swoim pokoju. Miał na sobie krótkie spodnie oraz T-shirt i siedział na piętach, trzymając w dłoni gruby pędzel z długą rączką. Pędzel z szelestem wędrował po płótnie tam i z powrotem, widziałem bryzgi farby na kolanach Anubhawa. Pierwszy raz widziałem, by pracował tak ciężko, od samego rana.

– Anu, posłuchaj – powiedziałem. Powtórzyłem jego imię jeszcze dwukrotnie, po czym wszedłem do pokoju i poklepałem go po ramieniu.

– Czego? – zapytał, nie odrywając wzroku od płótna.

– Wczoraj wieczorem. Wysłałeś Radźeśa z galerii? Po papierosy lub coś takiego?

– Co, ja? Nie. – Odwrócił głowę i spojrzał na mnie. Jego twarz była pokryta maleńkimi kropkami farby.

– Widziałeś, jak wychodził?

– Nie. Nie wiem, dokąd poszedł po tej idiotycznej rozmowie z Ratnanim w toalecie. Czemu pytasz?

– To nic ważnego. Po prostu nie wiem, kiedy wyszedł.

– Człowieku, on był na haju. Wygadywał takie bzdury. Pewnie zasnął gdzieś w drodze do domu.

Anubhaw powrócił do malowania. Kłamstwa Radźeśa nie wzbudzały jego zainteresowania. Ja wierzyłem Radźeśowi i byłem pełen obaw.

– Chodź – powiedziała Sandhja, idąc korytarzem w zielonym kostiumie. Nagły blask słońca na zewnątrz poraził mnie. Samochody mijały nas ze zgrzytem w nieprzerwanym strumieniu, wszystkie taksówki były zajęte. Czekaliśmy. Odwróciłem się i spojrzałem na budynek, na trzy piętra długich falistych balkonów. Wzniesiono go w pięćdziesiątym czwartym, gdy wszędzie budowano balkony i zaokrąglano naroża, teraz jednak tu i ówdzie zostały jedynie resztki łuszczącej się żółtej farby i cała Sea Vista była obecnie czarna. Samochody wlokły się obok nas, ruszając i stając, cal po calu. Później wszystko znieruchomiało przy głośnym dźwięku klaksonów, my zaś nadal czekaliśmy.

W sprzęcie komputerowym można się pogubić. Żeby przerwać kabel koncentryczny, wystarczy jeden lub dwa skrętne ruchy, czasem lekki nacisk, ale odszukanie miejsca przerwania wymaga wielu godzin starannej pracy z zaciskarką w dłoni, „pingowania" terminali oraz testowania kart sieciowych. Kiedy dotarliśmy do fabryki, wszystko, każdy terminal, było unieruchomione na amen, na wszystkich ekranach migotały histerycznie kursory. Sandhja wyłączyła więc serwer, a ja zabrałem się do roboty, wędrując wzdłuż wszystkich czarnych kabli, szukając załamań, wycięć w obudowie, czegokolwiek. Fabrykę, noszącą nazwę Sridhar and Sons, Ltd., zbudowano na dużej działce w kształcie litery „L" w strefie przemysłowej Okhla za Natraj Studios. Podążałem za kablem przez boksy dyrektorskie w budynku stojącym z przodu działki, pod biurkami i nad przepierzeniami („terminal, a tym samym błyskawiczne informacje na biurkach wszystkich kierowników" – zapewnialiśmy w ofercie), wokół baraków produkcyjnych, gdzie przy wtórze głośnych pisków i brzęków wytwarzano na zamówienie coś, co nazywano wysoko wydajnymi termowytrzymałymi częściami, stosowanymi w urządzeniach naftowych. Dla mnie oznaczało to jedynie dane, w których od czasu do czasu i pewnie również teraz brakowało co najmniej dwadzieścia rupii i dwadzieścia pajs. Potem znowu wyszedłem na słońce, podążając śladem kabla, który biegł na zewnątrz w plastikowej osłonie, wijącej się po ścianie pokrytej czerwonymi bryzgami *panu*, na drugą stronę małego, zaśmieconego niedopałkami podwórza, do baraku z materiałami – gdzie w sięgających sufitu stertach ułożono arkusze blachy, wężownice i rury, a kabel podwieszono u góry, nad świetlówkami – i z powrotem w dół do małego pomieszczenia, a tak naprawdę do szafy w ścianie dzielącej powierzchnię magazynową i księgowość. W tej szafie wnękowej umieściliśmy jeden terminal oraz serwer. Sandhja siedziała teraz przed nim, skulona.

– Szukajcie błędów – powiedziała i ledwie ją słyszałem w szumie klimatyzatora, który wisiał niepewnie nad drzwiami. – Szukajcie błędów, szukajcie błędów. A nasze zestawienia znowu są zniekształcone.

– A dwadzieścia rupii i dwadzieścia pajs?

– Zniknęło, tym razem trzydzieści rupii i czternaście pajs, znowu brakuje.

– Wygląda na to, że kabel jest w porządku. Sprawdzę urządzenia końcowe.

Sprawdziłem, jedno po drugim aż do samych boksów dyrektorskich, po czym wróciłem do magazynu i sprawdziłem zasilanie oraz UPS, a następnie otworzyłem serwer i wyciągnąłem sterownik twardego dysku – dużą wieżę, którą upchaliśmy z jednej strony pokoju, obok terminalu, pod zamkniętymi na klucz drzwiami prowadzącymi do księgowości, a i tak, otwierając obudowę, musiałem wyprosić Sandhję na korytarz. Oparłem się plecami o ścianę i zdjąłem płytę, oczyściłem złote styki, osadziłem ją z powrotem, sprawdziłem, czy mocno siedzi, wszystko wsunięte do oporu i wpasowane w otwór, podpiąłem kable, pogapiłem się bezradnie na piękną konstrukcję, na jej dokładnie wzajemnie dopasowane części składowe, jak to może nie działać, po czym zamknąłem obudowę i wyszedłem na zewnątrz. Sterownik wymienialiśmy już dwukrotnie, a twardy dysk raz.

Sandhja opierała się o drzwi.

– Wszystko działa – powiedziałem.

– Wiem – odparła. – To musi być oprogramowanie. Nic innego. Wracajmy do domu.

I wtedy, nagle, ogarnął mnie smutek. Spłynął z bezkresnego lazurowego nieba i zadomowił się w moim sercu. Wyjrzałem na podwórze, na rozrzucone na nim kawałki papieru, na dwóch robotników siedzących w kucki przy ścianie, na ich lśniące gołe kolana, na rozproszone smugi dymu nad ich głowami, i poczułem własną bezradność.

– Dobrze – odparłem, ale kiedy wszedłem do pomieszczenia, żeby spakować śrubokręty, z księgowości wyszedł Maniszi-dźi i zaprosił nas na herbatę.

– Tylko na jedną filiżankę – powiedział, przywołując skinieniem dłoni do dwóch krzeseł stojących przed niewysokim podestem, zajmującym prawie cały pokój. On i drugi księgowy, Ronak-dźi, mieli z obu stron podestu małe biurka z pochylonymi blatami, za którymi pracowali.

– Radźu! – zawołał Ronak-dźi, a gdy Radźu, czternastolatek w zbyt obszernych krótkich spodniach khaki, wszedł do biura, polecił: – Dwa razy *ćaj*, tę specjalną, i herbatniki.

– Nie, naprawdę, nic do jedzenia – powiedziała Sandhja.

– Nonsens, *beta* – zaprotestował Maniszi-dźi. – Ciężko pracujecie. Musicie zachować siły.

Ronak-dźi potwierdził skinieniem głowy. Kiedy ujrzałem ich pierwszy raz, usadowionych na swoich tronach za biurkami, myślałem, że to bliźniacy, a przynajmniej bracia, o identycznych łysiejących głowach, zbolałych minach i grubych okrągłych okularach. Mieli po pięćdziesiąt parę lat, nosili białe koszule i takie same sandały od Baty. Egzystowali w swoim wilgotnym pokoju z rzędami niebieskich ksiąg na ścianach od podłogi aż po sufit, bilansując i korygując zapisy księgowe. Zastanawiałem się, czy wiedzą o tych dwudziestu rupiach i dwudziestu pajsach. Uśmiechnąłem się więc mimo zalegającej w sercu goryczy, a napiętą twarz Sandhji, lśniącą od zmęczenia, także rozjaśnił uśmiech, i rozmawiała z nimi o rynku akcji. Spierali się i śmiali, a ja obserwowałem. Jedynym barwnym akcentem w pokoju był duży sejf przy ścianie za nimi, stary godrej pomalowany na rdzawoczerwony kolor i pokryty małymi medalionikowymi wizerunkami Ganeśi, Lakszmi i Śiwy z magnesami na spodzie. Na sejfie wisiało tyle bogiń i bogów, że widać było tylko skrawki czerwieni; na jego drzwiach, wśród świętych wizerunków leciał nawet jumbo jet indyjskich linii lotniczych.

Później Radźu wniósł herbatę i gdy nalewał ją do filiżanek, jedliśmy herbatniki. Zdałem sobie sprawę, że jestem bardzo głodny, i połykałem duże kęsy. Ronak-dźi zanurzał swój herbatnik w herbacie i chrupał go mocnymi zębami. Zjadłem i starałem się nie myśleć o Radźeśu.

Później, stąpając wśród plam światła pod latarniami, przeszliśmy ulicą do skrzyżowania i zatrzymaliśmy jadącą w strumieniu pędzących ciężarówek rikszę. Gdy do niej wsiadaliśmy, zatrzymał się za nami czarny ambassador. Był to Das, wracający do fabryki po dniu pełnym spotkań w mieście. Sandhja wyjaśniła mu, co się stało.

– Pracujemy nad tym dniem i nocą, panie dyrektorze. Proszę się nie bać, znajdziemy rozwiązanie.

– Tak – rzekł i wyprostował się w fotelu. Samochód odjechał z chrzęstem, pozostawiając za sobą kłęby kurzu, a ja jeszcze bardziej posmutniałem. Das miał minę człowieka jadącego na swoją egzekucję, człowieka, który pogodził się z tym, że ta niewiarygodna rzecz nastąpi, i teraz rozliczał się w myślach ze światem. Myślę, że już przestał się bać.

Drugiego dnia poddałem się panice. To znaczy drugiego dnia od zniknięcia Radźeśa porzuciłem wszelką towarzyszącą mojemu oburzeniu nadzieję i otwarcie pogrążyłem się w strachu. Dokładnie o wpół do jedenastej nie byłem w stanie dłużej pracować, odwróciłem się na krześle i spojrzałem na tył głowy Sandhji. Wpisywała tekst programu szybkimi i krótkimi sekwencjami gwałtownych uderzeń w klawiaturę. Podniosłem słuchawkę telefonu, wybrałem numer, pod który Radźeś zabronił mi dzwonić, i wysłuchałem trzydziestu czterech dzwonków. „Rozmowy osobiste są zakazane" – wyjaśnił kiedyś Radźeś – „i tak czy inaczej ludzie pracujący na poczcie są wścibscy, zadawaliby za dużo pytań". Słuchałem ostrego i nieprzyjemnego dzwonienia i liczyłem. W końcu jakiś głos powiedział:

– Urząd pocztowy dzielnicy Ćembur.

– Z działem paczek – poprosiłem i czekałem na połączenie. Teraz dzwonek był dłuższy, natarczywy. Straciłem rachubę, przycisnąłem jednak słuchawkę mocno do ucha i czekałem.

– Słucham? – odezwała jakaś kobieta.
– Dział paczek?
– Tak.
– Zastałem Radźeśa Pawara?
– Nie.
Wiedziałem, że mam zadać jeszcze jedno pytanie, ale umilkłem pod wpływem domysłów, które nagle pojawiły się w mojej głowie, opowieści pełnych nieszczęścia i zgrozy. Kobieta rozłączyła się.
Skupiłem uwagę na swoim palcu, palcu, którym stukałem w pręt na aparacie, brązowym na czarnym tle, palcu, którym przyciskałem klawisze. Każdy ruch wykonywałem powoli, po czym znowu czekałem. Tym razem poprosiłem do telefonu kontrolera.
– Z kim rozmawiam? – zapytała kobieta.
– Poproszę z kontrolerem – odparłem.
Musiałem podać jej swoje nazwisko i wyjaśnić, że chodzi o zaginiony list polecony. Rozłączono nas i musiałem zadzwonić ponownie, ale w końcu kontroler się zgłosił i zapytałem go o Radźeśa.
– Pańskie nazwisko? – zapytał.
– Ikbal Akbar – odparłem.
– I jest pan kim?
– Przyjacielem.
– Przyjacielem?
– Radźeśa.
– Przyjacielem Radźeśa.
Powiedział z to z pewną satysfakcją, jakby wszystko zrozumiał. Cokolwiek jednak zrozumiał, trafiło mu to do przekonania.
– Skoro jest pan jego przyjacielem, to bardzo dziwne – powiedział. – Radźeś Pawar nie pracuje tu od ośmiu miesięcy. Pewnego popołudnia po prostu wyszedł. Sortował paczki, po czym po prostu wstał i wyszedł. Żadnego pisma z rezygnacją, nic. Bardzo niestosowne. Ale jak to możliwe, że pan o tym nie wie?
Odłożyłem słuchawkę. Z całej siły przycisnąłem pięściami skronie i próbowałem to wszystko wyrzucić z głowy.
– Posłuchaj, Sandhjo – powiedziałem.
Ona jednak była daleko, w jądrze komputera. Położyłem jej dłoń na ramieniu i czekałem z sercem zaciskającym się jak pięść.

– *Ha*? – powiedziała, wychodząc gwałtownie z transu. – Słucham? O co chodzi?

Nagle jednak straciłem chęć do rozmowy o Radźeśu. Pytanie o niego, teraz, nadałoby kształt mojemu lękowi, ujawniłoby go i urealniło.

– Jak poznałaś Anubhawa?

Minęła chwila, i jeszcze jedna, ponowiłem pytanie i wówczas Sandhja odpowiedziała odurzonym głosem, pogrążonym w ciszy, jakby docierał z drugiej strony Księżyca:

– Pomógł mi kupić książkę u Crossworda.

– Jaką książkę?

Znałem odpowiedź, ale potrzebowałem czegoś – słowa, opowieści, paru przesłanek mogących uchronić mnie przed załamaniem.

– Książkę o Picassie – odparła. – To była książka o Picassie.

– Ale co ci się w nim spodobało?

Myślę, że mój głos zabrzmiał niczym szloch, i Sandhja obróciła się w krześle, trącając nim o moje kolana, i popatrzyła na mnie zmrużonymi oczyma.

– O co chodzi? – zapytała.

Powiedziałem jej więc i wtedy wzięła sprawy w swoje ręce. Zamknęła kompilator, kazała mi włożyć buty i zaczekać przy drzwiach od frontu. Przyglądałem się, jak Anubhaw maluje. Kiedy Sandhja wetknęła głowę do jego pokoju, chcąc go poinformować, że wychodzimy na chwilę, nie odwrócił się, żeby powiedzieć „*Ha*, w porządku, do zobaczenia później". Malował sielskie sceny. Na płótnie opartym o ścianę widniała chata z gliny, kopa siana oraz surowe żółte niebo. A koścista, nienaturalnie wydłużona krowa zerkała na mnie ze sztalug obok. Pomyślałem, że Anubhaw ciężko pracuje. Sandhja pomachała ręką jego plecom, ja mrugnąłem do krowy i wyszliśmy.

Pojechaliśmy lokalną linią z Victoria Terminus do Sionu. W pociągu, który o tej porze był prawie zupełnie pusty, oparłem głowę o kraty w oknie i rozpłakałem się. Za oknem przemykał niesamowity fragment Bombaju, te niekończące się budynki, chaty i budy, dzieci wypróżniające się przy torach, śmieci, zatłoczone szare drogi wijące się między domami, a wszystko to niewyraźne, lecz przerażające w swojej sile, w swojej żywotności, z której niepowstrzymanie wyrastała. W gardle uwięzło mi błaganie, na wpół ukształtowane wołanie o litość. Moja matka nazwałaby je prośbą. Po czym głowę wypełnił mi huk, gdy pociąg, nie zatrzymując się, przejechał przez stację, jego dziki pęd zatarł rysy oddalonych o zaledwie kilka stóp twarzy na peronie.

Przy stacji Sion wsiedliśmy do autorykszy. W kalendarzu miałem zapisany adres Radźeśa, ale nigdy wcześniej nie byłem w jego domu, jechaliśmy więc powoli, zatrzymując się co jakiś czas, żeby zapytać o drogę.

– Pojedźcie aż na tyły kina Rupam – powiedział nam mężczyzna za kierownicą furgonetki DHL. – Potem prosto, od strony Dharawi. – Objechaliśmy więc kino, przed którym tłoczyli się amatorzy porannego seansu *Zanjeer.* Wznowienie, pomyślałem, Radźeś będzie zły, że to przeoczył. Jechaliśmy dalej, droga zrobiła się wąska, w końcu się zatrzymaliśmy. Sandhja zapłaciła rykszarzowi i ruszyliśmy dalej pieszo. Uliczka była właściwie ulicą, lecz stragany wpychały się ze sklepów na jezdnię po obu jej stronach, tak że można było iść tylko środkiem, ocierając się o innych przechodniów. Na straganach sprzedawano spodnie i marynarki, dziecięce ubrania, naczynia kuchenne, plastikowe opaski na włosy. Po jakimś czasie zostawiliśmy bazar za sobą i skręciliśmy w prawo, na drogę, wzdłuż której stały *ćole* – wielkie, ciągnące się aż po horyzont szare budynki mieszkalne. Sandhja miała na sobie czarny kostium. Przyspieszyła kroku, gdy spostrzegła, że ludzie się za nią oglądają. Zatrzymałem jednego z nich, chudego dziadka z podkręconymi do góry wąsami, i zapytałem o *ćol* Saraswati Śinde. Mężczyzna spojrzał na Sandhję, osłaniając oczy, i powiedział do mnie:

– Chodźcie, pokażę wam. – Odwrócił się i zaprowadził nas do bloku za zakrętem drogi. – Tutaj – powiedział, wskazując ruchem głowy. – Tutaj.

Był to trzypiętrowy, ogromny blok wzniesiony wokół centralnego dziedzińca, z balkonami biegnącymi wzdłuż ścian wewnętrznych. Na środku dziedzińca rosło małe drzewo, plama niespodziewanej zieleni. Chociaż słońce padało mocnym blaskiem na ziemię, ja cały się trząsłem.

Ojciec Radźeśa był niski i krępy. Kiedy zapukaliśmy do otwartych drzwi numeru trzysta dwanaście, podszedł skwapliwie, obciągając *banijan* na brzuchu. Znieruchomiał, gdy Sandhja powiedziała, że jesteśmy przyjaciółmi Radźeśa. Spojrzawszy na jego pokrytą kilkudniowym zarostem zawiedzioną twarz, pomyślałem, że jest znacznie drobniejszy, niż wyobrażałem go sobie z opowieści Radźeśa. Później z wąskich drzwi za jego plecami wyszła staruszka, jego żona, okrywając ramiona błękitnym *pallu.* Kazała mu włożyć koszulę i usadziła nas na *takath*, który obejmował niemal całą niewielką szerokość pokoju.

– Dilip poszedł na komisariat policji – wyjaśniła w hindi, z akcentem marathi. – Zgłosiliśmy to wczoraj.

Patrzyłem na wiszący na ścianie za nią kalendarz, zdjęcie przedstawiające łuk Marine Drive w jego pierwotnej postaci, ukryte za jej ramieniem. Patrzyła na mnie, a ja próbowałem coś powiedzieć, ale okazało się, że nie mogę wykrztusić słowa. Obok *takath* we wnęce ściennej stał na stoliku poobijany wentylator i czułem na plecach strumień płynącego powoli powietrza.

– Jestem pewna, że niebawem otrzymamy jakieś wieści – powiedziała Sandhja.

– A ty, długo znasz Radźeśa? – zapytał ją ojciec. Jego ramiona wypełniły otwór drzwiowy, gdy zapinał prążkowaną koszulę. Zadając to pytanie, miał niepewną minę. Zakasłałem i wydusiłem z siebie:.

– Nie, właściwie to ja jestem jego przyjacielem. Od ostatnich dwóch lat. Może trochę dłużej. Pani Gore jest moją szefową i też go poznała. Widzieliśmy się z nim we wtorek wieczorem. – Zdałem sobie sprawę, że nie wiem, jak jest „wernisaż" w hindi. – Przyszedł z nami na wystawę malarstwa.

– Na co? – zdziwił się ojciec Radźeśa.

– Na wystawę obrazów.

– Ikbal to najlepszy przyjaciel Radźeśa – powiedziała nagle Sandhja z załzawionymi oczami. – Oni... są starymi przyjaciółmi. – Umilkła raptownie.

Rodzice Anubhawa byli zaintrygowani moją obecnością, niespodziewaną przyjaźnią swojego syna z muzułmaninem, który mówił o obrazach. Ale ja o nich wiedziałem. Wiedziałem, że on ma na imię Śiwradź, a ona Śarda, że mają starszego syna imieniem Dilip, który pracował jako urzędnik w banku spółdzielczym, wiedziałem też, że młoda kobieta, która teraz zjawiła się, pobrzękując kubkami i szklankami, to żona Dilipa, Mamta, że jest drobna i robi wrażenie łagodnej, ale język ma ostry jak skalpel, że Dilip i Mamta jeżdżą co sobotę po południu na plażę w Dźuhu, że Mamcie brak w kuchni teściowej bardzo ostrych przypraw.

– Proszę – powiedziała ochrypłym głosem matka Radźeśa. Pochyliła się do przodu i wciąż stojąc, wręczyła nam filiżanki. Byli przerażeni, ale nie zapominali o gościnności, wypiliśmy więc wodę z małych stalowych kubków, a następnie herbatę. Na stole leżał niebieski talerz z wysoką stertą *ćiwry*. – Proszę się poczęstować – zaproponowała, podając go nam. Wcześniej grupka dzieci weszła za nami po schodach i słyszałem ich kroki na posadzce za drzwiami, dziecięce szepty. Włożyłem do ust garść orzechów i patrzyłem w pas ściany między rodzicami Radźeśa. Milczeliśmy. Wiedziałem, że Radźeś spał na *takath*, na którym siedzieliśmy, a jego ojciec obok, na materacu. Dilip i Mamta od ślubu mieli do dyspozycji pokój w głębi mieszkania, a matka Radźeśa korytarz obok kuchni. Pokój był dokładnie taki, jak sobie wyobrażałem, nie wiedziałem jednak o kalendarzu ani o stalowych kubkach.

Dilip wrócił z komisariatu godzinę później i na niecierpliwe pytania matki rzekł tylko: „Nic", po czym odprowadził nas na stację. Wcześniej pożegnałem się z rodzicami Radźeśa, z wąskim pokojem i przyćmionym światłem w jego wnętrzu oraz z Mamtą. Zeszliśmy po schodach, z powrotem na balkony, mijaliśmy dziesiątki identycznych mieszkań. Dzieci podążały za nami. Szedłem, potykając się, za Dilipem, gapiąc się na niebieską kratę na kołnierzyku jego koszuli, zastanawiając się, jak ktoś w grubych szkłach okularów i z potulną miną może być bratem Radźeśa. Sandhja szła między nami. W końcu spojrzała na niego i zapytała:

– Wiedziałeś, że Radźeś od wielu miesięcy nie przychodził do pracy na poczcie?

Dilip odwrócił wzrok, po czym znowu skierował go na nią.

– Tak. Dowiedzieliśmy się dopiero teraz. Jeszcze nie mówiłem matce. Poza tym...

– Poza tym? – powtórzyła Sandhja.

– Dzisiaj jeden podinspektor powiedział, że według otrzymanych informacji zadawał się z jakimiś złymi ludźmi. *Bhai log*, u których pracował.

– Co takiego? – zdziwiłem się.

– Owszem, *bhai log*. – Dilip skrzywił się, powtarzając te słowa. Delektowałem się tą słowotwórczą inwencją, przyziemnym poczuciem humoru, z jakimi bombajscy gangsterzy sami siebie określali: bractwo, szajka braci. – Iluż rzeczy nie wiedziałem o moim bracie – skonstatował. – Ilu jeszcze nie wiem?

Sandhja milczała, a ja patrzyłem przed siebie i szliśmy dalej, tą drogą pełną ludzi, w gęstej mgle nierzeczywistości. Gapiłem się na plamy czerwonego *panu* u stóp muru i zapomniałem, jak się tam znalazłem. Mijał czas, a mnie paraliżowało ekstatyczne zdziwienie. Byłem przepełniony blaskiem pytań przypominającym oślepiające niebieskie światło. Nie potrafiłem ocenić, jaka część dnia przeszła niepewnie obok nas. W końcu, przed stacją, stanęliśmy we trójkę koło długiego żółtego muru, pochylając się ku sobie pośród nieprzerwanego strumienia ludzkich twarzy. Dilip chwycił mnie za łokieć i przekrzykując gwar popołudniowego szczytu, zapytał:

– Jak poznałeś Radźeśa?

– Poznałem go, gdy ćwiczyliśmy – odparłem. To kłamstwo przyszło mi z łatwością. Nabrałem w tym pewnej biegłości.

– Jasne. On stale wzmacniał swoje ciało – stwierdził z dumą Dilip. – Wiesz, w zeszłym roku zajął drugie miejsce w zawodach kulturystycznych.

Wiedziałem. Pożegnaliśmy się z Dilipem i kupiliśmy bilety. Czekaliśmy na peronie, a ja starałem się przypomnieć sobie prawdziwe okoliczności naszego pierwszego spotkania. Poznałem go w sylwestra, gdy miałem w kieszeni osiemset dwadzieścia rupii z koperty otrzymanej w prezencie urodzinowym od babci. Było to w barze o nazwie Ramanand za hotelem Taj, który za dnia zapełniał się urzędnikami jedzącymi curry z *bhedźi* i *faludę*, lecz wieczorem opanowywali go mężczyźni, sami mężczyźni. Wypiłem już jedno *Hayward's Ale* i gdy zauważyłem go stojącego w tłoku, zebrałem się na całą doprawioną piwem odwagę i ruchem ręki wskazałem puste krzesło po drugiej stronie stolika. Wypiłem jeszcze jedno piwo, drugie postawiłem jemu. Kiedy poznaliśmy swoje imiona i nazwiska, w jednej chwili spostrzegliśmy, że dzieli nas różnica wyznania, i zbyliśmy to spostrzeżenie jednym uśmiechem, i tyle. Potem wyszliśmy na nabrzeże, z radością snując się po nim z tysiącami świętujących. Opłata w Vertigo wynosiła pięćdziesiąt rupii od osoby, a na wejście czekało się pół godziny, ale wnętrze dyskoteki wypełniał radosny rytm, który czułem w piersiach, *ćoli ke pića kja hei*[*)], oraz ciała, mnóstwo ciał, sufit wyłożony lustrami, w których tańczyły radosne twarze mężczyzn. Zatańczyliśmy, kupiłem jeszcze jedno piwo i oparłem się o ścianę, a Radźeś stanął przede mną. Tłoczący się tancerze przyparli go do mnie. Był bardzo pewny siebie. W jednej ręce trzymał butelkę, drugą oparł na klamrze mojego paska. Zadrżałem, a on uśmiechnął się szeroko, jego oczy błysnęły błękitem w dyskotekowym świetle.

– *Dandi me* current *he?*[**)] – zapytał.

---

* „Co jest pod bluzką?". Nawiązanie do piosenki o tym samym tytule (ang. zapis: *Choli ke peeche kya hai*) z filmu Khalnayak (czyt. *Khalnajak*, *Czarny charakter*, 1993). Słowa piosenki wywołały oburzenie w środowiskach konserwatywnych i wielu uznało ją za wulgarną (mimo że zapytana w piosence kobieta odpowiada: „Pod bluzką jest moje serce").

** „Czy w drążku jest prąd?". *Dandi* to dosłownie drewniany kijek, przenośnie zaś określenie penisa. W języku hindi, w którym sformułowano to zdanie, nagminne jest używanie słów angielskich, stąd w zdanie to wpleciono angielskie słowo *current* – prąd.

Wyjąkałem, że trudno mieć prąd w drewnie, że tak się nie mówi, to nie może być prawda, ale uśmiechał się jeszcze szerzej i przesunął swoją dłoń. Myliłem się, może jednak w *dandi* płynął prąd. Następny rok minął nam na spotkaniach, kłótniach, rozstaniach i rozmowach przez telefon. Sprzeczaliśmy się o mecze krykieta, filmy, złamane obietnice, niewierność, choroby i śmierć, ale w następnego sylwestra znów byliśmy razem, pod tą samą ścianą w Vertigo. Wsparłem czoło na jego ramieniu, w wygięciu między klatką piersiową a wielkim napiętym bicepsem, a on wyszeptał mi do ucha:

– Lubisz mnie, draniu jeden, tylko za moją maharasztriańską muskulaturę.

Pomyślałem o tym, co zrobił przed rokiem, o jego nieokrzesanej otwartości i roześmiałem się. Jednak to, co powiedział, było prawdą, trochę bardziej i znacznie mniej niż prawdą. Uszczypnąłem go w ścięgno pod barkiem.

– A ty? – zapytałem. – Czemu mnie lubisz?

– Za urodę – odparł, przykładając mi dłoń do policzka. Chciałem w to wierzyć i nie byłem w stanie. – To prawda – dodał i pocałował mnie.

Wszystko się normuje i mija. Następne dwa dni spędziłem, kupując i instalując akwarium. Dowiedziałem się o napowietrzaniu wody i braku powietrza oraz nauczyłem się wszystkiego, co należy wiedzieć, o pokarmie dla ryb. Dowiedziałem się, które ryby się wzajemnie pożerają. Razem z Lalitem zrobiłem miejsce w jego pokoju, koło łóżka, przesunąłem zabawki. Po wniesieniu akwarium ułożyliśmy żwir na dnie, przepompowaliśmy wodę, a tymczasem Ma-dźi stanęła w drzwiach i mówiła o sądnym dniu. Później wpuściliśmy ryby, a jeszcze później siedliśmy na podłodze i przyglądaliśmy się im, ich nagłym zwrotom, niesamowitym czarnym oczom. Na dnie morza leżał zielony wrak zatopionego statku, przez który przepływały z obu stron. Ten widok szczególnie zachwycił Lalita. Wymyślał historie o tym, jak statek utonął, okropne opowieści o sztormach i morskich potworach. Ja zaś pozwalałem sobie co wieczór, tuż przed wyjściem do domu, na jeden telefon do Dilipa. Czekałem codziennie, gdy wysyłali kogoś z herbaciarni na górę, czując bezustanne poruszenie na dnie serca, gdzieś głęboko, podczas gdy świat funkcjonował jak dawniej. Dilip podchodził do aparatu i zawsze pytał: „*Ha*, Ikbalu?". Wyjaśniwszy, że nie ma żadnej wieści o Radźeśu, często opowiadał o innych rzeczach. Myślę, że – w osobliwy sposób – próbował mnie pocieszyć. Jednego dnia rozmawialiśmy o krykiecie, a drugiego o przeboju kinowym, którego żaden z nas nie widział. Nazajutrz Sandhja poinformowała, że w sobotę, dwa dni później, mamy urządzić przyjęcie. Nic nie powiedziałem, ale pewnie minę miałem tak złowrogą, że od razu zaczęła się bronić:

– Tylko nic nie mów. To bardzo ważne dla Anubhawa. Są urodziny Mahatre-dźi.

– Mahatre-dźi?

– No wiesz, tego krytyka z „Times of India". Anubhaw już mu powiedział i zaprosił trochę osób.

– Ile?

– Czterdzieści, pięćdziesiąt. Na kolację.

Czterdzieści, a może pięćdziesiąt, na kolację za dwa dni oznaczało, że mógłbym wiele powiedzieć o Anubhawie, starczyłoby na cały dzień lub dwa wnikliwej analizy, ale nie byłem w nastroju. Wyrzekłem się własnych przyjemności.

– Załatwię to – odparłem.

– Dzięki.

Odwróciła się i przeciągając się w ramionach, ruszyła korytarzem w stronę biura.

– Sandhjo – powiedziałem. Zatrzymała się. – Nie widziałem tu książki o Picassie.

– Anubhaw ma ją chyba w domu swoich rodziców – odparła.

Patrzyliśmy na siebie w ciemnym korytarzu i oboje byliśmy zbyt zmęczeni, żebym ja tradycyjnie pokręcił głową, a ona uśmiechnęła się blado z zakłopotaniem. Wziąłem z kuchni torbę na zakupy z logo Amarson i zająłem się przyjęciem. Dania główne zamówiłbym u Bhaktawara przy naszej ulicy, ale z przygotowaniem przekąsek, ryżu, *ćapati* oraz półmiska ze słodyczami uporałbym się wspólnie z Ma-dźi oraz Ambą, jak zwykle, z przyzwyczajenia zaciskając pasa i oszczędzając na wszystkim. Wyruszyłem w tradycyjną wędrówkę po szkocką do Abdullaha w Mahim, głównie dlatego, że potrzebowałem uspokajających zapewnień, iż to prawdziwa importowana whisky, a nie przelewany do oryginalnych butelek miejscowy wyrób. Chciałem usłyszeć to z ich ust znowu, jak przedtem, zanim zmienił się świat. Muszę dodać, że w mieście na każdym kroku widziałem Radźeśa. To pewnie banał, ale dla mnie było rzeczą zdumiewającą, że ukazywał mi się za filarem koło postoju autoryksz przy stacji Mahim, że siedział w samochodzie tkwiącym obok mnie w korku na Mori Road. Wydawało mi się, że słyszę jego głos przed sklepem z przyborami piśmiennymi, i gwałtownie okręciłem się na pięcie. Dwóch uczniów obserwowało mnie z rozdziawionymi ustami, czerwonymi od mrożonych *gol*. Było południe; zamknąłem oczy i obróciłem się powoli w upalnym powietrzu. Kiedy je otworzyłem, poczułem się tak, jakbym patrzył na drogę z jakiejś jamy głęboko w moim ciele, z małego, ocienionego miejsca w oddali. Pomyślałem wówczas – nie potrafię powiedzieć dlaczego – że poświęcę godzinę i pojadę do siłowni, w której ćwiczył Radźeś. Wiedziałem, że Dilip już był tam i wszędzie indziej, pytając o wszystko, o co należało zapytać, nie liczyłem też na to, że czegokolwiek się dowiem, pamiętałem jednak Radźeśa wprawiającego w ruch wirowy wielkie *dźori* za swoimi plecami, trzymającego ich drewniane uchwyty, pamiętałem jego świszczący oddech i pot, kolor jego lśniącej w jarzeniowym świetle skóry.

To, co uważałem za siłownię, w rzeczywistości okazało się *akharą, Akharą Pratapa Singha*, jak zobaczyłem teraz, w świetle słońca, na tablicy na okalającym ją murze. Była to mała działka między dwoma budynkami, wiata z blaszanym dachem na bambusowych słupach, arena wysypana miałką ziemią pod rozłożystym drzewem *nim*. Z jednej strony znajdowały się *dźori* i jakiś inny, nieznany mi sprzęt, oraz niewielkie sanktuarium u szczytu działki. Mężczyzna, który powitał mnie przy bramie, powiedział, że Guru-dźi się posila, co sam widziałem – siedział po turecku na ziemi i jadł z *thali*. Jego uczeń, który tak naprawdę był jeszcze chłopcem, podszedł i szepnął mu coś do ucha, gdy Guru-dźi pił z wysokiego mosiężnego kubka. Widziałem, jak nauczyciel przygląda mi się ponuro. Przywołał mnie machnięciem ręki. Ruszyłem, ale musiałem się zatrzymać, gdy uczeń wskazał na moje stopy. Schyliłem się, zdjąłem buty i przeszedłem przez podwórze. Pod palcami stóp czułem ziemię, czystą i ziarnistą[*)].

– Ty też szukasz Radźeśa? – zapytał Guru-dźi. Język hindi, którym się posługiwał, akcentowany w północnoindyjski sposób, trudno mi było zrozumieć. – Siadaj.

Mogłem to zrobić tylko na ziemi, pochyliłem się więc niezdarnie i usiadłem obok niego, z podciągniętymi wysoko kolanami.

---

* *Akhara* to miejsce, gdzie ćwiczy się według tradydyjnych indyjskich reguł zapaśniczych, natomiast siłownia (*gym*) to miejsce zbudowane według współczesnych zachodnich wzorców. *Akhary* odgrywają nie tylko rolę sportową, ale również kulturową i społeczną. Stąd w każdej *akharze* jest guru (trener, ale i nauczyciel) i każda z nich ma świątynię Hanumana (małpiego boga słynnego ze swej niezwykłej siły). Przy wchodzeniu do *akhary*, jak do każdego miejsca o znaczeniu religijnym w Indiach, należy zdjąć buty.

– Pamiętam cię – powiedział. Kiedyś przyszedłeś tutaj razem z nim. – Guru-dźi miał bystre małe oczy osadzone w okrągłej twarzy, gładką łysą głowę i ślady siwizny w kilkudniowym zaroście. Okryty *kurtą* brzuch, na którym kładł rękę, gdy mówił, wydawał się okrągły i twardy. – Tak. – Siedział odprężony, jakby zasadzono go w ziemi.

– Owszem – potwierdziłem. – Raz. Dawno temu. Mam na imię Ikbal.

– Tak... jak powiedziałeś? Ik-bal? Wtedy zdziwiłem się na jego widok. Od tamtej pory już go nie widziałem. Tłumaczyłem to jego bratu.

– Co pan chce przez to powiedzieć? Myślałem, że przychodzi tu co drugi dzień.

Roześmiał się.

– Och, nie tutaj. Przychodził, kiedy był chłopcem. Wtedy zjawiał się codziennie. Ale teraz chodzi tylko do tego klubu kulturystycznego. – Wypowiedział to słowo po angielsku, jako „badi-bilding".

– Jakiego klubu?

– Na rogu Atreya Lane. Wielu z nich chodzi tam teraz, tam i do innych klubów. Żeby nabrać ciała dzięki maszynom. Tutaj za dużo od nich wymagam. Proszę, żeby byli czyści. Jestem starym człowiekiem. Słyszałem, jak mówią: „Kanija Pehelwan*) jest starym człowiekiem i za dużo wymaga". To prawda. Ale żeby mieć jednobarwne ciało, trzeba wylać morze potu.

Powiedział: *śarir ek rang ka.* Jednobarwne ciało.

– Nie rozumiem – powiedziałem.

– *Śarir ek rang ka.* Nie wielkie kawały mięsa zawieszone na drucie. Niczym części w samochodzie. Same kawałki. Nie. Wszystko to, to, to, to – wyjaśnił, dotykając brzucha, serca, głowy – ma być jednością. Żeby być jednością, trzeba się poświęcić. Trzeba być czystym. Trzeba jeść czysto. Trzeba czysto myśleć. Ale tam oni płacą, żeby nabrać ciała. Ja nie biorę pieniędzy. Proszę, by płacili sobą.

– Wie pan, czy Radźeś wplątał... wplątał się w coś złego? Zadał się ze złymi ludźmi?

– Radźeś był dobrym chłopcem. Ale słyszę, że w tych klubach wszystko może się zdarzyć. Przychodzą tam nabrać ciała rozmaici ludzie. – Spojrzał na swój metalowy talerz, pusty i wytarty do czysta. – Radźeś był dobrym chłop-

---

* „Pehelwan", dosł. „zapaśnik", to w tym kontekście tytuł guru, zwierzchnika i nauczyciela danej *akhary*.

cem – powtórzył. – A ja jestem starym człowiekiem. Wiesz, że gdy zakładałem tutaj siłownię, czterdzieści lat temu, to wszędzie tu był otwarty *mejdan*? – Zamaszystym ruchem ręki ogarnął *akharę*, uliczkę, budynki i to, co rozciągało się za nimi. – Tutaj pasły się moje bawoły. A teraz wszystko jest zabudowane. Chcą nawet tej ziemi.

– Kto taki?

– Właściciele tych dwóch budynków. Prosili mnie wiele razy. Być może kiedy następnym razem w mieście wybuchnie awantura, a wybuchnie, okaże się, że to wszystko zniknęło, poszło z dymem. Jeżeli wtedy będę tutaj, być może moi zapaśnicy znajdą mnie z dwoma dziurami w czaszce. – Wycelował w swoją głowę dwa sztywne palce. – Jeszcze jedna biedna ofiara nieszczęsnych zamieszek hindusko-muzułmańskich. Może powinienem wrócić do mojej wioski. Przejść na emeryturę. – Użył angielskiego słowa „retire" i się roześmiał. – To wioska o nazwie Rudragaon, koło Benaresu. Byłeś w Benaresie?

– Nie.

– Czasem sam nie mogę sobie przypomnieć, czy tam byłem. – Znowu się roześmiał, a rzucane przez *nim* cienie przesunęły się niczym pajęcza sieć po jego głowie i ramionach, znacząc pełne i krągłe policzki. Nie wyglądał na zbyt przerażonego.

– Muszę już iść – powiedziałem. – Wrócić do pracy.

– Mam nadzieję, że znajdziesz Radźeśa.

– Był dobrym znajomym.

Pokiwał głową z boku na bok. Gdy wstawałem, zachrzęściło mi w kolanie, a Guru-dźi wyciągnął rękę i położył mi dłoń na goleni.

– Wróć i zrób z nami parę *bethaków*, Ikbalu. Ta *akhara* jest otwarta dla wszystkich. Bezpłatna.

Uśmiechnąłem się do niego, przeszedłem obok areny i zostawiłem go pod bzem. Przez całe popołudnie, kupując wodę sodową, szkocką i dodatkowe szklanki, myślałem o Radźeśu robiącym przysiady, kucającym i wstającym w nieprzerwanym rytmie, wymachującym rękami w przód i w tył, wspinającym się na palce, a następnie opadającym na pięty, gdy wstawał. Liczyłem pierwszych trzysta, a później tylko patrzyłem – na jego lśniącą smagłą skórę, promienne i spokojne oczy, brunatną ziemię przesiąkniętą potem, jego jakby rozmodloną twarz. *Śarir ek rang ka.* Kiedy już zrobiłem wszystkie zakupy, w drodze powrotnej zatrzymałem taksówkę na Atreya Lane i zajrzałem do drzwi klubu kulturystycznego, który tworzyło jedno ciemne pomieszczenie na parterze jakiegoś handlowego budynku. Pełno tam było długich zardzewiałych drążków, hantli i luster, była też wieża z krążkami. Na parapecie okiennym stała butelka napoju energetycznego i słychać było bardzo głośną muzykę. Pomieszczenie świeciło pustkami. Później taksówkarz musiał odjechać, ponieważ jakaś ciężarówka próbowała dostać się w pobliże bloku, wróciłem więc biegiem i pojechaliśmy dalej. Przytrzymywałem ręką karton z butelkami i zastanawiałem się, dlaczego Radźeś zabrał mnie do *akhary*, a nie w to drugie miejsce. Kiedy tamtego wieczoru, po tym, jak dotknął stóp Guru-dźi, wyszliśmy na ulicę, powiedział:

– To drzewo *nim*. – Pokiwałem głową, zmuszony do milczenia pożądaniem. – To dobre miejsce – dodał. – Znowu pospiesznie przytaknąłem. – Naprawdę dobre miejsce. Tutaj czuję się spokojny. – Zgodziłem się, zbyt zaślepiony miłością i tęsknotą, żeby zrozumieć, co naprawdę miał na myśli. Później tamtej nocy zachłannie wodziłem językiem po jego brzuchu, a w uszach szumiało mi morze. Na ustach i nosie czułem delikatne kłucie włosów. I jego miękką skórę. Radźeś delikatnie trzymał mnie za głowę. Rozpaczliwie pragnąłem go poznać, posiąść coś istotnego. *Śarir ek rang ka*. Siedziałem w taksówce i zastanawiałem się, kogo wtedy całowałem. Pomyślałem o swoim ciele i pytałem: czy on znalazł we mnie spokój? Butelki uderzały o siebie z przypominającym odgłos dzwoneczków brzękiem, a ja czułem ból w nadgarstku.

Tamtego wieczoru wróciłem do klubu przy Atreya Lane. Teraz przy drzwiach siedział na stołku jakiś mężczyzna. Było po dziesiątej, ale przez próg widziałem, że w pomieszczeniu tłoczą się barczyści mężczyźni w *banijanach* i T-shirtach. Muzyka rozbrzmiewała mocno i donośnie.

– Wstęp tylko dla członków.

– Chcę rozmawiać z waszym kierownikiem. Właścicielem?

– Nikogo nie mam. Wstęp tylko dla członków.

– Czy wasz kierownik, ktokolwiek, przyjdzie później? Kto tu jest szefem?

Mężczyzna wzruszył ramionami. Żuł *pan* i teraz odwrócił głowę, po czym splunął w mrok.

– Zaczekam tutaj – powiedziałem, wskazując na bramę. – Kiedy przyjdzie ktoś, kto jest tu szefem, powiedz mu, że chcę z nim rozmawiać. – Poszperałem w kieszeni i wyjąłem banknot dwudziestorupiowy. Żuł dalej i wpatrywał się obojętnie w guzik mojej koszuli. Podszedłem do bramy i oparłem się o popękany betonowy słupek. Latarnia uliczna nad moją głową wydawała brzęczące odgłosy. Czekałem. Od czasu do czasu z klubu wychodzili mężczyźni z torbami. Do wszystkich miałem to samo pytanie: „Znasz Radźeśa Pawara?". Uwierzyłem pierwszemu, gdy pokręcił głową i pospiesznie odszedł ze wzrokiem wbitym w ziemię. Kiedy jednak okazało się, że nie zna go żaden z pierwszych czterech wychodzących, wpadłem w złość. Następny, zdziwiony oschłością mojego tonu, popatrzył na mnie uważnie. Przestraszyłem się wówczas, był bowiem dryblasem, kark miał tak gruby, że musiał odwracać cały tułów, żeby na mnie spojrzeć. Spokojnie odparł jednak: „Nie", i odszedł. Pytałem każdego, kto wchodził bądź wychodził, aż do północy, a odźwierny obserwował mnie ze swojego stołka. Nieco po dwunastej wstał, przeciągnął się i zaczął zamykać drzwi. Podszedłem do niego pospiesznie.

– A kierownik? – zapytałem.

– Nie przyszedł – odparł, splunął mi pod nogi i zamknął drzwi przed nosem. Przez chwilę patrzyłem na odpryśniętą miejscami na drewnie farbę, po czym wróciłem do domu. Większość drogi pokonałem pieszo, chociaż dwa razy mógłbym złapać autobus, gdybym trochę podbiegł do przystanku. Myślę, że wymierzałem sobie w ten sposób karę. Czułem, że mogłem, że powinienem był więcej zdziałać. Do domu przyszedłem bardzo późno, padłem wyczerpany na łóżko, nie zdejmując ubrania, i śniłem o czasach dzieciństwa.

Nazajutrz rano jak zwykle zadzwoniłem do Dilipa. Rozpoczął naszą tradycyjną towarzyską rozmowę, ale przerwałem mu i pytaniem:

– Kim są ci ludzie, u których ponoć pracował?

– Kto?

– *Bhai log.* Kim oni są? Znasz jakieś nazwiska?

– Ikbalu – zaczął. Wyczuwałem, przez telefon, jego strach. Był tam, obecny, duszący niczym spaliny na ulicy za oknem. – Czemu chcesz wiedzieć takie rzeczy?

– Powiedz mi.

– Zrozum, nie wiem nic konkretnego. Ale słyszałem nazwisko Gowardhan.

– Co jeszcze?

– Nic. Bądź ostrożny – powiedział i odłożył słuchawkę.

Tamtego wieczoru wróciłem na Atreya Lane. I znowu portier przed klubem spojrzał na mnie z całkowitą obojętnością. Wyprostował się jednak, kiedy powiedziałem:

– Chcę się zobaczyć z *bhai* Gowardhanem.

– Zaczekaj – rzekł i zniknął. Wrócił po paru minutach i wprowadził mnie do klubu, za pomieszczenie, w którym osiłki zmagały się głośno z ciężarami, do biura z tyłu. Za biurkiem siedział mężczyzna z rzadkim wąsem, blisko czterdziestoletni, w zwykłej białej koszuli. Był tam jeszcze jeden, młodszy, krępy, stał obok biurka.

– Pytasz o *bhai* Gowardhana? – zapytał wąsaty mężczyzna.

– A jest pan nim? – odparłem.

– Nie, nie jestem. Jestem tylko znajomym obecnego tu pana Radźana, właściciela tego lokalu. – Machnął ręką. Pan Radźan nachylił się, żeby zapalić papierosa, i gdy rozbłysła zapałka, wiedziałem już, gdzie wcześniej spotkałem mężczyznę z rzadkim wąsem – przed galerią Puszkara, gdy czekałem na Sandhję. Wtedy myślałem, że jest szoferem. Dotąd odznaczałem się czymś w rodzaju kruchej odwagi, miałem słabe przekonanie, że Radźesowi nic się nie stało i że mnie też nic się nie przydarzy, teraz jednak bardzo się bałem. Mężczyzna zaciągnął się papierosem i obserwował mnie.

– Jak się pan nazywa? – zapytałem.

Uśmiechnął się i pokręcił głową, po czym skinął na pana Radźana, który wyszedł z pokoju, zamykając za sobą drzwi.

– Nieważne – odparł. – Wczoraj pytałeś o Radźeśa Pawara. Policja już tu była, chyba z jego bratem. A ty jesteś...?

– Jego przyjacielem.

– Jego przyjacielem. Bardzo dobrze. Imię?

– Ikbal. Ikbal Akbar.

– Ikbal – powtórzył. – To dobre imię dla przyjaciela. Miałem kiedyś, dawno temu, przyjaciela o tym imieniu.

– Wie pan, gdzie jest Radźeś?

Uniósł ręce dłońmi ku górze.

– Nie. Niby dlaczego miałbym wiedzieć?

Oddychałem pospiesznie, pokój wydawał mi się ciemny.

– Ponieważ parę dni temu widziałem pana przed galerią. Myślę, że pracuje pan dla Ratnaniego. Radźeś poznał pana tutaj, w tym miejscu. Zaczął pracować dla pana i Ratnaniego.

– Ciekawa historia. A co takiego dla mnie robi?

– Nie wiem. – Pokręciłem głową. – Jest silny. Może zabija ludzi?

Roześmiał się, odrzucając głowę do tyłu.

– Oszalałeś – stwierdził i niezbyt głośno zawołał: – *Are*, Radźanie. – Drzwi za moimi plecami otworzyły się natychmiast i pojawił się w nich Radźan. – Wyrzuć tego gościa. I więcej go tu nie wpuszczaj.

Próbowałem walczyć, ale Radźan wykręcił mi rękę na plecach i znowu odkryłem to, co i tak już wiedziałem: nie jestem siłaczem.

Nawet o tej porze nocy potrzebowałem tylko półtorej godziny, żeby się dowiedzieć, gdzie mieszka Ratnani. W tym mieście biedaka można szukać bez końca, ale rezydencje bogaczy są punktami orientacyjnymi. Wykonałem parę telefonów i powiedziałem przyjaciołom, że dzwonię, żeby wykonać następne, i niebawem wiedziałem, że Ratnani mieszka niedaleko Pali Hill Road, koło KetNav, w parterowym domu na samym końcu ślepej uliczki. Za wysokim, pokrytym lianami murem. Gdy zapłaciłem rikszarzowi i przeszedłem się uliczką, zobaczyłem wielką metalową kratę wpuszczoną w mur, a wysoko nad nim egzotyczne wieżyczki i piękny, kryty czerwoną dachówką dach zamku, który Ratnani sobie zbudował. Uderzyłem w bramę pięścią i rozległ się donośny, przypominający bicie wielkiego dzwonu dźwięk. Ten człowiek miał rację – oszalałem. Pot spływał mi po twarzy, a ja okładałem żelazną bramę obiema pięściami. W środku bramy otworzyło się okienko i spojrzały na mnie czyjeś oczy.

– Czego?

– Chcę zobaczyć się z Ratnanim! – ryknąłem.

– Nie krzycz, sukinsynu – usłyszałem za sobą, po czym osunąłem się na kolana, trzymając się za głowę. Górny koniec ucha i skroń pulsowały bólem pod moją lewą dłonią.

– Kto to, u diabła, jest? – usłyszałem.

Kiedy zdołałem wyostrzyć wzrok, ujrzałem nad sobą trzech umundurowanych strażników z *lathi* w dłoniach. Z lewej stał wyprężony jak struna mężczyzna w cywilnym stroju z bardzo krótko przystrzyżonymi włosami. W rękach trzymał stena, celując prosto we mnie. Przez bramę przechodził zaś mężczyzna z przystrzyżonym wąsem z klubu przy Atreya Lane.

– Znowu ty? – zapytał łagodnie. – Nie przejmuj się – rzekł do uzbrojonego mężczyzny, który oglądał się nerwowo za siebie i chyba był gotów strzelić. – Wszystko w porządku. Zajmę się nim.

Chwycił mnie pod rękę i postawił na nogi. Nadal patrzyłem na pistolet maszynowy, który wyglądał masywniej niż wszelka broń, jaką widziałem dotąd na filmach. Nogi się pode mną ugięły.

– Spokojnie! – rzekł mój wąsaty znajomy. – To policyjny ochroniarz pana Ratnaniego. Zdenerwowałeś go. – Prowadził mnie w stronę czarnej furgonetki zaparkowanej u wylotu uliczki. – Wpakujesz się w prawdziwe kłopoty, jeżeli dalej będziesz wycinał takie szalone numery.

Usadził mnie z tyłu furgonetki, postukał w czarne plastikowe przepierzenie i samochód gwałtownie ruszył.

– Pan też jest policjantem? – zapytałem.

– Nie, nie jestem – odparł. Siedział wygodnie, całkiem rozluźniony, z ręką na oparciu fotela. – Byłeś dobrym przyjacielem tego Radźeśa Pawara. Bardzo lojalnym. To mi się podoba. Ale przyjmij moją radę. Jedź do domu i zapomnij o tym. W przeciwnym razie wylądujesz w jakimś rowie. Pif-paf. Martwy.

Za oknem furgonetki przejechała, oddzielona od nas cienką, lekko przyciemnioną szybą swojego samochodu, jakaś rodzina z trojgiem roześmianych dzieci na tylnym siedzeniu. A po drugiej stronie drogi znajdowały się jaskrawo oświetlone sklepy. Spojrzałem na mężczyznę, na jego kanciasty profil.

– Pif-paf – powtórzyłem. – On jednak pracował dla pana, prawda? Zabijał?

– Co, Radźeś? – odparł, uśmiechając się. – Był za duży.

– A więc zna go pan.

– Wy, chłopcy, oglądacie za dużo filmów. Myślicie, że liczy się tylko postura. To głupie. Z ciebie natomiast byłby dobry strzelec. Niczym się nie wyróżniasz, wyglądasz więc jak wszyscy. Tego właśnie potrzebuje strzelec. Podchodzisz w tłumie, za swoim celem, i pif-paf, to wszystko. *Bas*. Znikasz w tłumie. Dryblasy nadają się jedynie do straszenia ludzi. Do demolowania domów, chat i slumsów. Do oczyszczania kraju. Jeżeli ktoś umiera, to właśnie oni, przypadkiem.

– Czy to właśnie robił dla pana? Dla Ratnaniego?

Wąsacz milczał wtedy, patrząc przed siebie, i w sporadycznych błyskach światła widziałem jego zadumaną twarz.

– Czy Radźeś jest cały i zdrowy? – zapytałem.

Pędziliśmy pustym odcinkiem drogi. Na każdym wyboju kołysaliśmy się najpierw w jedną, a potem drugą stronę, jak do taktu. Mężczyzna nadal milczał i wtedy pomyślałem sobie, że zginę. Słyszałem, że takie sytuacje się zdarzają, że tacy ludzie istnieją, że zmasakrowane ciała znajdowane są w miejskich parkach, ale to zawsze było czymś odległym, o czym Radźeś mógł sobie fantazjować. Teraz, w środku nocy, siedziałem w furgonetce, sam z tym mężczyzną i kierowcą, którego wcześniej nie widziałem, i to nie było złudzenie. Moje kolano obijające się o drzwi furgonetki. Dłoń na szorstkim obiciu siedzenia. I przepływający jak prąd ból w skroni. Próbowałem coś powiedzieć. Nie byłem pewien, co, i tylko jęknąłem. Cicho, lecz wysokim, dość wyraźnym i słyszalnym tonem. Mężczyzna spojrzał na mnie wtedy i sparaliżował mnie wzrokiem; powietrze uderzało o przednią szybę. Jego oczy były czarne i zimne. W końcu skinął głową i uderzył dłonią w przepierzenie. Furgonetka wpadła w poślizg hamując i się zatrzymała. Wysiadł i kiwnął na mnie palcem. Musiałem mocno się starać, by przesunąć się ku drzwiom, cal po calu. Znajdowaliśmy się nad samym morzem, nie na plaży, ale przy murze opadającym niemal pionowo ku skałom u dołu. Mężczyzna pochylił się, chwycił mnie za rękę i wyciągnął z furgonetki. Zrobiłem krok, po czym nogi się pode mną ugięły i usiadłem na ziemi.

– Boisz się? – zapytał.

Przytaknąłem. Spoglądałem na ciemne morze i nie chciałem spojrzeć w jego stronę.

– To dobrze – stwierdził, po czym poczułem jego rękę na czubku mojej głowy, dłoń obejmującą ciemię, delikatnie naciskające palce. – Wiem, kim jesteś, Ikbalu Akbarze. Jutro będę wiedział, gdzie mieszkasz. I z kim. Rozumiesz?

Próbowałem skinąć głową, ale mnie przytrzymał.

– Nie wypytuj o Radźeśa. Nie rób rabanu, bo zostaniesz rzucony na pożarcie i nikt nawet nie zauważy, że zniknąłeś.

Wtedy poczułem, jak zdejmuje rękę. Czekałem. Rozległ się chrzęst żwiru i z wielkim wysiłkiem odwróciłem głowę. Bolał mnie kark.

– A pański przyjaciel, mój imiennik, co się z nim stało? – zapytałem.

Mężczyzna oparł rękę na drzwiach i gwałtownie wsiadł do furgonetki. Zniknął mi z pola widzenia.

– Zmarł – odparł. – Zdarza się.

Drzwi zamknęły się ze szczękiem i furgonetka raptownie ruszyła. Z miejsca, w którym siedziałem, widać było tylko morze, ale bijący od miasta blask wciąż padał na wodę i daleko w dole dostrzegłem skały i fale.

Po południu w dniu przyjęcia dom wypełniała woń potraw. Lalitowi zrobiło się niedobrze od jedzenia *bhadźij,* które pichciła *bai*, potem zaś musiałem go powstrzymać przed karmieniem nimi ryb w akwarium. Nie wierzył, że rybom zrobi się od tego niedobrze, uwierzył jednak z całą pewnością, że dostaną szału i zaczną się pożerać nawzajem. Pomógł mi ułożyć bardzo starannie w kolisty wzór papierowe serwetki na stole w salonie. O siódmej do salonu weszła Sandhja, wycierając włosy ręcznikiem, i powiedziała:

– Awaria.

– Poważna? – zapytałem i wstając, poczułem pulsowanie w skroni.

– Przerwanie pracy terminalu, ale serwer się nie zablokował. Powiedziałam, że jutro rano przyjedziemy do fabryki, żeby zabrać taśmy z kopią zapasową. – Sandhja zaprogramowała kopiowanie danych co dwie godziny, tak abyśmy mogli obejrzeć pliki tuż przed i bezpośrednio po awarii.

– Pojadę teraz – zaproponowałem.

– Żeby się tam dostać, będziesz potrzebował półtorej godziny i tyle samo, żeby wrócić. Jest późno, Ikbalu. – Spojrzała na mnie z przechyloną w bok głową. Wcześniej wyjaśniłem jej, że mam spuchnięte ucho, bo potknąłem się w tłumie na peronie kolejowym i wpadłem na słup.

– Nie, naprawdę, chcę jechać – odparłem. – Został nam tylko jeden dzień. – Właśnie w ten poniedziałek Das miał zakończyć naszą współpracę. Nie usłyszałem odpowiedzi, więc pojechałem. W rzeczywistości chciałem wydostać się z tego domu, wyruszyć w podróż. Cały dzień miałem mdłości, woń smażonego jedzenia wniknęła w moje ubranie. Czułem ją na języku. Faktycznie jazda zajęła mi godzinę, a gdy dotarłem na miejsce, fabryka była pogrążona w ciemności. Portier poświecił mi w oczy latarką i wpuścił mnie z miną, która, jak sądziłem, wyrażała współczucie. Miałem wrażenie, że nasza współpraca już została zakończona.

Poszedłem na tyły budynku. Drzwi do magazynu były uchylone. Pchnąłem skrzydło i wszedłem w mrok rozświetlony wyłącznie blaskiem docierającym od drzwi księgowości. Gdy stanąłem w progu, Ronak-dźi wstał od biurka z zatrwożoną miną.

– To ja – wyjaśniłem. – Przyszedłem zabrać taśmy.

– O jejku – rzekł Ronak-dźi z dłonią na sercu.

– On jest zawsze bardzo nerwowy – wyjaśnił Maniszi-dźi, wzruszając ramionami. – Proszę, Ikbalu. – Skinął na mnie ręką.

– Co się stało? – zapytał Ronak-dźi, wskazując na moją głowę, gdy tylko się odwróciłem.

– Upadłem.

– Oj, wy młodzi. Za grosz ostrożności.

Uśmiechnąłem się i po omacku dotarłem do szafy z serwerem. Na wewnętrznej stronie drzwi znajdował się kontakt, którym zapaliłem nagą żarówkę nad moją głową. Gdy przed oczami ukazały mi się świetlne kręgi, spojrzałem spod zmrużonych powiek na maszynę i zacząłem w niej grzebać w poszukiwaniu taśmy, a w tym kolorowym blasku utrzymywał się obraz Ronaka-dźi i Manisziego-dźi, oraz ich pokoju, niekończących się rzędów ksiąg i sejfu. Wówczas zastygłem w bezruchu, czułem ból palców w kontakcie z zimnym metalem. Po chwili zdołałem się przemóc i wróciłem do biura. Oparłem się o framugę.

– Maniszi-dźi – powiedziałem. – Muszę uruchomić kopię zapasową, to potrwa kilka minut, ale zastanawiałem się... Może mógłbym dostać trochę *ćaju*? I coś do jedzenia?

– Ależ oczywiście – odparł.

– Tak, tak – rzekł Ronak-dźi, wstając od biurka.

– Nie ma tu Radźu?

– Nie przejmuj się tym – poradził Ronak-dźi. – Rób swoje, młody człowieku.

– Dzięki – powiedziałem, skinąłem głową i cofnąłem się od progu. Wcześniej patrzyłem na obu księgowych i próbowałem nie patrzeć na sejf, ale gdy wracałem do serwerowni, niosłem w myślach jego lekko zamazany obraz. Byli na nim oni dwaj, poza tym księgi, biurka, wieczne pióro ze zdjętą skuwką, długi szary blok, sejf pokryty wizerunkami bogów i bogiń, a pośrodku tego wszystkiego pusta przestrzeń, kształt zakreślony przez całą resztę, przez wszystkie pozostałe, coś, co zniknęło, jakiś brak, dziura, skrzydła. Zamknąłem za sobą drzwi, stanąłem wciśnięty między nie a urządzenia ulokowane przy drugich, zamkniętych na klucz drzwiach do księgowości. Pochyliłem się i spojrzałem na front serwera, próbowałem zajrzeć za komputer, ale ten stał tuż przy ścianie i nic nie widziałem. Nie było mowy o tym, żeby go przesunąć, został bowiem mocno osadzony w specjalnym dopasowanym stole z półcalowymi kryzami, którego wykonanie zleciliśmy fabrycznemu *mistri*. Wspiąwszy się na palce, sięgnąłem do szczytu wieży i przesunąłem dłonią po niewidocznej krawędzi, z drugiej strony komputera, między metalem a drewnem. Przejechałem palcami po czymś gładkim i zaokrąglonym na końcu. Cofnąłem dłoń i wyczułem ten brakujący kształt, chwyciłem to coś palcami i pociągnąłem. Wysuwało się powoli, klejąc się, lgnąc do metalu. W końcu jednak się wysunęło i trzymałem to teraz w dłoni: srebrzysty, o skrzydłach rozpostartych w jałowym locie, wystający spomiędzy moich palców duży jumbo jet z sejfu z postacią kłaniającego mi się maharadży z Air India*). Odwróciłem go w dłoni i ciemne paski magnesu na spodzie kadłuba samolotu i na skrzydłach skupiły na sobie światło, zwarte jak pusta przestrzeń na białym tle.

Po chwili, kilku chwilach, sam nie wiem po jak długim czasie, odłożyłem samolot na miejsce, wsunąłem go za wieżę, tam, gdzie go znalazłem. Magnesy przylgnęły do metalu z cichym cmoknięciem. Pochylając się nad serwerem, czułem ich przyciąganie i pomyślałem, że w czubkach palców czuję to siane na oślep zniszczenie, zafałszowanie zawartości naszych plików na twardym dysku, cząstki poruszające się na powierzchni metalu i znikające dwadzieścia rupii i dwadzieścia paij. Wyprostowałem się, przełknąłem ślinę, po czym zacząłem robić kopię zapasową. Wyszedłem z serwerowni do biura i usiadłem na krześle. Wtedy zjawił się Ronak-dźi ze szklanką herbaty i talerzem *bhadźij*. Tak się objadłem, że zrobiło mi się niedobrze.

– Jak długo tu pracujecie? – zapytałem.

– Dwadzieścia dziewięć lat – odparł Maniszi-dźi. – Mam o rok dłuższy staż pracy.

– Osiem miesięcy – rzekł Ronak-dźi. – A dokładnie siedem i pół.

Maniszi-dźi roześmiał się, kręcąc głową, a ja śmiałem się razem z nim.

– Jest pan żonaty, Maniszi-dźi? – zapytałem.

– Oczywiście, że jestem. Wy, młodzi, zadajecie niedorzeczne pytania. Ty nie jesteś żonaty, Ikbalu?

– Nie – odparłem, na co obaj się zmieszali. – Ma pan dzieci?

Tak naprawdę wtedy spotkaliśmy się po raz pierwszy. Tamtego wieczoru dowiedziałem się o synu Maniszego-dźi, który miał sklep na lotnisku w Dubaju, o jego córce, która wyszła za inżyniera z ministerstwa robót publicznych, oraz o śmierci żony Ronaka-dźi rok wcześniej w skutek przekrwienia sercowo-naczyniowego. Jadłem umazanymi tłuszczem palcami i w tym pokoju wypełnionym stertami ksiąg słuchałem opowieści z ich życia, i śmiałem się razem z nimi. Doszedłem do wniosku, że bardzo ich lubię. Kiedy powiedziałem, że muszę iść, odparli, że wyjdą ze mną. Czekałem, aż zamkną biuro, a potem znowu, na zewnątrz, gdy zmagali się z zamkiem w baraku z materiałami do produkcji.

* Maskotką linii lotniczej Air India jest kłaniająca się postać w tradycyjnym stroju, nazywana „maharadżą".

– Uff – mruknął Maniszi-dźi. – Pozwól, że ja spróbuję.

– Proszę cię bardzo – odparł Ronak-dźi. – W końcu to ty jesteś specjalistą od zamków

– Obróć, nie tak, tylko trochę.

Stali ramię w ramię, spoglądając badawczo na olbrzymi zamek i obracając w nim klucz w tę i we w tę. Ja stałem za nimi. Nad nami, na murze, gasła i zapalała się na przemian świetlówka. W tym błękitnym świetle patrzyłem na ich zgięte plecy, ich ramiona i błyszczące czaszki i zauważyłem, że nawet karki mają takie same, niewygolone i chude, z siwiejącymi włosami powyżej. Widziałem, jak skonstruowana jest ludzka głowa, małe wgłębienie u góry szyi, gdzie czaszka łączy się z resztą ciała. Czy to jest to miejsce? Czy tam właśnie ciało jest podatne na ciosy? Czy to takie łatwe? Czy po prostu podnosisz pistolet i celujesz nim w to wgłębienie. Pif-paf. Pif-paf.

– Proszę – rzekł Maniszi-dźi. – Co w tym takiego trudnego?

– Skoro tak dobrze sobie radzisz z zamykaniem, od jutra ty to robisz..

Podeszli ze mną do bramy, trzymając dłonie na moich ramionach.

– Wypocznij trochę – poradził Ronak-dźi.

– Zrelaksuj się – dodał Maniszi-dźi. – Wszystko będzie w porządku.

Gdy szedłem uliczką w kierunku szosy, obaj machali mi na pożegnanie. Kiedy skręcałem za rogiem, ręce wciąż mieli podniesione.

Jadąc windą w górę szybu, słyszałem odgłosy przyjęcia, brzęk szklanek i ten nęcący gwar za zamkniętymi drzwiami. Wszedłem do środka i zacząłem się przeciskać przez zatłoczony korytarz. Tu i ówdzie dostrzegłem znajome twarze, pretensjonalnych znajomych Anubhawa, ale wiele osób widziałem po raz pierwszy. W kuchni Ma-dźi i *bai* Amba stały przed skwierczącymi *karhai*, rzucając *bhadźije* na talerze.

– Widziałeś, jak oni jedzą? – zapytała Ma-dźi. – Łapczywie jak psy.

– Kim są ci wszyscy ludzie?

Kręciła głową i wrzucała do wrzącego oleju garści jarzyn obficie obtoczone w *besanie.* Odwróciłem się, wszedłem do biura, gdzie zostawiłem na półce taśmy, zajrzałem do Lalita, który śnił niespokojny, ściskający w żołądku sen obżartuchów, i w końcu znalazłem Sandhję w salonie. Odwróciła się bokiem, żeby się przecisnąć między dwoma malarzami z tacą wzniesioną wysoko nad głową, i szepnęła mi do ucha:

– Zaraz zabraknie nam szkockiej.

To prawda – na stole, gdzie postawiłem napoje, stały już trzy puste butelki. Na moich oczach jakiś twórca filmów dokumentalnych opróżniał czwartą. Próbowałem wrócić do drzwi, ale uświadomiłem sobie, że przeciskam się przy ścianie w głębi salonu, koło niebieskiego obrazu Sandhji, gdzie Anubhaw siedział na kanapie i rozmawiał z człowiekiem w białej koszuli safari.

– Prawdziwy, prawdziwy, zbyt prawdziwy – mówił. – Mahatre-dźi, po prostu tyle w tym fetyszyzacji dóbr materialnych.

Mahatre-dźi pociągnął potężny łyk ze swojej szklanki i potwierdzając skinieniem głowy, rzekł:

– Zwykła dekoracja.

Po lewej stronie siedziała kobieta w białym sari rozmawiająca z panną Wiweką. Facet z kucykiem wspierał się na oparciu jej krzesła i rozmawiał z dwoma mężczyznami w długich *kurtach*. Błękit obrazu odbijał się we wszystkich lusterkach sukni właścicielki galerii, kolor ten wydawał się również zabarwiać przyćmione światło lamp. Zrezygnowałem z prób przedostania się do drzwi, podszedłem do stołu, na którym znalazłem butelkę, i nalałem sobie małą porcję whisky. Żołądek podchodził mi do gardła od tłuszczu, jaki wcześniej spożyłem, i piłem szkocką z nadzieją, czując, jak alkohol spala go niczym eliksir. Pociągnąłem jeszcze jeden łyk i znowu ujrzałem Sandhję niosącą kolejne porcje jedzenia do stołu.

– Myślisz, że byłby ze mnie dobry płatny zabójca? – zapytałem.

– Co takiego?

– Nic. Co się stało? – Normalnie lubiła taki gwar i ruch, śmiech gości i domowe przyjęcia. Termin wyznaczony przez Dasa był bliski i zdawała sobie sprawę, że w poniedziałek będzie po nas, jeżeli w niedzielę nie zdarzy się cud; nie miała w sobie jednak ani krztyny radości. Wykładała talerze z tacy, trzaskając nimi o blat stołu. – Powiedz.

Sandhja przyciągnęła mnie do siebie i wyszeptała z przepełnioną zdumieniem nienawiścią:

– On ją rżnie. Rżnie ją. – Gwałtownym ruchem głowy nad prawym ramieniem wskazała odległy kąt pokoju, przez tłum, i od razu pojąłem, kogo ma na myśli. Wróciłem tam, trzymając wysoko szklankę, i teraz Anubhaw stał w szerokim rozkroku koło ściany, odchylony do tyłu. Na lewo od niego panna Wiweka rozmawiała z Mahatrem, uśmiechając się do niego. Ona i Anubhaw nie stali twarzą w twarz, właściwie to byli odwróceni, ale jednak to była prawda. Zrozumiałem to, widząc, że stoją dokładnie trzy cale od siebie, nie dotykają się, ale też nie oddalają, i słysząc śmiech pobrzmiewający w toczonych przez nich rozmowach, a także dostrzegając ich sporadyczne spojrzenia przez ramię, ich szczęście oraz poczucie bezpieczeństwa wynikające ze wzajemnej bliskości. Domyśliłem się, ponieważ nie patrzyli na siebie. Tak samo ustawiałem się ja i Radźeś.

Stanąłem więc w błękitnym świetle i opróżniłem szklankę. I jeszcze jedną. Po czym wyszedłem na teren budynku poniżej i obrzygałem czyjeś maruti zen.

Obudziłem się z hukiem silników jumbo jeta w głowie. Usiadłem na brzegu łóżka, zakrywając oczy rękami, i doszedłem do wniosku, że muszę powiedzieć Sandhji o Ronaku i Maniszim, powiedzieć jej teraz. Telefon był jednak głuchy, naciągnąłem więc na siebie jakieś rzeczy i zataczając się, wyszedłem na słońce. Czułem w głowie każdy stawiany na ulicy krok, dźwigałem ciężkie brzemię żalu. Pomyślałem o ich życiu, dzieciach, wielu latach pracy, zatrzymałem się na środku drogi i już miałem zawrócić, gdy jednak ruszyłem dalej. W Grand Video Store zapytałem o możliwość skorzystania z telefonu, ale Ahmed Raza, którego znałem od urodzenia, odparł:

– Wszystkie telefony są głuche. Idź do domu, Ikbalu. – Nie ruszyłem się z miejsca. Bolały mnie nogi. – W mieście są zamieszki. Zamykamy sklep.

Przyglądałem się, jak zasuwa z trzaskiem żaluzję.

– Idź do domu – powtórzył, ale pomyślałem o zapłakanej Sandhji spędzającej kolejny dzień, niedzielę, przy komputerze, poszedłem więc dalej. Nawet ta myśl była wymówką. Szedłem głównie dlatego, że chciałem przekazać swoją wiedzę komuś innemu, pozbyć się jej. Niedzielne miasto pustoszało wokół mnie. Czy był pan kiedyś poza domem w dniu zamieszek? Człowiek czuje, że zaraz się zaczną, że nadciągają w panującej ciszy. Trwała świątecznoporanna krzątanina na bazarze, po czym nagle wszystkie sklepy zamknęły swoje podwoje. Ulica ziała pustką, na skrzyżowaniu leżał damski pantofel. Uniosłem wzrok i zobaczyłem, że wszystkie okna są puste. Szedłem dalej. Droga opadała między kawałkami gruntu pokrytymi stertami cegieł i zwojami stalowych kabli, które górowały nade mną. Wyczuwałem strach, przerażenie wypełniające przestrzeń między pustymi uliczkami a niebem nad moją głową. Nie bałem się, ale też nie grzeszyłem odwagą. Cisnęło mi się na usta jedno pytanie. Pomyślałem, że skręcę za róg i zobaczę Radźeśa idącego ku mnie chwiejnym krokiem z żelaznym prętem w dłoni. Chciałem zapytać: „Zabijesz mnie, Radźeśu? Zabijesz moją matkę muzułmankę i ojca muzułmanina? Zabierzesz potem naszą ziemię, naszą maleńką działkę na tym pustkowiu? Czy potem będziesz tam żył szczęśliwie? Mógłbyś żyć? Powiedz mi, powiedz" – mówiłem. – „Powiedz mi". Po drugiej stronie strumienia, wypełnionego czarną mulistą wodą, na horyzoncie rozciągały się ząbkowaną linią budynki. Teraz rozległo się gwałtowne szczekanie, wycie, które odbijało się echem wśród murów i budynków, po czym zanikło, pogrążając się w ciszy. Szedłem dalej. Niespodziewane skupisko bud, zniekształconych niczym wspomnienie jakiejś wioski, nieprzyzwoicie maleńkich i ściśniętych, spływało od drogi ku niewidocznemu urwisku. Droga budziła lęk, ponieważ nie byłem w stanie dojrzeć jej końca – ciągnęła się daleko, nieskończona i cicha. Nie wiedziałem, jak daleko prowadzi. Szedłem. Słupy dymu rozciągały się od szczytów dachów do nieba. W wyobraźni widziałem płomienie i twarz Guru-dźi pośrodku jego *akhary*, rozciągniętego na miałkim piasku. Moje usta pracowały, na przemian otwarte i zamknięte. Skręciłem za róg i zobaczyłem psa, który odwrócił się na środku drogi i spojrzał na mnie. Był żółty, brzydki, chudy i brudny, słyszałem, jak dyszy. Minąłem go i wtedy zaczął iść obok mnie. Przystanąłem, pochyliłem się, jakbym chciał podnieść kamień, uniosłem rękę, a on skulił się i spuścił łeb, ale nie uciekł. Odwróciłem się i ruszyłem dalej, potykając się, a pies podążył za mną. Słońce było teraz w zenicie, a ja nie wiedziałem, gdzie jestem. Przypomniałem sobie matczynego Allacha oraz *Parameśwara* Ma-dźi i pomyślałem: powiedz mi, Panie, powiedz mi, Mistrzu. Pies zatrzymał się nagle i znowu obejrzał się na mnie. Zaśmiałem się. Miasto oddalało się od nas łukiem, rozciągając się niczym wzgórza, gdy przyłożyłem dłoń do czoła, dolina za doliną, coraz wyżej.

Kiedy ujrzałem krew, było już pewnie po południu. Ciało miałem lekkie jak piórko i unosiłem się teraz od cienia do cienia. Cały czas słyszałem nieprzyjemne sapanie psa i jego trucht u mego boku. Najpierw pomyślałem, że ta krew jest tylko plamą oleju na ziemi. Kiedy podszedłem bliżej, promienie słońca padły pod innym kątem i ujrzałem ten kolor, czerwień przechodzącą w czerń. Plama była dość duża, jej kształt sugerował, że coś eksplodowało na ziemi, a krople prowadziły dalej. Zostały błyszczące strużki, którymi nadal płynęła. Zatrzymałem się, mając wrażenie, że zaraz upadnę. Pies skamlał niespokojnie za moimi plecami. Rozejrzałem się i zobaczyłem kolejną nieokreśloną ulicę, takie same budynki i te same sklepy z opuszczonymi żaluzjami. Wielkie cienie zbliżyły się do mnie i poczułem, że gorycz wypełnia mi serce. Wyszedłem z cienia, ale teraz nie widziałem już, dokąd idę. Po omacku dotarłem do muru i dotykając go dłonią, posuwałem się naprzód. W końcu nie mogłem już iść dalej i przykucnąłem, oparty plecami o beton. Pies stanął, a potem mnie okrążył, wysuwając i cofając głowę. W końcu opadł na zad i siedział tuż przede mną z odwróconym łbem. Słyszałem, jak oddech wędruje mu przez gardło, słyszałem też mój własny, uparty i niepowstrzymany. Sierść na grzbiecie czworonoga była brudna i skołtuniona i widziałem pod nią różowawą skórę. Ten widok przepełnił mnie odrazą, ale w końcu zdołałem podnieść rękę, opuścić ją powoli na jego grzbiet. Pies zastrzygł uszami, ale nie ruszył się z miejsca i zostaliśmy w takich pozycjach, obok siebie. Czułem pod palcami bicie jego serca.

Był wieczór, gdy się ocknąłem. Psa nie było. Wstałem i kiedy próbowałem ustalić, gdzie jestem, podążając kawałek jedną ulicą, a potem drugą, zgarnęli mnie policjanci w furgonetce. Pokazałem na swoją głowę i wyjaśniłem, że się zataczam, ponieważ zostałem napadnięty i zraniony przez jakiegoś obcego człowieka. Policjanci sklęli mnie mocno, trochę poturbowali, ale w sumie okazali się wielkoduszni – wysadzili mnie na samym końcu mojej uliczki, kazali zostać w domu i nie pakować się w kłopoty. Nazajutrz w gazetach napisano, że sytuacja wróciła do normy, że nikt nie zginął, odnotowano tylko pojedyncze wypadki zranień, pojechałem więc do pracy.

– Zapytałam go – powiedziała Sandhja, gdy tylko wszedłem do biura. Patrzyła na mnie ogromnymi oczami. – Zapytałam go, a on potwierdził, że się kochali. Powiedział, że to się zdarza, po czym po prostu wrócił do malowania.

Kiedy mijałem atelier, Anubhaw, pochłonięty i skupiony, nachylał się nad płótnem, jego pędzel pracowicie rozprowadzał farby. Natomiast Sandhja wyglądała tak, jakby właśnie miała załamać się nerwowo.

– Słuchaj, ja też mam ci coś do powiedzenia.

No i powiedziałem jej. O Maniszim-dźi i Ronaku-dźi, o sejfie i magnesach i jumbo jecie. Poderwała się z miejsca, siadła raz i drugi, obeszła pokój, po czym podniosła słuchawkę telefonu i zadzwoniła do Dasa. Był już na spotkaniu. Sandhja domagała się połączenia z nim i krzyczała przez telefon. Potem czekaliśmy.

– Co za dupki – powiedziała z rumieńcem na twarzy. – Co oni sobie myśleli? Nie próbowaliśmy się ich pozbyć. Przecież nie mieli być zredukowani.

– Pracują tam od trzydziestu lat – wyjaśniłem.

– To żadne usprawiedliwienie, do cholery. Sytuacja się zmienia. Wszystko się zmienia.

Wzruszyłem ramionami. W słuchawce rozległ się szmer i Sandhja zaczęła mówić. Powiedziała Dasowi. Z jakiegoś powodu nie mogłem znieść słuchania tej rozmowy, poszedłem więc do pokoju Lalita, usiadłem na jego łóżku i przyglądałem się, jak ryby krążą w wodzie i przemykają przez wrak na dnie akwarium. Pół godziny później usłyszałem, że otwierają się drzwi biura, i Sandhja weszła do pokoju syna.

– Powiedział, że zajmie się tym. Był bardzo zły.

– Tak – powiedziałem.

– Myślę, że ich wyrzuci.

– Będzie musiał.

– Przynajmniej poprawiliśmy dzięki temu program.

– Poprawiliśmy?

– Chodź, zobacz.

Weszliśmy do biura i Sandhja uruchomiła program. Usiadłem przy jej biurku i go wypróbowałem. Był lepszy, odchudzony, szybszy, wyglądał bardziej elegancko. Tam gdzie obrazy na ekranie były przesuwane, teraz zmieniały się migowo, podglądy następowały błyskawicznie, wszystkie procesy były dwu- lub trzykrotnie szybsze. Program był wspaniały. Sandhja pokazała, na co ją stać, i osiągnęła coś na kształt ideału.

– Cudo – powiedziałem. – Prawdziwe cudo.

– Cholera – mruknęła, a ja się odwróciłem. Siedziała na moim krześle, skubiąc zębami kołnierz bluzki, z twarzą skrzywioną pod wpływem wyrzutów sumienia. – Przecież to nie są źli ludzie. Przypuszczalnie po prostu się bali.

– Owszem – przyznałem. – Bali się ogromnie.

– Może powiem Dasowi, że ich przeszkolimy.

– Dobrze.

– Może nie musi ich zwalniać. – Podniosła słuchawkę i wybrała numer. – Może po prostu wyświadczyli nam przysługę, no wiesz, zmusili nas do cięższej pracy. Nie musimy być tacy... – Gdy mówiła, obserwowałem jej twarz. Mówiła i słuchała własnych słów. Te zaś padały coraz wolniej. – Nie musimy być tacy... – powtórzyła, po czym zastygła w całkowitym bezruchu. Widziałem, że coś się w niej stało, zmieniła się niczym światło, gdy słońce wędruje po niebie. Ostrożnie, bez pośpiechu odłożyła słuchawkę. Spojrzała na mnie otwarcie. – Pieprzyć ich, *jar* – powiedziała. – Niech ich szlag trafi.

Wstała, pomaszerowała korytarzem, weszła do atelier Anubhawa, podniosła „Wiejską krowę" i wyrzuciła ją przez okno. Potem wyrzuciła Anubhawa. To znaczy kazała mu wynosić się ze swojego domu i więcej nie wracać. Zaczął jej perswadować, ale tymczasem „Wiejska krowa" wylądowała na masce czyjegoś samochodu, więc na dole podniósł się krzyk i Anubhaw pobiegł ratować swój obraz. Kiedy on i właściciel auta wrzeszczeli na siebie, Sandhja chodziła tam i z powrotem po pokoju, wychylając się od czasu do czasu przez okno, żeby mu powiedzieć parę rzeczy do słuchu, a Ma-dżi podjudzała ją do tego. Po chwili chwyciła „Wiejską chatę z gliny" i też wyrzuciła ją przez okno, a wtedy Anubhaw zaczął na nią krzyczeć z dołu. Teraz już wszyscy sąsiedzi powychodzili z mieszkań i wychylali się z balkonów, a z parteru, w identycznych czerwonych dresach wyszli bliźniacy Khanowie, żeby poinformować Anubhawa, że znają Sandhję *didi* od małego i nie zniosą, by darł się na nią jakiś cholerny sukinsyn. Teraz więc zaczęło się to przeradzać w prawdziwą pyskówkę, a wkrótce zamieniło się w prawdziwą bombajską *tamaśę* w starym stylu. Ludzie przyglądali się temu ze wszystkich balkonów i okien na całej ulicy, śmiali się, udzielali rad i krzyczeli na siebie. Po czym, i zapewniam, wcale nie zmyślam, nagle nadjechał z łoskotem na swoim motocyklu Wasant i oczywiście wcielił się w rolę zranionego eksmęża i zaczął rzucać obelgi na lewo i na prawo. Już po chwili zdzielił Anubhawa pięścią. Wtedy Sandhja także zbiegła na dół i zapanował ogólny chaos. Przyglądałem się, jak ludzie kłębią się na dole, i wówczas u mojego boku pojawiła się Ma-dżi. Drżała na całym ciele, drżały jej wszystkie członki, a na ożywionej uśmiechem twarzy wykwitły wściekle różowe plamy.

– Proszę – powiedziała. – Pomóż mi to podnieść.

Był to obraz z wcześniejszego okresu, poprzedzającego cykl wiejski. Pomogłem jej umieścić płótno na parapecie okiennym. Z gromkim śmiechem wyrzuciła go na zewnątrz. Następnie pomogłem jej wyrzucić papier od Senneliera, pastele od Schminckego oraz tuby z farbą olejną, rysunki, obrazy i błyszczące magazyny o sztuce, które dobrze pamiętałem, bo na wszystko wypisywałem czeki; tłum u dołu klaskał teraz za każdym razem, gdy jakieś dzieło sztuki spadało z nieba. Spostrzegłem korpulentnego *hawaldara* z rozdziawionymi ustami, jak idzie falującym krokiem ulicą. Wychyliłem się z okna i zobaczyłem patrzącego w górę Anubhawa.

– Ma-dżi – zaproponowałem – zapytaj Anubhawa, gdzie jest książka o Picassie.

– O kim?

– O Picassie.

Przyciągnąłem krzesło, pomogłem jej się na nie wdrapać. Ma-dźi pochyliła się nad poręczą balkonu i zagrzmiała niewiarygodnie mocnym głosem:

– *Pii-kasso kaha he, maderćod?* – *Hawaldar*, który właśnie aresztował wszystkich zgromadzonych u dołu, uniósł wzrok na dźwięk tego pytania, przez chwilę sparaliżowany autentyczną mocą tego głosu. – *Pii-kasso kaha he, maderćod?* – Wasant wykorzystał tę okazję do próby ucieczki i *hawaldar* rzucił się za nim, a tymczasem u góry znowu rozległo się: – *Pii-kasso kaha he, maderćod?* – Przez chwilę próbowałem wyjaśnić Ma-dźi, że pytanie, które miała zadawać, nieco różni się od jej: „Gdzie jest Picasso, gnoju?" Ona jednak stała na krześle z tak dzikim uniesieniem, miała tak wielką frajdę, a teraz dzieci z dołu skandowały razem z nią, że wydawało się to nieistotne, może wręcz o to chodziło w tym pytaniu. – *Pii-kasso kaha he, maderćod?*

Później, gdy próbowaliśmy ochłonąć, a Ma-dźi jęczała z powodu bólu w plecach, Sandhja odstawiła filiżankę herbaty i zapytała, wciąż trochę zapłakana:

– Czemu wszystko jest takie nikczemne, Ikbalu? Dlaczego o wszystkim decydują pieniądze?

– Nie wiem – odparłem. – Może wszystko decyduje o pieniądzach. – Spojrzała na mnie, zaintrygowana. Sam niezupełnie wiedziałem, co miałem na myśli, więc w końcu musiałem przyznać: – Nie wiem, co to znaczy.

– Może po prostu próbujesz stworzyć me-ta-forę – powiedziała i oboje wybuchnęliśmy śmiechem.

Niech pan spojrzy, widać światła dworca Surat. Kto wie, co się wydarzy? Może jutro wjedziemy razem na dworzec Bombay Central. Później, na peronie, uniosę rękę w geście pożegnania i już więcej się nie zobaczymy. Pojadę prosto do domu Sandhji, żeby podrzucić te umowy, które dotyczą dużego projektu z Delhi. Z chwilą gdy doprowadziliśmy do ustabilizowania systemu i pieniądze przestały znikać z ksiąg firmy Sridhar and Sons, okazało się, że Das to dość niezwykły facet z kontaktami w różnych miejscach, teraz więc trochę rozszerzyliśmy działalność i mamy nowe biuro, niezbyt duże, pracują dla nas dwie dodatkowe osoby, może niebawem dołączy jeszcze jedna. Często podróżuję do Delhi. Nie jesteśmy jeszcze zbyt dobrze znaną firmą, ale za to większą.

Chce pan oczywiście wiedzieć, co się stało z Maniszim-dźi i Ronakiem-dźi. Kiedy Das przedstawił im zarzuty, najpierw wszystkiemu zaprzeczali. Gdy wpadł w gniew i zaczął grozić, Ronak-dźi załamał się i przyznał do winy, potem zaś obaj błagali o przebaczenie i tłumaczyli, że chcieli tylko przysłużyć się firmie. Wyrzucił ich tamtego popołudnia, a tydzień później obaj wytoczyli firmie sprawę, twierdząc, że zostali wrobieni, pozbawieni w oszukańczy sposób pensji i emerytur, skrzywdzeni, bo próbowali ujawnić oszustwo i defraudację. Sprawa się przeciąga.

Przeciąga się też sprawa z Anubhawem. Tak, chciałbym móc panu powiedzieć, że Sandhja już nigdy się z nim nie spotkała, że został przegnany na dobre. Ale wiadomo, że życie nigdy nie robi tego, co powinno. Anubhaw miał dużą wystawę w galerii Puszkara i wspaniały wernisaż. Mahatre zrecenzował jego obrazy w sposób, który mogę jedynie nazwać entuzjastycznym. Napisał, że Anubhaw stworzył zapadający w pamięć obraz realiów indyjskiej wsi. Tylko tego pierwszego wieczoru Ratnani kupił pięć płócien. Od tamtej pory, w ostatnim miesiącu, Sandhja dwa razy zjadła z Anubhawem lunch. Twierdzi, że po to, aby wszystko przedyskutować. Obaj wiemy, co naprawdę się dzieje. Kłopot z urodą polega na tym, że nie da się nigdy z niej zrezygnować. Wiem więc, że jutro Sandhja powie mi o następnym lunchu, próbując ukryć poczucie winy. Ja postaram się być miły i weźmiemy Lalita na spacer, a on będzie szedł między nami, podskakując i trzymając nas za ręce.

Kiedy dotrę do domu, będzie już późno. Nie zapalę światła, bo mój brat i jego żona będą spali na podłodze salonu. Prześlizgnę się obok nich, trzymając walizkę przy boku. Będę słyszał z sypialni chrapanie ojca, a może też odgłosy wiercenia się cierpiącej na bezsenność matki. Bez trudu odnajdę dwa schodki prowadzące do mojego pokoju, a gdy zamknę za sobą drzwi, zapalę światło. Kiedyś był tu balkon, więc pokój ma dziwaczny kształt, jest długi i wąski. Zdejmę ubranie i położę na wąziutkim łóżku, nie gasząc światła. Będę myślał o Anubhawie. Człowiek nazwiskiem Widjarthi powiedział mi, że Anubhaw zawdzięcza dobrą recenzję Mahatrego temu, że obsłużył nawet panią Mahatre. Widjarthi użył tego słowa: „obsłużył". Mówię panu o tym nie dlatego, że w to wierzę, ale żeby pokazać panu świat sztuki takim, jakim go znam, jako pewną estetyczną całość, i żeby powiedzieć, w co nie wierzę. Anubhaw Radźadhakszja jest z pewnością dziwką, pasożytem i łgarzem, ale jestem mu coś winien. Jestem mu winien uznanie za talent. Wierzę, że go ma. Gdy już się położę, spojrzę w nogi łóżka i na małym stoliku zobaczę obraz w ramie. Rama jest moja, obraz jego. Po tym, jak pomogłem Ma-dźi wyrzucić płótna i materiały Anubhawa, następnego dnia pomagałem jej sprzątać jego pokój. Za szafką znalazłem zwinięty i zapomniany obraz przedstawiający młodego mężczyznę opierającego się o ścianę przed plakatem do filmu *Deewar.* U góry obrazu widniał czerwono-żółty zawijas, chodnik był naszkicowany ołówkiem, lecz odkąd ostatni raz widziałem płótno, Anubhaw popracował trochę nad postacią mężczyzny, nad kłębem dymu z jego papierosa, nad jego twarzą. Zrozumiałem, że to Radźeś, wziąłem więc sobie to płótno. Wziąłem je, nie płacąc wygórowanych sum, jakie zapłacił Ratnani, pomyślałem jednak, że oddałem Anubhawowi wystarczająco dużo. Może nie dosyć, ale zawsze coś, niejedną przysługę.

Będę leżeć w łóżku i patrzeć na obraz. Będę się zastanawiał, co w postaci na płótnie jest Radźeśem. Tak, chciałbym móc panu powiedzieć, że go znaleźliśmy, że wiemy, co się stało. Ale życie nigdy nie robi tego, co robić powinno. Po prawie dziewięciu miesiącach wiemy, że pracował u jakichś *bhai log.* Znam obecnie nazwisko wąsatego mężczyzny z klubu i wiem, że znany jest Ratnaniemu. To wiemy. Ale nic więcej. Podinspektor powiedział, że w tym życiu niektórzy po prostu znikają. Odparłem, że jestem tego świadom. Te fakty oraz teoria, którą stworzyłem, żeby to wszystko sobie wytłumaczyć, te wątki, które dodawały mi otuchy i budziły przyjemny dreszcz przerażenia, zostały wybielone siłą mojego skupienia. Przewalają się w mojej głowie z głuchym brzękiem. Ale ten obraz jest samym życiem. Będę więc leżał w moim łóżku i patrzył na niego. Będę patrzył na łuk biodra, rękawy koszuli podwinięte na krągłych bicepsach. Na ukryte w cieniu czarne oczy i lok na śniadym czole. Będę leżeć w moim długim wąskim pokoju, patrzeć na mocne palce trzymające biały papieros i zastanawiać się, co w tych kształtach jest Radźeśem.

Kiedy się obudzę, będzie ciemno, światło będzie zgaszone i będę wiedział, że matka weszła do pokoju, naciągnęła mi prześcieradło pod brodę i przez chwilę siedziała obok z dłonią na mym czole. W samotności będę szukał obrazu w przyćmionym zmieniającym się świetle. Zobaczę jedynie migotanie w mroku, biel, która wyłania się z cienia. Zrozumiem, że Radźeś nie kryje się w tych konturach, że to ciało nie kryje się w tym kolorze. Istnieje jednak tamten kolor, który przenika całe ciało, *rang ek śarir ka*[*]. Istnieje tamten blask. Wiem, co to jest – to pustka w moim sercu.

---

* O ile używane wcześniej określenie, *śarir ek rang ka*, znaczy „ciało o jednej barwie", sformułowanie *rang ek śarir ka* oznacza „barwa jednego (pewnego) ciała".

Śanti

Nie znoszę niedzielnych wieczorów. Przytłacza mnie to powolne zstępowanie w półmrok, ten koniec bez końca niosący z sobą przedsmak śmierci. Nie tak dawno temu, pewnego niedzielnego wieczora, kilkanaście razy włączyłem i wyłączyłem telewizor, trzy razy przemierzyłem swój pokój, usiadłem na podłodze i próbowałem poczytać powieść sensacyjną, znowu włączyłem telewizor i w końcu niespożyta wesołość telewizyjnych gawędziarzy wygnała mnie z domu. Chodziłem bez celu ulicami, słuchając niemilknących odgłosów dziecięcych zabaw, zmęczony lekką nostalgią, która mną owładnęła. Nie miałem bladego pojęcia, czego szukam, ale dopiero wtedy nagle uświadomiłem sobie, ile mam lat, i wydało mi się okrutne, że czas mija tak łagodnie i zostawia za sobą długie zwoje niezapamiętanych lat. Potem poszedłem długim łukiem nadmorskiego wału przy Hadźi Ali, zmierzając się w stronę białej sylwetki meczetu unoszącej się na wodzie.

Na skrzyżowaniu nie wiedziałem, co zrobić. Stałem, zbyt zmęczony na jeszcze jedną długą wędrówkę i wciąż zbyt niespokojny, żeby wracać do domu, i kiwałem się trochę z boku na bok. Wtedy poczułem delikatne klepnięcie w ramię. Był to Subramaniam.

– Chodź – rzekł. – Dam ci coś do picia.

Taszczył postrzępioną *thelę* i zatrzymywaliśmy się po drodze, żeby napełnić ją chlebem, marmoladą i butelkami wody sodowej. Mieszkał w starym nędznym budynku koło Tardeo, w mieszkaniu, do którego prowadziły cztery biegi kamiennych, zdartych pośrodku schodów. W drzwiach oznaczonych mosiężnymi literami nazwiskiem „Subramaniam" schyliłem się, żeby zdjąć buty, i stwierdziłem, że mieszkanie jest chłodne i duże. Były tam stare wysokie sufity i ściany obwieszone rycinami. Usiadłem w salonie na wytartych poduchach ciężkiej tekowej kanapy i podkurczyłem palce stóp spoczywających na zimnym marmurze. Subramaniam wszedł z miską chrupek.

– Nowa marka – rzekł z uśmiechem, stawiając je przede mną na stole. Następnie nalał mi drinka. Usiadł w fotelu, który nieco zaskrzypiał, i uniósł ku mnie swoją szklankę.

– Dawno pana nie widziałem – zauważyłem.

– Tak – odparł. – Niestety moja żona nie czuje się dobrze.

– Przykro mi. Mam nadzieję, że to nic poważnego.

Subramaniam nieznacznie, w typowy dla siebie sposób wzruszył ramionami.

– W pewnym wieku wszystko jest poważne i nic poważne nie jest. – Wypił i odstawił szklankę na stół z krótkim brzękiem. Spojrzał na mnie przenikliwie. – Jak się miewa Aisza?

– Wczoraj była bardzo rozgoryczona patriotycznym filmem, który obejrzała – wyjaśniłem. – Zamartwia się stanem kraju. Tym, czym jej zdaniem jesteśmy. Jak na cynika zbyt często wpada w rozpacz. Jest moją przyjaciółką, ale niezupełnie ją rozumiem.

Pokiwał głową.

– Posłuchaj – rzekł. – Chcę ci opowiedzieć pewną historię.

Pociąg sunący po powierzchni żółtej trawy. To właśnie najpierw zobaczył. Pióropusz czarnego dymu zmieniający powoli kolor w białym blasku. Przeszedł po długiej pochyłości terenu przed stacją, przez trzy tory, a potem po wzniesieniu wspiął się na grzbiet, który okazał się znacznie odleglejszy, niż sądził. Kiedy przeszedł na drugą stronę, znalazł się na bezkresnym płaskowyżu, równinie upstrzonej skarłowaciałymi krzakami, nieskończonej płaskiej powierzchni, która zlewała się z niebem. Zawrócił więc. Nie pamiętał już, co miał nadzieję znaleźć po drugiej stronie grzbietu, ale przez dwa miesiące patrzył na jego falisty kontur w oddali i w końcu wybrał się tam pieszo, żeby to sprawdzić. Teraz słońce paliło mu ramiona. Teraz zawrócił i zobaczył sunący po żółtej trawie pociąg.

Był rok tysiąc dziewięćset czterdziesty piąty, a on miał dwadzieścia lat. Nazywał się Śiw i miał brata bliźniaka, który nie żył, zginął rok wcześniej w Delhi, gdy uczestnicy hinduskiej parady trafili w niewłaściwe miejsce[*].

---

* Lata poprzedzające powstanie Indii i Pakistanu obfitowały w krwawe starcia pomiędzy hindusami a muzułmanami. Do wyodrębnienia tych dwóch państw z Indii brytyjskich doszło w 1947 r. i to właśnie w latach czterdziestych dochodziło do najstraszniejszych walk między wyznawcami obu religii.

W gazetach wyrażano żal z powodu ciągłych zamieszek na tle religijnym w mieście, doniesiono jednak z ulgą, że ten dzień przyniósł tylko sześć ofiar śmiertelnych. Jednym z tej szóstki był brat Śiwa, obdarzony identycznym ciałem jak on, łącznie z dziwnie krótkim palcem lewej stopy. Wcześniej nie zaznał goryczy lekceważenia małych liczb, ale teraz stale miał w ustach jej posmak. Także w tej chwili, kiedy potykając się, wracał na obolałych nogach ze swojego bezcelowego spaceru. Dzień ziewnął na jego oczach. Śiw mieszkał z siostrą i jej mężem w dużym bungalowie oddalonym o półtorej minuty marszu od stacji. W domu było tuzin przeczytanych już przez niego powieści, jego oprawiony w ramkę dyplom licencjacki na ścianie oraz dwoje małych dzieci, z którymi bardzo nie lubił się bawić. Zamieszkał z siostrą oraz jej mężem, zawiadowcą stacji po tym, jak napady milczenia Śiwa przeraziły jego rodziców. Siostra kochała go kiedyś najbardziej, szczególnie po narodzinach bliźniaków w ósmym roku jej życia i nawet teraz, pogrążona w smutku, w bezpiecznych czterech ścianach własnego domu znalazła dość szczęścia i wielkoduszności, żeby go pocieszyć. Jednak i dzień, i samo życie ciągnęły się bez końca niczym niegościnna równina żółtych traw. Śiw zorientował się, że idzie, a pociąg sunął, zostawiając za sobą fantastyczną smugę dymu.

Teraz niedostrzegalnie zwolnił. Musiał zwolnić, Śiw uświadomił sobie bowiem, że zatrzymał się na peronie stacji. Nawet wtedy jednak się przesunął, lśniąc we mgle upału i tworząc długą czerwoną plamę. Potem znowu się poruszał, sunął po żółtej płaszczyźnie. Śiw miał poczucie, że on sam stoi w miejscu, czuł jedynie szuranie nogami i pot ściekający po plecach, a pociąg, nie wiedzieć czemu, oddala się od niego. Później znalazł się na stacji. Przeszedł przez tory i wdrapał się na główny peron. Minął tablicę, która obwieszczała przybyszom, że są w „Leharii", leżącej na wysokości siedmiuset osiemnastu stóp nad poziomem morza, minął biuro zawiadowcy stacji i poczekalnię dla pasażerów podróżujących drugą klasą, drzwi kasy biletowej oraz podróżnych rozpartych na ławkach w zielonym kolorze i doszedł do sklepionego łukowo białego wejścia na stację. Tam przystanął, niepewny. Spojrzał na drugą stronę torów i zobaczył niewielką pochyłość terenu oraz jej odległe obrzeże. Dotarł do kresu swojego świata, wrócił i nie wiedział, co go czeka. Pociąg był teraz pojedynczym prostokątem zmierzającym na zachód. Śiw spojrzał wzdłuż torów w tym kierunku, a następnie z powrotem na wschód i nagle przyszła mu do głowy myśl, że może poczekać na następny, że od położonych trzy stopy niżej czarnych szyn dzieli go jeden krok. Pociąg będzie się poruszał bardzo wolno, ale z dużym impetem. Nie można go zatrzymać. Śiw dostrzegł teatralność tego pomysłu, był również zaskoczony, że nie wpadł na to wcześniej. Poczuł pewną ulgę. Teraz wydawało się to nieuchronne, przynajmniej jako wyobrażenie, i Śiw postanowił poczekać na następny pociąg i zobaczyć, co się stanie. Byłby to ten trzecia trzydzieści z Lakhnau.

Odkąd zarysował się jakiś plan, Śiw wydobył się z letargu. Nagle nabrał wigoru i poczuł silne pragnienie. W poczekalni dla podróżujących pierwszą klasą stała *matka* z wodą. Śiw szedł teraz energicznie i pomachał elegancko Frankiemu Furtado, zastępcy zawiadowcy stacji, spoglądającemu z zakratowanego okna na oddalającą się plamę na zachodnim krańcu nieba z miną, w której zwykle doszukiwano się chwalebnego kolejarskiego skupienia i stosownej powagi. W rzeczywistości zaś – wiedział o tym – Frankie marzył o Bollywood i teraz odwzajemnił jego pozdrowienie niespiesznym uniesieniem palców wspaniałej dłoni, którą opierał na żelaznym pręcie kraty. W tym jednym ruchu krył się dramat całego porannego seansu i Śiw uśmiechnął się blado, pijąc smaczną wodę z glinianego garnka. Była orzeźwiająca i zimna, a chochla wydawała głęboki dzwoniący odgłos, gdy zanurzała się pod jej ciemnym lustrem.

Śiw wlał sobie wodę do ust. Rozprysnęła się mu na szyję i pierś, pozwolił też, by spływała mu na twarz, a gdy usłyszał śmiech, zakrztusił się. Kiedy przestał kaszleć, odwrócił się i ujrzał tę postać przy oknie. Z początku widział tylko splecione dłonie, zwiniętą draperię szarego sari od kolan do ziemi. Po chwili zobaczył ją całą. Była chuda i bardzo młoda. Nie nosiła żadnych ozdób, żadnej bransolety, żadnych kolczyków. Oczy miała duże, gruby warkocz opadał na jej ramię, spuściła teraz wzrok i zakryła dłonią usta. Śiw włożył chochlę z powrotem do garnka i upuścił ją z brzękiem do wody. Wycofał się do drzwi, prześlizgnął się przez nie, po czym stanął na peronie, wycierając zarumienioną twarz.

– Kto tam stoi? – zapytał zastępcę zawiadowcy, którego oblicze rozjaśniło się na to pytanie. Frankie był tak naprawdę gwiazdorem filmowym, uwięzionym przez swojego ojca kolejarza, dziadków kolejarzy i rozmaitych stryjów kolejarzy w Leharii, którą zawsze nazywał fortem Zinderneuf. Kiedyś z błyskiem w oczach tłumaczył, jakie rozrzewniające perspektywy kryją się w pustynnych fortach, w egzystencji grasującego beduina, w skradzionych klejnotach i gwałtownej śmierci[*]. Teraz zaś wzrok mu się rozpromienił na myśl o przygodnych spotkaniach. Tymczasem rozległy się gwizdki.

– Pasażerka z drugiej klasy – odparł. – Ale umieściłem ją w pierwszej, bo jest bardzo piękna.

– Owszem – przyznał Śiw. Właściwie to była taka sobie, Frankie jednak bardzo się angażował w romantyczne historie.

Furtado przesunął palcem po liście pasażerów na tabliczce.

– Pani Śanti Ćohan – powiedział.

– Świetnie – rzekł Śiw, nie wiedzieć czemu rozdrażniony. Ruszył wzdłuż peronu, próbując na powrót wpaść w jednostajne tempo marszu sprzed chwili. Usiadł na zielonej ławce na końcu peronu i czekał. Wachlował się złożonym egzemplarzem „Times of India" i starał się nie myśleć, ale obrazy jak zawsze przemykały w głębi jego świadomości. Rozłożył gazetę na kolanie, wtedy jednak utonął w wielkim zamęcie świata, wiadomościach o pożarach, uchodźcach i miastach w ruinie. Autor listu podpisanego „Wiarus" napisał: „To, czy tych żołnierzy z tak zwanej Indyjskiej Armii Narodowej poderwał do walki swoiście pojmowany patriotyzm, czy też kierował nimi strach przed niesłychanymi prześladowaniami ze strony Japończyków, chyba nie ma nic do rzeczy; pewne jest to, że chwycili za broń przeciwko dawnym towarzyszom. Złamali przysięgę złożoną swoim oddziałom, swojej armii i swojemu królowi, a żołnierz, który zdradza swój *namak*, może spodziewać się tylko dwóch rzeczy: sądu wojennego i maksymalnej kary"[**]. Śiw zobaczył, jak padają, wyobraził sobie ich podziurawione kulami ciała. Zadrżał. Zamknął więc oczy i czując, jak strach powoli skręca mu trzewia, dał się ponieść niepewnym nurtom wspomnień. Wówczas jego nozdrza wypełniła woń Hariego, lekko gryzący aromat samego życia, bawełny, potu i ciała, prężących się

---

* Nawiązanie do powieści *Beau Geste* P. C. Wrena (lub jednej z jej ekranizacji) z roku 1924, w której opowiedziana jest m.in. historia znajdującego się na Saharze fortu Zinderneuf, oblężonego przez beduinów, a także dzieje pewnego skradzionego klejnotu.

** Podczas II wojny światowej liczni żołnierze indyjscy, jako poddani Wielkiej Brytanii, wzięli udział w walce przeciw państwom osi. Jednakże niektórzy Indusi byli zdania, iż dla dobra ich kraju lepszym wyborem było raczej współpracować z wrogami Brytyjczyków. Zarówno Niemcy, jak i Japończycy utworzyli oddziały z indyjskich jeńców wojennych i dezerterów chętnych do walki przeciw aliantom. Oddział utworzony pod auspicjami japońskimi na froncie południowo-azjatyckim nosił nazwę Indian National Army (Indyjska Armia Narodowa). *Namak*, dosłownie „sól", to symbol więzów lojalności.Ktoś, kto „zdradza swój *namak*", to ktoś nielojalny.

mięśni oraz olejku do włosów, którego sam używał, na Harim pachnącego jednak bardziej słodko. Otworzył oczy. Twarz miał zroszoną potem. Rozległ się stłumiony odległością gwizd.

Śiw wstał i dalej czekał. Czuł się teraz bardzo mały i pod ogromnym niebem oczekiwał spotkania ze zgrzytającym z mozołem pociągiem z Lakhnau. Widział, jak zbliżają się do siebie – parowóz na torach i kres jego życia – w wyniku serii zawirowań. Przesunął się do przodu i teraz od krawędzi peronu dzielił go jeszcze jeden krok. Widział pociąg, coraz większy, dyszący dymem krąg. Zaczął dokonywać kalkulacji, obliczeń czasu potrzebnego, by zrobić jeden krok, prędkości i drogi hamowania. Zauważył obok torów czerwone kawałki rozbitego *kulharu* i postanowił, że skoczy, gdy padnie na nie cień pociągu. To powinno wystarczyć. Pociąg nadjechał zaskakująco szybko i Śiw utonął w huku lokomotywy. Poczuł, że drżą mu nogi. Obserwował czerwone gliniane skorupy i w ostatniej chwili odwrócił głowę, by spojrzeć w głąb peronu. W barwnym wirze dostrzegł szarą nieruchomą postać. Gwałtownie odchylił głowę, poczuł ogromną masę lokomotywy, jej ciepło i ruszył naprzód, widząc nad sobą czarny łuk metalu, przecięty na pół padającym ukośnie promieniem słońca, łby nitów na powierzchni blachy, po czym zatoczył się do tyłu, z ręką nad głową.

Uświadomił sobie, że siedzi na ziemi z rozrzuconymi nogami. Czuł piekący ból w kości ogonowej. Podniósł się i pospiesznie przeszedł obok przedziałów pierwszej klasy, gdy pociąg hamował z ponurym piskiem. Ona schylała się właśnie, żeby podnieść brązową walizeczkę i Śiw był pewien, że go widzi. Odwróciła jednak głowę z wyrazem złości na twarzy i podeszła śmiało ku drzwiom wagonu, przy których stał z podkładką do pisania uśmiechnięty Frankie Furtado. Minęła go ze spuszczonym wzrokiem, a następnie usiadła w przedziale z na wpół podciągniętymi roletami. Śiw stał na zewnątrz, nie mogąc się sobie nadziwić. Widział jej rękę. Minęło dwanaście minut. Frankie machnął zieloną chorągiewką, pochylając się finezyjnie na bok, i pociąg dość nagle odjechał. Zostawił tylko czarną znikającą wstęgę dymu i Śiwa z jego pytaniami.

Frankie miał alfabetyczny wykaz nazwisk: „Madhoś Kumar, Magan Kumar, Nand Kumar, Narendra Kumar..." Czytał z niego co wieczór, gdy Śiw odwiedzał go w pokoju za National Provision Store, w jego pustynnej kryjówce, orlim gnieździe ozdobionym zdjęciami Ronalda Colmana. Frankie, obdarzony lekko falującymi włosami, rzadkim wąsem i jasną cerą, był najprzystojniejszym mężczyzną, jakiego Śiw kiedykolwiek widział, i wspólnie próbowali znaleźć ekranowy pseudonim, który zawarłby w sobie i emanował pełnym tajemniczym blaskiem jego profilu. Śiw lubił dla rozrywki wystawiać ów pseudonim ku wyimaginowanym światłom rampy, wpisywać go do czasopism, które Frankie zbierał i przechowywał z niewzruszoną powagą. „Nitin Kumar podpisuje kontrakt z MovieTone" albo „Olśniewająca rola Oma Kumara w filmowej megaprodukcji" zostały wypróbowane, sprawdzone, sklasyfikowane, ocenione, oszacowane i nie zdały egzaminu w tej analizie. Dyskusja ta zawsze odbywała się na małej *ćabutrze* przed mieszkaniem Frankiego, gdzie szprychy jego roweru lśniły w blasku księżyca. U podstawy muru rosło kilka uwalanych ziemią krzewów oraz gałęzie *ćameli* zwisające nad murem z ogrodu Lala Manohara Lala. Dwie córki Lala były oczywiście zakochane we Frankiem, lecz dziś wieczorem nawet widok sióstr kręcących się na dachu budynku po drugiej stronie ulicy jak dwa przysadziste słowiki w niczym nie osłabił ogromnej tęsknoty Śiwa.

Przepełniała go nostalgia tak gorzka, że znowu miał ochotę umrzeć. Czuł się tak, jakby opuścił swą cielesną powłokę. Nie było to przejście ku nieuniknionemu bezruchowi odrętwienia, nie, wcale nie. Teraz, w ciemności, Śiw poczuł pierwsze ruchy nocy, pulsujący warkot, który przemieszczał się w oddali. Miał też przenikliwą świadomość, jak niewielki jest podest przed domem i jak maleńki jest pokój Frankiego z jednym obwisłym *ćarpai*, łuszczącym się białym tynkiem na ścianach oraz nieforemnymi zielonymi oknami, których nie dało się domknąć. Nawet blask księżyca nie skrywał brudu, rozmamłanej brzydoty oraz krowich placków małego prowincjonalnego miasta, niewiele różniącego się od byle wiochy.

– Widziałeś ją wcześniej? – zapytał głośno. Był zły i nie bardzo wiedział dlaczego.

– Tak – odparł Frankie. Stał prosto, przyjemnie ożywiony. – Dwa razy. Przejeżdża tędy chyba co dwa lub co trzy miesiące. Taka piękna i taka samotna.

– Dokąd jeździ?

– Nie wiem. Przed stacją łapie *tongę*. Myślę, że do garnizonu. Na jej walizeczce jest napis namalowany od szablonu.

W odległości czterech mil od stacji znajdowała się kwatera główna brygady, a dalej lądowisko.

– Jest mężatką – stwierdził Śiw. – Przypuszczalnie odwiedza swojego męża wojskowego.

– Lotnika – uściślił Frankie. – Dlaczego miałaby go odwiedzać, zamiast zamieszkać w ładnym bungalowie? A gdy pokazała mi swój bilet, spostrzegłem, że ma też inne. Na trasy kolejowe w całym kraju, człowieku. Po co?

– Nie wiem – odburknął Śiw. – Nie wiem. A zresztą, czemu miałoby to nas obchodzić? W końcu jest mężatką.

Frankie ściągnął brwi. Wsparł dłoń na biodrze, wzruszył ramieniem w przesadnym, powolnym geście. Śiw dostrzegł, że gest jest przerysowany, nieprawdopodobny w swojej wytworności, lecz w srebrzystym świetle okazał się całkowicie wyobrażalny i zupełnie na miejscu, jakby świat nagle się zmienił, ruszył z posad i stał odrobinę większy, na tyle duży, by pomieścić Frankiego Furtado. Frankiego, który odgarnął teraz włosy i odwrócił się majestatycznie, piękny i komiczny. Śiw zamknął oczy i uciskał je palcami, dopóki nie poczuł bólu.

– *Kaha gaja rančor? Dunija ke rehnewalo bolo, ćhinke dil mera, kaha gaja rančor?**) – zaśpiewał Frankie. Głos miał dobry, lekki, a mimo to pełen przejęcia, zachwytu własną sztuką wokalną. Śiw uciekł od tego śpiewu.

Rana cięta na prawej dłoni. Niezbyt duża, o przedziwnie prostych brzegach i stałej głębokości. Jeszcze jedna na lewym przedramieniu, od tego samego prostego ostrza. To właśnie zapamiętał Śiw. Kiedy szedł do domu zakurzonym zaułkiem, przypomniał sobie ciemne perły krwi zakrzepłej na bladej skórze trupa. W kostnicy nie mógł znieść widoku ran, tych uszkodzeń, tych rozdarć na powierzchni ciała i lubieżnego ujawnienia tego, co skrywała skóra. Teraz uchwycił się kurczowo tej nieruchomej postaci jako jedynej rzeczywistości. To martwe ciało na płycie z szarego kamienia, ten zapach – to był świat odarty z całej fikcji. W ciągu paru minut w zaułku nieopodal Ćandni Ćoku z całego życia zostało zaledwie tyle, cały idealizm Hariego, jego przynależność do Kongresu i kult Nehru, jego wiara w zmiany i oszczędny ascetyzm jego trzech *kurt* z *khadi*, zawstydzający apetyt na mango, wszystko to sprowadzone do woni rozkładu. Wszystko gotowe do kremacji. Śiw wyciągnął w ciemności rękę i kroczył ostrożnie, dotykając muru końcami palców. Wspomnienie martwego ciała brata dawało pewne poczucie bezpieczeństwa. Kryła się w tym pewna logika, kapitalna nauka o naturze świata. Śiw był tego świadom. Kłamstwa Frankiego, jego urojenia o przeszłości i przyszłości były zwiastunem nieuchronnego nieszczęścia. Śiw wiedział, że wierzyć Frankiemu, wierzyć w niego, w to, że mógłby egzystować w Leharii, to narażać się na otwarcie serca, na powstanie uczucia, które znowu wprowadzi w jego życie piekło nadziei i wyrzutów sumienia. Miał to już za sobą.

– Miałeś udany wieczór? – Szwagier Śiwa, Radźan, lubił siadać po kolacji w fotelu na podwórzu ich domu. Śiw widział łuk jego łysej głowy i obłe kontury ramion.

– Tak – odparł i zamknął za sobą drzwi swojego pokoju. Wiedział, że za chwilę jego *akka* wyjdzie pospiesznie ze swojej sypialni i będzie chciała podać mu kolację. On był okropnie opryskliwy, a oni już do tego przywykli. Zachowywali cierpliwość. Leżąc na łóżku, otulił się śmiercią. Słyszał za oknem samotny, płaczliwy krzyk jakiegoś ptaka. Wiedział, że ptak w końcu umilknie, starsza siostra i jej mąż przestaną szeptać do siebie i zasną, dom pogrąży się w spóźnionym milczeniu, w ciszy, w której w jego głowie rozlegnie się echo powolnego skrzypienia drzew. Śiw będzie czuł, jak jego jaźń, jego dusza raz po raz zwraca się w głąb siebie, aż staje się niczym struna, lśniąca i krucha. Nie było to przyjemne uczucie, ale za to dobrze mu znane i lepsze niż wszystko inne.

Uzmysłowił sobie, że na nią czeka. Kiedy pedałował po mieście z lekcji na lekcję, przyspieszał na każdym zakręcie w pokrytych koleinami zaułkach, mimo że po drugiej stronie każdego skrzyżowania znajdowała się taka sama kałuża stojącej wody, taki sam ślad z czarnych jak smoła kulek koziego łajna, te same kmiotki z Leharii w łopoczących *padźamach* ze swoim *Ram Ram, Śiw Bhaija*[*)]. Na stacji siadł na peronie pierwszym i obserwował pociągi. Frankie uśmiechał się czule i nucił pod nosem *Mere pija gaje Rangun*[**)], ilekroć przechodził obok. Radźan sądził, że Śiw w końcu, w zupełnie naturalny sposób, uległ urokowi lokomotyw parowych, że stał się wielbicielem czarnych ślicznotek, które pędziły na horyzoncie, miłośnikiem ich niezdarnej gracji i donośnej mocy. W ciągu dnia w chwilach spokoju często przysiadał się do niego.

– Lokomotywa firmy Beyer Garrat, najnowszy model, rok tysiąc dziewięćset trzydziesty dziewiąty. Używana tylko w ekspresach. Spójrz na nią!

---

* „Ram Ram" to tradycyjne powitanie, używane częściej na wsi niż w miastach. Dlatego też taki sposób mówienia jest dla Śiwa przejawem prowincjonalności mieszkańców Leharii.

** „Mój ukochany wyjechał do Rangunu" (ang. zapis: *Mere piya gaye Rangoon*). Słowa i tytuł piosenki, która pojawia się w filmie *Patang* z roku 1949.

Całkowita powierzchnia ogrzewalna, z przegrzewaczem łącznie, ponad cztery tysiące stóp kwadratowych.

Śiw słuchał opowieści o pociągach i wyobraził sobie tory biegnące jak strzały po ogromnych równinach na północ i przez skalisty płaskowyż na południe, serpentynami na przyprawiających o zawroty głowy stromych górskich grzbietach oraz przez czarne pustynie. Pomyślał, że ona siedzi przy na wpół otwartym oknie, z rękami na kolanach, i zastanawiał się, co właśnie robi. Kim jest? Dokąd jedzie? Dlaczego wraca? W miarę pojawiania się kolejnych pytań zrozumiał, że wszystko się zmieniło. Obecnie, zamiast długiej bezsenności i jałowej, męczącej godzinnej drzemki przed świtem, znajdował nocą obfitujący w gwałtowne zwroty akcji, wyciskający poty sen, w którym roiło się od obrazów. Miał długie, fantastyczne i krwawe wizje z dzieciństwa, a także przygody w lasach i niesamowitych *serajach*, gdzie nimfy z długimi czarnymi włosami wiły się w swoich objęciach. Przez cały czas był głodny i ku promiennej radości swojej siostry, wyrażanej w radosnych listach do rodziców, jadł ze smakiem przyrządzane przez nią *uttapam*. A pewnego sierpniowego wieczoru poprosił nawet Frankiego Furtado, żeby zaśpiewał *Kaha gaja rancor.* Frankie oparł się o ścianę obok okna, wąski pasek bieli na tle czarnych chmur, zwrócił twarz ku światłu i śpiewał, gdy deszcz kłębił się nad zielonymi polami.

Śiw wierzył, że jakoś się dowie, że wróciła, wyczuje jej obecność w krętych zaułkach. Chociaż śmiał się z wpływu Frankiego na swoje myśli, wierzył weń. Kiedy jednak przyjechała, przegapił ten moment całkowicie. Ściągał klamerki do spinania spodni, gdy Frankie wybiegł przed stację i go tam znalazł.

– Gdzie się podziewałeś? Ona tu jest – powiedział, mocno ściskając Śiwa za ramię. – Jest tutaj.

– Gdzie?

Z zakończonego blankami dachu stacji spływała gruba tafla wody rozpryskującej się głośno na donicach z kwiatami.

– W dwudziestce czwórce. Musiała dość długo czekać na *tongę*, przypuszczam, że to przez ten deszcz. W końcu odjechała jakieś dziesięć, piętnaście minut temu.

Śiw przerzucił nogę przez ramę roweru i ślizgając się, ruszył w padającym deszczu. Jego plastikowa czapka spadła z pluskiem w błoto, ale Śiw jechał dalej, wzbijając wodny łuk nad jezdnią. Z całych sił naciskał na pedały, czując opór wody na kołach. Unoszony poziomo wiatrem deszcz siekł go po roześmianej twarzy. Ubranie na piersi miał przemoczone, ale pocił się pod płaszczem przeciwdeszczowym. Przejechał przez główny bazar, gdzie sklepiki sprawiały przytulne wrażenie w deszczowym mroku. Później zmagał się z długim podjazdem, gdzie droga rozwidlała się na równe szeregi *civil lines* i garnizonu*), a wiatr spychał go z roweru. Po chwili ujrzał jednak przed sobą zarys *tongi* żeglującej po wodzie. Wściekle nacisnął na pedały, zbliżył się do powozu i zwolnił. Słyszał stłumiony stukot kopyt, świst kół. Z tyłu *tongi* były zaciągnięte kawałki sukna, przypominające zasłony, ale Śiw widział stopy dziewczyny na oparciu ławki. Utrzymywał nieduży dystans. Wsłuchiwał się w deszcz i własny oddech. Nie miał pojęcia, co zrobić.

Zatrzymał się przy dużej dwuskrzydłowej bramie. Za nią biegł łukiem szeroki podjazd prowadzący do prostopadłościennego budynku, w którym mieścił się szpital wojskowy. Widział, mrużąc oczy przed kłującymi kroplami deszczu, *tongę* stojącą obok zaopatrzonego w balustradę wejścia, ociekającego wodą konia, jej walizeczkę i ją, przekraczającą pospiesznie, z pochyloną głową, próg szpitala. Czekał, dygocząc teraz z zimna. W końcu, gdy zrobiło się ciemno i widział jedynie rzędy oświetlonych, rozpromienionych i nieodgadnionych okien, odwrócił się i kaszląc, popychał swój rower w drodze do domu.

Nazajutrz rano obudził się z gorączką. Siostra Śiwa dostrzegła ją w jego zaczerwienionych oczach i ostrożnym chodzie, ale mimo jej protestów wypadł jak wicher z domu i pojechał na stację. Zrobiło się cicho, deszcz nie padał i ta cisza była mokra, świeża i na wskroś zielona, on zaś czuł się zagubiony pod ogromem gładkiego szarego nieba. Frankie czekał na niego przy wejściu na stację.

– Jest w poczekalni – powiedział.

Śiw skinął niecierpliwie głową. Ruszył peronem obok wiader wypełnionych piaskiem i dwóch kulisów opatulonych płachtami w czerwoną kratę i spowitych chmurą dymu z *biri*. Zatrzymał się na chwilę przed poczekalnią, rozczesując palcami splątane włosy. Oczy płonęły mu zimnym blaskiem. Pchnął drzwi i ze wzrokiem wbitym w podłogę wszedł do poczekalni. Zna-

---

* W czasach brytyjskich wiele indyjskich miast dzielono na osobne sekcje, których wyróżniano trzy: zamieszkana przez ludność miejscową (native quarter), garnizon (cantonment) oraz zamieszkana przez brytyjskich cywilów i urzędników (civil lines).

lazł gliniany garnek z wodą i gdy zanurzył w niej chochlę, uświadomił sobie, że jest naprawdę spragniony. Napełnił szklankę, wypił jej zawartość, odwrócił się i rzekł:

– Witam.

Spojrzała na niego z powagą, w milczeniu. Śiw zdał sobie nagle sprawę, ile musi ją kosztować, ile odwagi i siły wymagać samotne przemierzanie kraju wszerz i wzdłuż w tych czasach.

– Nazywam się Śiw Subramaniam – powiedział. Ona spuściła wzrok, a on zawstydził się, że ją prześladuje, jak wielu innych mężczyzn czyniło zapewne w trakcie jej ciągłych podróży, i odsunął się w stronę drzwi. Właśnie wracał jednak Frankie, niosący tacę z dzbankiem na herbatę i filiżankami.

– Pani Ćohan – rzekł, zbliżając się szybko do stojącego przed nią stolika. – Herbata dla pani. – Rozstawił filiżanki eleganckimi ruchami ręki. – Proszę. Obsłuży panią pan Subramaniam, szwagier szanownego pana zawiadowcy. – Spojrzał na Śiwa. – Proszę – dodał, po czym ukłonił się jej i zniknął.

Przez chwilę Śiw stał jak słup soli. Czuł zawroty głowy. Potem podszedł do stolika, ukłonił się i podniósł dzbanek. Pochylał się niezgrabnie, a porcelanowe naczynie bardzo mu ciążyło, ale napełnił jedną, a następnie drugą filiżankę i odstawił dzbanek.

– Z cukrem? – zapytał.

– Bez – odparła dziwnie matowym głosem. Wzięła filiżankę i spodek i trzymała je na kolanach. Śiw stał w idiotycznym bezruchu, po czym uświadomił sobie, że ona czeka na niego. Podniósł szybko spodek z filiżanką i usiłował opanować drżenie dłoni. Wypił łyk. Herbata była bardzo gorąca, zwykle też słodził, i to mocno, ale tym razem pił pospiesznie i przyglądał się kobiecie. W końcu podniosła swoją filiżankę do ust i wypiła.

– Przychodziła tu pani już wcześniej – zauważył.

– Jeżdżę do szpitala w bazie.

– Ach – westchnął Śiw. Nogi mu drżały i bardzo ostrożnie usiadł na lewo od pani Ćohan. Patrząc wprost na nią, dostrzegł, że jest bardzo szczupła, zaś to, jak czujnie trzyma głowę nad kościstymi ramionami, przydaje jej jakby heroicznej godności.

– Szukam mojego męża.

– Swojego męża?

– Zaginął w Birmie – wyjaśniła. – Jest pilotem.

Cóż można było na to powiedzieć.

Mówiła spokojnym głosem, a zdania padały miarowo jedno za drugim, bez cienia emocji. Tę historię opowiadała już wcześniej.

– A więc, w szpitalu...?

– Rozmawiam z żołnierzami, którzy stamtąd wracają. Wcześniej było ich tylko kilku. Teraz wracają wszyscy. Z obozów jenieckich. Oraz inni, z INA. – Spojrzała na Śiwa. – Ktoś przecież musiał go widzieć, spotkać. Dopiero dzisiaj poznałam żołnierza z czwartego pułku Gurkhów, który słyszał o jakimś pilocie myśliwca w obozie nad Irawadi.

Mówiła to z pełnym przekonaniem. Nazwami oddziałów i odległych miejsc sypała jak z rękawa.

– Pojadę więc do kwatery głównej armii w Delhi, dowiem się, kto był w tym obozie. Porozmawiam z nimi.

Pokiwała głową. Dopiła herbatę i odstawiła filiżankę na tacę. Później splotła dłonie na kolanach i wydawało się, że teraz gotowa jest czekać – na pociąg, na żołnierza z czwartego pułku Gurkhów albo na lotnika w samolocie opadającym nad drzewami. Znowu zapadła ta dziwna cisza, jakby świat się zatrzymał. I znowu Śiw poczuł, że znika w ogromnej cienkiej powłoce szarości nad sobą, w nagłej i bezkresnej zieleni na horyzoncie. Zamknął oczy.

– Ten żołnierz w szpitalu twierdził, że widział największego nikczemnika na świecie.

Śiw otworzył oczy.

– Kogo? Powiedział to pani ten Gurkha?

– Nie, nie – zaprzeczyła niecierpliwie. – Żołnierz na sąsiednim łóżku. Trafił tam z dwudziestego trzeciego pułku kawalerii.

I wówczas opowiedziała mu historię o najbardziej nikczemnym człowieku na świecie. Śiw słuchał, a jej słowa burzyły w nim krew. Skończyła, gdy cienie przywędrowały do poczekalni. Potem wszedł Frankie, powiedział, że pociąg zbliża się do stacji, i ruszyli peronem. Śiw trzymał jej walizeczkę w prawej dłoni i kroczył powoli za nią. Stali na peronie do przyjazdu pociągu, a gdy odjeżdżał, żadne z nich nie pomachało drugiemu ani nie podniosło ręki w pożegnalnym geście.

Frankie podszedł do przyjaciela.

– Nie wyglądasz zbyt dobrze – zauważył.

Śiw zemdlał.

Siostra przyciskała mu kubek do ust. Śiw zakrztusił się gorącym mlekiem i z niesmakiem odwrócił głowę od metalowego naczynia.

– Musisz wypić, Śiw – powiedziała Anuradha. – Musisz przemóc tę słabość.

Uniósł się na poduszkach, jego ciało było lekkie, gotowe unieść się w powietrzu. Wypił mleko i zobaczył, że na drugim końcu pogrążonego w mroku pokoju siedzi Frankie. Wręczył pusty kubek siostrze, nadal czując, jak gorący płyn bulgocze mu w gardle. Gdy Anuradha wyszła, Frankie odsłonił nieco okno, żeby Śiw mógł zobaczyć kłębiące się na niebie chmury. Widać też było krople deszczu miarowo rozpryskujące się na kamieniu za oknem.

– Wariat – rzekł Frankie. – Ale wyjdziesz z tego. Masz tylko lekką grypę.

Śiw pochylił głowę i pokój zawirował wokół łóżka.

– Rozmawiała z tobą bardzo długo – dodał Frankie z uśmiechem. – Widziałem. I bardzo poważnie. Co ci mówiła?

– Ona... – zaczął Śiw i umilkł, czując drapanie w gardle. Ponowił próbę. – Opowiedziała mi o największym nikczemniku na świecie.

Frankie odwrócił się i usiadł obok łóżka.

– Co przez to rozumiesz? – zapytał.

Śiw nie bardzo wiedział. To, co mu powiedziała, to, jak to zrobiła wczorajszego dnia, pozostało w jego pamięci tylko we fragmentach. Wspomnienie o tym zostało na przeciwległym brzegu mrocznego morza snu, zagubione wraz z zachodzącym słońcem i chorobą za odległym horyzontem. Sięgnął wstecz i w dłoni trzymał jedynie okruchy. W gardle uwięzły mu jednak słowa całej opowieści.

– Myślę, że powiedziała mi właśnie to. – Odchrząknął i poczuł ból.

Dotknąłem stóp mojej matki, a ona posłała mnie na wojnę z *arti*. *„Dża, beta"*[*] – powiedziała. Zostawiłem więc ją oraz woń zapalonego podczas

[*] *Arti* to hinduska ceremonia, podczas której modlący się wykonuje przed wyobrażeniem bóstwa koliste ruchy tacą, na której znajdują się kadzidła lub lampka, a także inne przedmioty o znaczeniu rytualnym. Rytuał *arti* ma zabezpieczać przed urokiem i dlatego wykonywany jest nie tylko przed posągiem bóstwa, ale i np. wobec osoby, która wróciła z dalekiej podróży lub w taką podróż wyrusza. W Indiach na oznakę szacunku dotyka się stóp osob wyższych od nas statusem, jak np. nauczycieli lub rodziców. Słowa, które wypowiada matka do autora listu, znaczą: „Idź, synku".

modlitwy kadzidła i ruszyłem w drogę. Mój dziadek i ojciec służyli kiedyś w dwudziestym trzecim pułku kawalerii i tam właśnie trafiłem. Pułkownik McNaughten powiedział, że naszym zadaniem jest zabijanie Niemców, i zabijaliśmy ich. „Walczymy ze złem" – wyjaśnił. W kasynie wisiała karykatura Hitlera miażdżącego Afrykę pod butem z cholewami. Zabijaliśmy ich więc na Grzbiecie Ruweisat, na szlaku Rahman, na wzgórzach Aqqaqir*). Widziałem ogromne kamieniste pola, płonące czołgi i ciężarówki oraz ustawione na sztorc działa, dopóki moje oczy nie utraciły zdolności widzenia. Długie czarne słupy dymu i oleiste płomienie u ich podstawy. My zabijaliśmy ich, a oni nas. Mahipala Singha, Dźagata Singha, Naraina Singha. Kirpala Singha zabili nocą, gdy napotkaliśmy pierwszy regiment gwardii i wywiązała się strzelanina.

Na Tellu Niemcy próbowali przeprowadzić kontrnatarcie. Nadeszli w nocy zwężającym się zboczem, położywszy ogień zaporowy z dział, które im zostały. Naprzeciw, po drugiej stronie *wadi*, okopały się pierwszy i dziewiąty pułk z Suffolk. Mieli namierzone stanowiska karabinów maszynowych, dział przeciwpancernych oraz moździerzy rozlokowanych na zboczu. Przez całą noc Niemcy nacierali, a Suffolkczycy wycinali ich w pień. Słyszeli, jak Niemcy wołają do siebie. Po czym błyskały race i rozlegały się strzały Suffolkczyków. Niemcy próbowali nacierać raz po raz. Trwało to całą noc, rano zaś pułki z Suffolk ruszyły do kontrataku, utorowały nam drogę i przepuściły nas z lekkimi transporterami opancerzonymi wyposażonymi w erkaemy. Jechałem pojazdem opancerzonym na czele całego naszego pułku. Zjeżdżaliśmy z drugiej strony *wadi*, miażdżąc kamienie kołami i gąsienicami transporterów, i widzieliśmy zbocze usłane ciałami niemieckich żołnierzy. Padali tak blisko siebie, tak licznie, że wydawało się, iż skały pokrywa spłowiałe oliwkowe sukno mundurów, zielony dywan. Ciała Niemców. Oczywiście nie wszyscy byli martwi. Ale to nie miało znaczenia. Podskakując na wybojach, zjechaliśmy na dno *wadi*. Silnik wył, a my usiłowaliśmy pokonać skalny próg, ciężkie koła wrzynały się w ziemię, skały kruszyły się i wylatywały spod opon. Gdy wspięliśmy się niemal na sam szczyt zbocza, zatrzymałem pojazd.

---

* Grzbiet Ruweisat, Tell el Aqqaqir, a także trasa do miejscowości Sidi Abd el Rahman były miejscami, o które toczono boje w czasie trzeciej bitwy pod El Alamein (23 X – 4 XI 1942). W bitwie tej po stronie aliantów walczyły oddziały z licznych brytyjskich kolonii, m.in. formacje złożone z żołnierzy indyjskich.

Stanąłem w miejscu. Przez szczelinę w pancerzu, z odległości niespełna sześciu stóp, spoglądał na mnie jakiś Niemiec. Był bardzo młody, leżał wsparty na łokciu i miał te ich dziwne złocistobiałe włosy. Patrzył na mnie. Miał najbardziej niebieskie oczy, jakie kiedykolwiek widziałem, osadzone w pokrytej kurzem twarzy, oczy w kolorze nieba, których ani pani, ani ja nigdy nie widzieliśmy. Patrzył na mnie, a ja nie wiedziałem, czy żyje. „Niech to szlag, Haknam" – zaskwierczał mi w uszach głos kapitana Duffa. „Jedź dalej". Ja jednak nie byłem pewien, czy mężczyzna o niebieskich oczach żyje, on zaś patrzył na mnie. „Haknam, wstrzymujesz całe natarcie!" – krzyknął kapitan i pomyślałem o oddziale za mną, a potem o pułku oraz o armii i armiach i wszystkich krajach koalicji, zatrzymanych za moimi plecami. Puściłem więc sprzęgło i mężczyzna o niebieskich oczach spoglądał na mnie jeszcze przez kilka sekund, po czym przejechaliśmy po nim w górę zbocza, a pułk podążył naszym śladem. Silnik huczał w moich uszach, gdy z chrzęstem pięliśmy się do góry, ale ja słyszałem tylko ich, leżących na ziemi, ich wołania. *„Mutti. Mutti"*. Przejechaliśmy na drugą stronę pasma. Niemcy już nie mieli szans, ale nazajutrz, trzydzieści cztery mile dalej, napotkaliśmy linię niemieckich dział przeciwpancernych. Były umieszczone tuż przy ziemi i dobrze zamaskowane i Niemcy zaskoczyli nas, w pierwszej minucie dwa inne pojazdy z naszego oddziału stanęły w płomieniach. Wiedzieliśmy błyski z luf i jedno działo rozwaliliśmy, ale potem za moimi plecami i nade mną rozległ się ogłuszający huk. Podniosłem pokrywę włazu i wyskoczyłem na zewnątrz. Piasek się palił, czułem piekący ból za uszami i na ramionach. Upadłem, podniosłem się i biegłem co sił w nogach, i wtedy zrozumiałem, że się palę. Zacząłem tarzać się po ziemi i w końcu zdołałem zgasić ogień. Nasz pojazd eksplodował i już nigdy nie widziałem żadnego z nich, ani kapitana Duffa, ani pozostałych. Trafili nas pewnie z osiemdziesiątki siódemki.

Wylądowałem w szpitala polowym i w końcu, w Kairze, amputowali mi lewą rękę. Wyskakując z pojazdu, nie zdawałem sobie z tego sprawy, ale miałem w niej pogruchotane wszystkie kości. Rękę amputowano, ale o dziwo nie czułem żadnego bólu, ani wtedy, ani później. Ale było coś jeszcze. Kiedy wreszcie mogłem chodzić, udawałem się na dziedziniec szpitala, lubiłem siedzieć tam na ławce. W krokwiach dachu gnieździły się ptaki, które sfruwały po pokarm, na dziedzińcu była również fontanna. Pewnego dnia siedziałem sobie na brzegu wyschniętego zbiornika fontanny. Zjawił się jednak radżput, który wyniósł miskę wody dla ptaków i umieścił ją, tę miskę, w zbiorniku. W zwierciadle wody ujrzałem, że moje oczy stały się niebieskie. Wszedłem do budynku, znalazłem łazienkę z wyszczerbionym lustrem i okazało się, że nadal są w tym kolorze. Moje oczy były niebieskie i gdy tak patrzyłem na tego mężczyznę, człowieka, który przede mną stał, spostrzegłem, że jego opalona twarz jest okrutna, a oczy nieruchome, ani żywe, ani martwe, osobliwe na tle tej twarzy. Miał najbardziej niebieskie oczy na świecie. I właśnie tak poznałem największego nikczemnika pod słońcem.

Kiedy Śiw skończył mówić, był wyczerpany. Osunął się na poduszki i pozwolił opaść swoim powiekom. Bał się jednak zasnąć. Poczuł, że Frankie podciąga mu prześcieradło pod szyję.

– Widziała go? – zapytał szeptem zastępca zawiadowcy. – Czy widziała jego oczy?

– Tak – odparł Śiw. – Widziała go i mówiła, że miał najbardziej niebieskie tęczówki, jakie kiedykolwiek widziała, nie tylko u Indusów, ale i u Anglików, Niemców bądź jakichkolwiek innych istot.

– Śpij – rzekł po chwili Frankie.

Śiw przeciągnął się pod prześcieradłem i przytknął policzek do poduszki. Czuł się zmęczony, ale zdrowszy, obolały, ale odprężony. Wiedział, że dojdzie do siebie. Zasnął.

Jego stan poprawił się na tyle, że rodzice zaczęli rozmawiać o ożenku syna. On zaś jeździł po mieście na rowerze, rozbryzgując wodę z kałuż i podśpiewując. Śmiał się na widok głębokich żółtych bruzd, jakie koła jego roweru wycinały w wodzie. Jego siostra i szwagier czuli ulgę, a zarazem lekką obawę, ta nagła zmiana wzbudziła ich niepokój, lecz rodzice Śiwa w Delhi byli przekonani, że teraz wszystko jest w porządku i nadeszła pora, by się ustatkował, że wszystko powinno się ułożyć. Tymczasem Frankie Furtado gorliwie obserwował pociągi – nawet te, które nie jechały do Bombaju. Powiedział Śiwowi, że posłuży się siecią zastępców zawiadowców stacji w całym kraju, aby ją odnaleźć, śledzić jej ruchy i przewidzieć powrót. Ten był jednak pewny, że Śanti wróci, i to już niedługo.

– Nie ma obawy, mój przyjacielu. Ona wróci – powiedział Frankiemu.

Frankie miał zawiedzioną minę, gdy jego marzenie o uruchomieniu sieci tajnych szpiegów prysło, lecz mimo to odkrycie jej nazwiska w wykazie rezerwacji ponad miesiąc później sprawiło mu olbrzymią satysfakcję. Znalazł Śiwa na peronie trzecim, gdy ten siedział na ławce z rękami zarzuconymi na oparcie ławki, wpatrzony w kołysane wiatrem źdźbła trawy.

– Jutro o jedenastej zero zero, mój przyjacielu – powiedział.

– Słucham? – odparł Śiw.

– O jedenastej zero zero – powtórzył kątem ust Frankie, z rękami w kieszeniach, znacząco odwracając wzrok.

Śiw przesunął spojrzeniem po pustym peronie i zapytał:

– Tak, ale co?

Frankie zmarszczył czoło i Śiw wybuchnął śmiechem.

– Co, ona?

– Tak, tak, ona – odparł uśmiechnięty od ucha do ucha Frankie, rezygnując z roli szpiega.

Śiw wstał i wziął przyjaciela pod rękę.

– Frankie Furtado, jesteś szalony – rzekł, prowadząc go po peronie.

Zastępca zawiadowcy odrzucił do tyłu włosy, teatralnie wzniósł dłoń ku niebu i odparł:

– Wychyliłem wina kielich i jestem szalony[*].

Śiw pomyślał, że Frankie rzeczywiście postradał zmysły i że on sam również oszalał, skoro zaś istnieje wino, to świat pewnie też się nim uraczył.

Kiedy jednak nazajutrz żona lotnika wysiadła z pociągu, Śiw zachował zdrowy rozsądek i był bardzo opanowany.

– Pani Ćohan – rzekł i zaniósł jej walizeczkę do *tongi*.

– Co powiedziała? – zapytał Frankie, szarpiąc go za łokieć, gdy dwukołowy pojazd ruszył spod stacji. – I co ty powiedziałeś?

– Nic – odparł Śiw. Frankie czuł się dotknięty. – Nie przejmuj się, stary. Wróci, to coś jej powiem.

– Co?

– Jeszcze nie wiem. Uzbrój się w cierpliwość.

Następnego dnia Śiw odnalazł ją w poczekalni. I znowu Frankie przyniósł tacę z herbatą w dzbanku, a Śiw znowu napełnił filiżanki. Śanti Ćohan piła herbatę w milczeniu, jak przedtem, potem jednak odkaszlnęła znacząco.

---

* Nawiązanie do słów z Księgi proroka Jeremiasza: „Jego wino piły wszystkie narody, dlatego w szał popadły" (Jr 51, 7; cytat za Biblią Tysiąclecia). W Biblii jest to symboliczna wizja pojenia narodów kubkiem gniewu Bożego, zapowiadająca karę Bożą, która spadnie na narody obce.

– Czy znalazła pani kogoś z obozu nad Irawadi? – zapytał Śiw.

– Tak – odparła. – Ale w tym obozie go nie było. Dowiedziałam się jednak o ucieczce jeńców z innego miejsca, wielu z nich więc wróciło.

Śiw pokiwał głową. Wracali tysiącami, z wojska, z obozów jenieckich i z tej drugiej armii, która walczyła z dawnymi towarzyszami broni. I każdy z nich budził w niej nadzieję, i rozpacz.

– Poznałam jednak... poznałam kogoś, pewną kobietę.

– Tak?

– Na dworcu autobusowym w Bareli. Była działaczką Kongresu.

Śiw skinął głową. Już miał powiedzieć, że jego brat również działał w Kongresie, ale głos uwiązł mu w krtani.

– Rozumiem – mruknął.

– Powiedziała mi o czymś.

– Tak?

– Powiedziała mi o kobiecie, która wróciła do przyszłości.

Później, gdy pani Ćohan odjechała, odjechała pociągiem, nie pomachawszy im ręką i nie spojrzawszy nawet za siebie, Frankie objął Śiwa ramieniem i zaprowadził go na koniec peronu.

– Więc? – zapytał. – Jak wam się rozmawiało?

– Gładko – odparł Śiw.

– Powiedz mi wszystko. Co ci powiedziała? Dowiedziałeś się czegoś nowego?

– O niej tak naprawdę niczego.

– Przecież spędziliście tam tyle czasu. Czego się zatem dowiedziałeś?

– Wybierzesz się ze mną na spacer?

– Dokąd? Tam? Nie, ty chyba oszalałeś.

Śiw widział jednak, że Frankie umiera z ciekawości, tak więc oczywiście poszedł, choć plamił sobie od trawy nogawki swoich białych spodni. Wspięli się wysoko na zbocze. Śiw wyjawił mu, czego się dowiedział od Śanti Ćohan.

Zingu usłyszał przemówienie jakiegoś polityka. Wracał pod koniec dnia do swojej chaty, było ciemno, stanął więc w mroku za rozbitym murem i słuchał mówcy. Polityk stał pod lampą marki Petromax i mówił, że wszyscy ludzie są równi. Mieszkańcy miasta klaskali. Zingu wrócił w ciemności do domu i tamtej nocy spał spokojnie, ale rano zabronił żonie iść do pracy.

Powiedział jej, że nie ma potrzeby, by dalej nosili gówna, a tym właśnie oboje się parali. Czyścili ręcznie latryny podwójnie urodzonych i wynosili ich odchody w koszach*. Powiedział, że jego syn będzie sędzią. Wyjaśnił żonie, że wszyscy ludzie są równi. Żona stwierdziła, że oszalał, wzięła swój cuchnący kosz i poszła do wsi. Ale on i jego syn i tak zostali zabici. Zingu wędrował z synem, głosząc, że wszyscy ludzie są równi, schwytali ich więc na polach za rezydencją Dhiresy, zabili i poćwiartowali. Jeden z zabójców uniósł stopę Zingu na końcu *talwara* i powiedział: „Patrzcie, jakie to duże. Nie wszyscy ludzie są równi". I tak właśnie dokonał żywota Zingu i jego syn.

To jednak nie koniec, ponieważ tego dnia synowa Dhiresy, Dźanamohini, suszyła włosy na dachu rezydencji. W świetle zimowego słońca leżała na *ćarpai*, rozłożywszy swoje bardzo długie ciemne włosy – mokre, faliste i lśniące – niczym wachlarz. Dźanamohini, matka dwóch synów i córki, była młoda, piękna i kochana i przez rozkoszny słoneczny sen ludzi zadowolonych z życia usłyszała w oddali brzęk mieczy oprawców ćwiartujących Zingu. Niechętnie otrząsnęła się ze snu, czując przyjemne zmęczenie po poprzedniej nocy, usiadła, spojrzała przez gzyms i zobaczyła stopę Zingu nadzianą na koniec miecza. Zakryła twarz i krzyknęła. Zbiegło się wiele osób, wujowie, ciotki i kuzyni. Pocieszali ją i mówili, że nic się nie stało. Potem Dźanamohini znowu była zadowolona i uśmiechnięta i tamtego wieczoru miała nawet apetyt.

Jednak w ciemności ujrzała z dachu łunę. Na polach płonęły ogniska. Zobaczyła tańczące przy ogniu postaci. Przyglądając się im długo, słyszała śpiew. Słyszała muzykę. W końcu mąż zawołał ją z dziedzińca rezydencji i Dźanamohini zeszła po schodach. Była radosna, śmiała się i bawiła z dziećmi, później jednak wymknęła się przez drzwiczki osadzone w zwieńczonej kolcami bramie z tyłu domu i wyszła na pola. Szła długo, kierując się bijącą od nieba łuną, i w końcu znalazła ogniska. Rzeczywiście wokół rozbrzmiewała muzyka i śpiew. Przy ogniskach tańczyli ludzie. Dźanamohini zrozumiała, że

* Hinduskie społeczeństwo dzieli się formalnie na cztery warstwy. Trzy warstwy wyższe – *bramini, kszatrija i wajśja* – nazywane są „podwójnie urodzonymi", ponieważ ich przedstawiciele, wstępując w dorosły wiek, przechodzą rytuał inicjacji będący symbolicznymi powtórnymi narodzinami. Przywilej ten nie przysługuje najniższej z warstw, *śudrom*. Grupy najniżej sytuowane w społeczeństwie wykonują często najbardziej podłe i kalające zawody, np. wynoszenie ekskrementów z domów innych kast.

wywodzą się z pogardzanej kasty, że to wesele, że piją alkohol i jedzą mięso, muzyka jest radosna. Powitali ją serdecznie, tańczyła więc razem z nimi. Piła ich alkohol i jadła ich mięso. I krążyła wokół ognisk*).

Później jednak młody Dhiresa i jego bracia, którzy spostrzegli otwarte drzwiczki, przyszli i zabrali ją z powrotem do rezydencji. Dźanamohini wyrywała się i krzyczała, ale jej mąż powiedział, że nie było żadnych ognisk, tancerzy, alkoholu ani mięsa. Powiedział, że w ogóle niczego nie było. W tym momencie Dźanamohini krzyknęła przeraźliwie: „Moje stopy, patrzcie, moje stopy!". Twierdziła, że jej stopy są zwrócone w niewłaściwą stronę. Że są odwrócone. „Patrzcie". I zaczęła chodzić do tyłu. Próbowali ją powstrzymać, ale chodziła coraz szybciej. Zaczęła biec do tyłu. Jej mąż zapłakał, a ona zapytała: „Nie widzisz? Jeżeli będę szła dostatecznie szybko, do tyłu, przeskoczę do dnia jutrzejszego". I mąż Dźanamohini znowu zapłakał.

Ściągnęli później wielu egzorcystów, wielu kapłanów, dwóch mistrzów tantry oraz lekarza z miasta, odtąd jednak Dźanamohini już zawsze chodziła do tyłu, szukając jutra.

Ale to jeszcze nie koniec, bo tamtej nocy – nie, nazajutrz rano – mieszkańcy rezydencji Dhiresy, ciotki, stryjowie i kuzyni Dźanamohini, zobaczyli po przebudzeniu, że ma białe włosy. W ciągu tej jednej, jednej zaledwie nocy jej przepiękne włosy, długie, wspaniałe, nasmarowane olejkiem i sięgające kolan, w całości zbielały. Z pachnącej jednolitej czerni miłości przeszły w biel szaleństwa. I to w jedną noc. A wszystko to zdarzyło się przez jedną noc.

– I ona – dodał Śiw – to znaczy pani Ćohan, zapytała kobietę, która jej o tym opowiedziała, czy to prawda.

– Rozumiem – rzekł Frankie. – A ta kobieta odparła, że...?

– Powiedziała: „Tak, to prawda, zapewniam cię, że to prawda, bo Dźanamohini była moją matką. Widziałam, jak zbielały jej włosy, zobaczyłam, że są białe w pierwszych promieniach porannego światła. I być może włosy mojej córki, jeżeli będę miała córkę, też będą białe".

– I ona, kobieta, która opowiedziała to pani Ćohan, miała białe włosy?

---

* Członkowie najwyższego ze stanów hinduskiego społeczeństwa, *bramini*, nie powinni jeść mięsa. W wyższych warstwach tegoż społeczeństwa spożywanie alkoholu jest również źle widziane.

– Białe, owszem. Była młoda, ale włosy miała białe jak sól na plaży, jak metal w świetle księżyca, jak słońce na indyjskiej fladze*).

– To znaczy białe – przyznał Frankie. – Biedny Zingu.

– Biedny Zingu.

Ruszyli z powrotem w kierunku długiego peronu. Nad budynkiem stacji rozciągało się ogromne marmurowe niebo, a wiatr smagał ich ciała.

– A ona? Dowiedziałeś się czegoś o niej? O jej mężu?

Śiw zastanawiał się z odchyloną do tyłu głową, kontemplując szarą wspaniałość chmur.

– Chyba nie – odparł.

– Nie zapytałeś?

– Nie.

– A nie chcesz wiedzieć?

Śiw wzruszył ramionami. Zdawał sobie sprawę, że uśmiecha się z zakłopotaniem.

– Wiem, że to dziwne – przyznał. – I chyba naprawdę chcę wiedzieć. I chyba się dowiem. Ale teraz, dzisiaj po prostu podoba mi się jej imię.

– Śanti?

– Tak

Frankie wsadził ręce do kieszeni, zgarbił się w ramionach i parsknął śmiechem.

– Niektórzy ludzie zakochują się w ciemnych oczach. Inni w bladych dłoniach ujrzanych w przelocie obok Śalimaru. Czemu więc nie mieliby zakochiwać się w imionach?

– To dobre imię.

– Wiem – rzekł Frankie i objął go ramieniem. – Ale, bracie, jakiś konkret od czasu do czasu nie zaszkodzi.

– Ty mówisz o konkretach, amancie?

– Amanci są praktyczni, mój młody przyjacielu.

– Naprawdę? Ciekawe. To chyba znaczy, że nie jestem amantem.

Frankie pokiwał ponuro głową, kiedy jednak odwracał wzrok, Śiw dostrzegł, że się uśmiecha. Trawa szeleściła pod ich stopami.

---

* Mowa o jednej z flag używanych przez indyjski ruch niepodległościowy, na której znajdowały się m.in. białe słońce i biały księżyc. Współczesna flaga niepodległych Indii tych elementów nie zawiera.

Teraz Śanti – tak właśnie myślał o niej Śiw – często przyjeżdżała do Leharii. Kiedy w Delhi rozpatrywano sprawę Dhillona, Sahgala i Śaha Nawaza*, a prawnicy, adwokaci oraz sędziowie ścierali się, chcąc ustalić raz na zawsze, kto był zdrajcą, a kto bohaterem, ona wędrowała po całym kraju śladem anegdot, aluzji i urojeń majaczących żołnierzy. Obecnie tropiła najmniejszy szept, cień widoczny przed laty na porośniętym dżunglą zboczu wzgórza, jęk niosący się po cuchnących łóżkach uginających się pod ciężarem umierających w gorączce mężczyzn. Ilekroć jednak przyjeżdżała, mówiła Śiwowi o czymś, czego dowiedziała się po drodze, o rzeczach, które docierały do niej na przemierzanych przez nią trasach, o jakimś incydencie, epizodzie, zrelacjonowanym jej przez jakiegoś staruszka, czyjąś młodą narzeczoną, ulubionego syna, gniewną synową, matkę, sierotę, a wszystko to prawdziwe, całkowicie prawdziwe. Opowiedziała mu o Dziesięciolatku Który Wstąpił do Teatralnej Trupy Śmierci, o Kobiecie Która Handlowała Ropą i Kupiła Latającego Konia Wyścigowego, o Farmerze Który Pojechał do Ameryki i Wpadł przez Dziurę na Drugą Stronę Świata, o Lichwiarzu Który Ujrzał Prawdziwe Oblicze Stwórcy, o Ghurabat i Jej Zbrodniczym Kochanku Który Płakał, o Narodzinach Najświętszej Zakonnicy na Świecie oraz o Upadku Imperium Wielkich Mogołów. I za każdym razem Śiw mówił, że to prawda. I oczywiście miał rację.

Pewnego styczniowego dnia Śanti nie miała jednak nic do opowiedzenia albo może nie miała siły mówić. Siedziała jak zwykle na krześle z pustą filiżanką na kolanach. Śiw zauważył, że zamknęła powieki. Zobaczył, jak drżą jej usta i jak bardzo opadły jej tak wyprężone zawsze ramiona. Wziął od niej filiżankę i postawił ją na stole. Na dźwięk cichego brzęku porcelany Śanti otworzyła oczy.

– Wypuścili ich – powiedział. – Wrócili do domu.

– Kto taki?

– Dhillon, Śah Nawaz i Sahgal.

---

* Wraz z klęską państw osi pokonana została również Indian National Army. Problematyczną kwestią było osądzenie schwytanych żołnierzy. Indie wciąż jeszcze były kolonią brytyjską i z punktu widzenia prawa ludzie ci byli zdrajcami, jednak w oczach społeczeństwa byli bohaterami, a rząd musiał brać pod uwagę opinie mas. Procesy oficerów INA odbyły się na przełomie 1945 i 1946 roku. Pierwszymi trzema sądzonymi byli trzej wysocy oficerowie, pułkownik Prem Sahgal, pułkownik Gurubaksz (ang. Gurubaksh) Singh Dhillon i generał major Śah (ang. Shah) Nawaz Khan.

Gazety triumfalnie obwieszczały wielkim czarnym drukiem: „WINNI, LECZ WOLNI!". Ci trzej, bohaterowie lub zdrajcy, wrócili do domu, skończyli z tym tak czy inaczej. Stwierdzono ich winę, zdegradowano, ale w końcu usłyszeli: „Jesteście wolni, możecie odejść". Wróciliby do domu i nawet gdyby nic, przenigdy, się nie skończyło, odgrodziliby się od wspomnień i zaczęli od nowa. Wszyscy z nich wracali, wracali do domu. Śiw pomyślał o nich, o tysiącach podróżujących po całym kraju w ścisku w telepiących się pociągach, autobusach i na wozach zaprzężonych w woły. Przyciągnął krzesło w stronę Śanti i usiadł przed nią z dłońmi na kolanach. Gdy słowa: „Jesteście wolni, możecie odejść" pulsowały mu w piersi, ciążąc na sercu, czuł, że drży mu kark.

– Usłyszałem coś – rzekł.

– Co takiego?

Odchrząknął. Przez chwilę czuł strach, głęboki i przytłaczający, i bał się odezwać, czuł jego parcie na mury idealnego więzienia, które wzniósł dla siebie, potem jednak spojrzał Śanti w oczy i przemówił. Powiedział jej, co usłyszał. Potem siedzieli, milcząc, i Śiw był jej wdzięczny za to milczenie. Bolały go ramiona i był bardzo zmęczony.

Kiedy znalazła się w swoim przedziale, na miejscu przy oknie, Frankie podszedł wolnym krokiem, aby oznajmić, że odjazd pociągu opóźni się o dwanaście minut. Śanti skinęła głową, a Śiw był zbyt pogrążony w nagłym zamęcie uczuć, by coś powiedzieć. Czuł w sercu radość pomieszaną z przerażeniem, czuł, jak skóra na ramionach cierpnie mu przyjemnie w świetle słońca; czuł też i smutek. Frankie spojrzał na niego, po czym wziął go za rękę i odprowadził na bok.

– Tym razem rozmawialiście – rzekł. – Gadaliście bez końca. Na jaki temat?

– Opowiadałem jej o czymś.

– Ty opowiedziałeś jej jakąś historię?

– Owszem.

– Mnie też opowiedz.

Śiw starał się spełnić jego prośbę. Otworzył usta, ale brakowało mu słów.

– Nie potrafię – odparł, roztrzęsiony. Wskazał na swoje gardło, pragnąc wytłumaczyć swoje wzburzenie.

– W porządku, jasne – rzekł Frankie, zbity z tropu, ale nieskory do rezygnacji z dalszych dociekań. – Zapytam ją.

I zapytał. Stanął przy oknie z przechyloną na bok głową. W przeciągłym szumie i syku pary Śiw słyszał słowa wypowiadane przez Śanti.

Amma obudziła się rano i wysprzątała dom. Posprzątała spiżarnie, pokoje wokół dziedzińca, zamiotła ciemne klepiska i wytarła gzymsy kominków oraz szczyty otworów drzwiowych. Umieściła nowe knoty w latarniach i napełniła je naftą. Spłukała wodą czerwony bruk dziedzińca i opróżniła *ćulhę* z popiołów. Dzieci wchodzące do jej domu i wychodzące zeń przez duże drzwi z żelaznymi opaskami mówiły swoim matkom, że Amma sprząta, kobiety z wioski uznały więc, że przyjeżdża jedno z jej dzieci.

Był to mały dom, ze spichlerzem z tyłu i porządną studnią. Dziadek Ammy wybudował go w czasach tak odległych, że uważała, iż nie da się określić jego wieku. Zbudował solidnie i Amma wróciła do niego po tym, jak jej mąż nauczyciel zmarł na tyfus. Wróciła z czworgiem dzieci, dwoma synami i dwiema córkami, z których najstarsze liczyło zaledwie jedenaście lat, do tej wioski zwanej Ćandapurem, i tutaj dożyła starości. Na imię miała Amita, ale we wsi nazywano ją Ammą. Nie potrafiła pisać ani czytać, swoje dzieci jednak wykształciła. Uprawa ziemi przynosiła niewielki dochód i Amma żyła spokojnie i w sposób równie daleki od zbytku jak ludzie ubodzy, ale dzieci posłała do szkoły w mieście. W jej domu książki uważano za rzecz świętą. Owijała je czerwonym suknem i układała w stosach na łóżku w największym z pokoi. Amma mieszkała na wsi i jadała tylko dwa razy dziennie, za to jej dzieci uczyły się w szkole z internatem. Najstarszy syn poszedł do college'u w Rurki i został inżynierem. Amma jeździła czasem do miast, na północ, południe, wschód i zachód, żeby odwiedzić swoje dzieci, zawsze jednak wracała do domu na wsi, strasznie samotna, lecz szczęśliwa.

Tamtego dnia przyjechał do domu właśnie jej syn inżynier. Siedział na *ćarpai* na dziedzińcu i rozmawiał z ludźmi z *pańćajatu*, którzy przyszli z wizytą, usiedli wokół niego i zapalili *biri*. W kuchni były kobiety, pomagające gospodyni i śmiejące się razem z nią. Amma miała cięty język i lubiła mówić. Słuchając inżyniera, mężczyźni słyszeli śmiech jego matki. Nie brakowało też dzieci wbiegających do domu i wybiegających na zewnątrz. Inżynier opowiadał im, wszystkim obecnym, o końcu wojny. Miał na sobie białą koszulę, ciemnoniebieskie spodnie, a włosy spływały mu na czoło wspaniałą falą, której wieśniacy, nieznający się na rzeczy, nie mogli uznać za gustowną. Wysokim, gderliwym głosem opowiadał im o amerykańskich bombach:

– Ta bomba uśmierciła całe miasto. Były dwie bomby. Każda zniszczyła jedno miasto. – Pstryknął palcami uniesionej wysoko ręki. Patrzyli na niego w milczeniu. Czuł ich niezachwiany chłopski sceptycyzm pętający mu nogi, tę niewzruszoną głupotę. Był zirytowany i rozgoryczony, jak wówczas gdy matka naśmiewała się z jego nowoczesnych zapatrywań. „*Adźi-ha*" – mówiła, nie dając szansy na odpowiedź. Zbijało go z tropu, że jego najbardziej wyszukane wyjaśnienia związków przyczynowo-skutkowych przegrywały z kretesem z lekceważącym sceptycyzmem domowego chowu, tak-oczywiście, *adźi-ha*. Widział ją teraz, jak stoi w sczerniałym od sadzy wejściu do kuchni, z ręką na ścianie, i słucha. – Pożar – rzekł. – Fuu! Jedna chwila i całe miasto znika.

– Jak?

To Amma chciała znać odpowiedź. Włosy miała białe i nosiła się na biało, miała mocno zarysowany nos i szczere spojrzenie. Inżynier popatrzył na matkę, trzymając w lewej dłoni szklankę z mlekiem.

– Jeżeli rozbije się drobinę – odparł. Nie wiedział, jak przetłumaczyć słowo „atom". – Uwalnia się energię. Ogień.

– Jak?

Inżynier wykonał ruch ręką w powietrzu i w końcu odparł:

– To przypomina ten oręż w *Mahabharacie*. Broń, którą Aświatthaman cisnął w Ardźunę.

– Brahmaśirę? – zdziwiła się Amma. – Ona została zatrzymana[*)].

– Ta nie – rzekł inżynier, obracając rękę dłonią w dół. – Użyli jej.

Jedzenie było gotowe i inżynier zjadł posiłek.

Dopiero nazajutrz rano zauważono, że Amma przestała się odzywać.

– Co się stało? – zdziwił się. – Czemu nic nie mówisz? – Nieco później zapytał: – Jesteś na mnie zła? Zrobiłem coś złego?

Amma pokręciła tylko głową. Nie chciała rozmawiać z przyjaciółmi ani z ich dziećmi. Niektórzy ludzie uznali, że złożyła śluby milczenia, jak Gandhi-dźi, a inni uważali, że rzucił na nią urok jakiś nieznany wróg. Inżynier był najpierw zły, a potem zaniepokoił się. Chciał ją zawieźć do miasta, do lekarza. Amma przyłożyła dłoń do ziemi i pokręciła głową. Nie chciała, nie mogła mówić. W końcu jej syn wyjechał. W następnych tygodniach przyjeżdżały jej pozo-

---

* W starożytnym indyjskim eposie, *Mahabharacie*, opisana jest bitwa, podczas której niektórzy walczący używają potężnych, czarodziejskich broni. Jedną z nich jest Brahmaśira, użyta przez wojownika o imieniu Aświatthaman. Jej moc została powstrzymana. Od chwili, gdy USA po raz pierwszy użyło bomby atomowej, wiele osób w Indiach porównuje opis działania Brahmaśiry i innych czarodziejskich broni opisanych w *Mahabharacie* do działania broni nuklearnej.

stałe dzieci, jedno po drugim, a ona nadal nie odzywała się do nikogo. Uśmiechała się, zajmowała swoimi codziennymi sprawami, ale milczała jak grób.

Najpierw chodziło o tylko jedno dziecko, ośmioletnią córkę Nainawati. Dziewczynce popękała na rękach skóra. Matka natarła jej skórę olejkiem z liści bzu i przytuliła. Nazajutrz rano pęknięcia rozwarły się nieco szerzej i sięgały aż do łokci. Tego popołudnia dotknęło to również syna Naraina Singha. Rany nie krwawiły ani nie bolały i tylko serce zamarło Nainawati, gdy spojrzała na rękę córeczki i zobaczyła białą kość nadgarstka. Tydzień później każde dziecko w wiosce miało skórę rozszczepioną na całym ciele. Spoglądając na siebie, płakały ze strachu, a rodzice bali się je objąć. Pierwsza powiedziała to Pattadewi. Pewnego rana jej ośmiomiesięczne dziecko gaworzyło w łóżku przytulone do jej uda. Pattadewi uniosła głowę, roztargniona i uśmiechnięta, i ujrzała maleńkie tętniące serce niemowlęcia. Zamknęła mocno oczy i dała wyraz swej udręce, mówiąc:

– To syn Ammy przywlókł to do domu ze swoją opowieścią o japońskiej bombie.

Tak wówczas, szczerze i zgodnie, zakładali mieszkańcy wioski.

W końcu przywykli do tej plagi. Mijały miesiące i sąsiednie osady stroniły od nich, oni zaś z pewnością nie chcieli nigdzie wyjeżdżać. Życie musiało toczyć się dalej, uprawiali więc ziemię, doglądali zwierząt, budowali, reperowali i żyli w czymś w rodzaju smętnej satysfakcji, niczego już od życia nie oczekując. Trzysta sześćdziesiątego dnia Amma przyszła do *pańćajatu*.

Członkowie rady siedzieli na swoich zwykłych miejscach pod świętym drzewem figowym, na przedzie starcy i ludzie potężni, a reszta za nimi. Gdy Amma weszła między nich, umilkli, zaskoczeni jej pojawieniem się na zebraniu mężczyzn i trochę bojący się jej, jej wiedźmowatego milczenia i pewnego kroku. Usiadła pod świętym drzewem figowym. W dłoni trzymała list.

– Co to jest, Ammo? – zapytał *sarpanć*. – List od twojego syna? Co pisze? – Wziął od niej kopertę, jak zazwyczaj czynił, rozerwał ją i zaczął czytać: – Szanowna Matko...

– Chcę sławić – wtrąciła Amma.

– Słucham? – zdziwił się, rezygnując z czytania.

– Życzliwość listonoszy, ich długie wędrówki w letnim słońcu, ich obolałe stopy. Tajemną i szeroką wiedzę wszystkich, którzy gotują, ich osobistą, wielką władzę nad nami. Nieposkromioną odwagę młodych panien, ich bezgraniczną ofiarność, ich cierpliwość. Wiek drzew, lata ich życia i ich obecność. Uśpioną dzikość psów – w zeszłym tygodniu widziałam, jak dwa zagryzają trzeciego – oraz ich elastyczne mięśnie, ich doskonałą głęboką i zdrową radość z pełnego żołądka i długiego snu.

Przewodniczący rady rozdziawił tylko i zamknął usta. Niebawem zebrały się również wszystkie kobiety z dziećmi, i cała wieś słuchała Ammy.

– Długą pieśń tych, którzy kierują ciężarówkami w nieustannej wędrówce po drogach. Czarne twarze górników oraz ich żony, które starają się nie słyszeć szumu wody płynącej wartko pod ich stopami. Odurzającą woń ptaków ścierwojadów, ich pijany chód i niecierpliwą żarłoczność. Dachy wiejskich domów ranem, widziane z *ghatów* nad brzegiem rzeki, oraz biały blask świątyni ponad drzewami. Pokrytych pyłem, świetnie obeznanych z ogniem ceglarzy. Bolesną wiarę kochających bez wzajemności.

Wieśniacy słuchali Ammy. Pierwsze zorientowało się jedno z dzieci. Chłopiec pociągnął zasłuchaną matkę za rękę. Trzymał ją za palec wskazujący i ciągnął na wszystkie strony. Zabrzęczały złote bransolety na przegubie jej dłoni i kobieta spuściła wzrok. Syn uniósł rękę ku matce i ta zobaczyła, że pęknięcia na skórze zniknęły. Potem zobaczyli to również inni. Nikt nie widział, jak to się dzieje, jak zamyka się jedna bądź druga rana, ale gdy spojrzeli, odwrócili wzrok i spojrzeli jeszcze raz, mogli zobaczyć, jak całe ciało pokrywa się skórą. Amma mówiła dalej. Wysławiała niebo, ziemię i wszystkie kobiety we wsi, i wszystkich mężczyzn, nawet tych znanych z gnuśności lub okrucieństwa. Wtedy przyniesiono jej jedzenie i wodę, a ona nie przestawała mówić.

Gdy nazajutrz umilkła, dzieci czuły się dobrze. Znacznie później *sarpanć*, siedzący na *ćarpai* przed domem Ammy, rzekł:

– Cóż, Ammo, twój syn przyniósł chorobę, a ty ją uleczyłaś.

– Co powiedziałeś? – zapytała Amma i przez chwilę przewodniczący rady obawiał się, że mimo swojego stanowiska dostanie w głowę od gospodyni filiżanką herbaty, którą trzymała w dłoni. – Mój syn ją przyniósł?

– Musisz przyznać, że przyjechał, a potem dzieci zachorowały.

Amma przewróciła tylko oczyma.

– *Adźi-ha* – powiedziała. I to wszystko.

Gdy Śanti skończyła opowiadać, pociąg miał dodatkowe dwie minuty spóźnienia i Radźan wyszedł ze swojego biura, spoglądając gniewnie na peron. Frankie pomachał chorągiewką i wagon na wózkach zwrotnych ruszył. Śiw szedł obok i przyglądał się, jak cienie krat w oknie przesuwają się po twarzy Śanti. Z każdym krokiem musiał iść trochę szybciej.

– Wyjdziesz za mnie? – zapytał.

– Słucham?

– Czy za mnie wyjdziesz?

Po jej twarzy przebiegł niczym fala dreszcz, grymas przeżywanych właśnie emocji. Odwróciła głowę, jakby wymierzył jej bolesny policzek, potem jednak spojrzała na niego i Śiw spostrzegł, że ma łzy w oczach. Teraz już biegł za pociągiem.

– Tak – odparła.

Gdy pochyliła się do przodu, on zbliżył dłoń do okna, ale peron skończył się nagle i pociąg odjechał. Śiw znieruchomiał nad uskokiem z uniesioną ręką.

– Czy to prawda? – zapytał szczerze przejęty zastępca zawiadowcy. – Czy to prawda?

– Co?

– Twoja opowieść, głupcze, czy jest prawdziwa?

– Oczywiście – odparł Śiw, wymachując mu ręką przed oczami. – Jest. Spójrz.

Frankie patrzył mimo ręki przyjaciela, marszcząc z namysłem czoło.

– Co ci się stało? Czemu tak szczerzysz zęby?

– Ona za mnie wyjdzie.

– Ona wyjdzie za ciebie? Ona? To znaczy, że się oświadczyłeś?

– A ona się zgodziła.

– To dokąd teraz jedzie?

– Nie wiem.

Frankie uniósł ręce, chwycił się za włosy, rzucił na ziemię chorągiewki i zaczął po nich deptać.

– Niech Bóg pomoże temu krajowi, w którym są tacy amanci – rzekł w końcu, po czym wziął Śiwa pod ramię, zawiózł go do domu, do jego kryjówki, i zaczął snuć plany.

Dwa miesiące i trzy dni później, w pociągu do Bombaju, Śanti spała z głową ułożoną na kolanie Śiwa. Znajdowali się w niezarezerwowanym przedziale trzeciej klasy i Śiw myślał o czterystu dwudziestu dwóch rupiach, które miał w portfelu. Obok banknotów trzymał w nim złożoną żółtą kartkę z adresem niejakiego Benedicto Fernandesa, który był bratem stryjecznym i dawnym pracownikiem Frankiego. W sennym półmroku przedziału Śiw widział kiwające się głowy i kołyszące się ramiona współtowarzyszy podróży: dwóch komiwojażerów wracających z objazdu swoich rewirów, rolnika wspartego stopami na płóciennym tobole, jego żony, muskularnego mechanika i innych. Zrobili oni nowożeńcom miejsce na jednej kuszetce.

Śiw i Śanti pobrali się podczas cywilnej uroczystości ślubnej w Delhi. Doszło do tego po tym, jak Śiw napisał do swojego ojca: „Mój drogi Ojcze" i „Muszę Cię prosić o błogosławieństwo w doniosłej decyzji", otrzymał zaś lakoniczną odpowiedź z nakazem powrotu do domu, niezawierającą błogosławieństwa ani słów miłości. Napisał znowu i tym razem otrzymał dwustronicowy list pełen furii i stwierdzeń o „nieposłuszeństwie", „hańbie dla rodziny" oraz „tej kobiecie, kimkolwiek lub czymkolwiek może ona być". Tymczasem Anuradha była zatrwożona, a Radźan przebąkiwał o powinnościach syna względem rodziców oraz o złym wpływie tego Furtado. W końcu jednak Frankie ich uratował. To on odnalazł Śanti, ich listy trafiały na jego adres, to on przygotował wszystko, zorganizował ich rendez-vous, pożyczył pieniądze i poszedł z Śiwem czekać na rozdrożu na nocny autobus.

– A jeśli oni coś zrobią, Frankie? Jeżeli stracisz pracę?

– To się dobrze złoży, przyjacielu. Nareszcie będę wolny. – W blasku księżyca widać było, jak odrzuca głowę do tyłu. Stali pod rękę, a wszędzie wokół ciągnęły się pola i groble. Frankie nucił jakąś piosenkę, której delikatne nuty tonęły w cykaniu świerszczy. Gdy na wschodzie ukazały się, po czym zniknęły światła reflektorów, Śiw powiedział:

– Dzięki, bracie.

– Bracia nie dziękują – odparł Frankie. Wtedy podjechał do nich z rykiem autobus, w którym przewalali się pasażerowie, bagaże i pół tuzina kóz. Furtado znalazł na dachu miejsce na walizkę Śiwa, a dla niego samego skrawek podłogi przy drzwiach, gdzie mógł przycupnąć. Śiw objął go mocno, a Frankie przytulił przyjaciela.

– Idź już – powiedział.

– Przyjedź do Bombaju, Frankie – rzekł Śiw, gdy autobus ruszał. Przyjaciel podniósł rękę i wtedy właśnie Śiw widział go po raz ostatni, w srebrzystym tumanie kurzu i w gasnącym świetle.

Śiw spojrzał teraz na głowę Śanti spoczywającą na jego kolanie, na wspaniały gąszcz jej ciemnych włosów. Uświadomił sobie, że jeszcze się nie całowali. Po złożeniu podpisów w rejestrze oboje się zawahali, a potem Śiw podziękował urzędnikowi. Później pojechali *tongą* na stację. Zakłopotani, trzymali się przeciwległych stron obitego popękaną skórą siedzenia. Śiw widział pocałunki na filmach, ale sam nigdy z nikim się nie całował. Rozejrzał się po przedziale i dotknął twarzy Śanti koniuszkami palców. Skóra na jej policzku była bardzo miękka i Śiw uzmysłowił sobie swą całkowitą nieznajomość rzeczy, zdumienie i bezgraniczną czułość.

– Śanti – wyszeptał pod nosem. – Śanti.

Jakie to było dziwne, jak nieznane. Jak niepoznawalne.

Przesunął palcami po jej kości policzkowej i teraz Śanti się poruszyła. Obserwował, jak się budzi, obserwował drobne ruchy jej ciała. Próbowała się przeciągnąć, natrafiła rękami na jego twarde biodro oraz ścianę kuszetki i oprzytomniała. Widział, jak wraca jej pamięć, widział dreszcze szczęścia i zagubienia. Śanti usiadła i pomasowała sobie twarz. Śiw się uśmiechnął.

– Masz swoje zdjęcie? – zapytała.

– Słucham?

– Zdjęcie. Swoje.

– Obudziłaś się z myślą o moim zdjęciu?

– Położyłam się spać z myślą, że go nie mam.

Śiw przechylił się do tyłu, uniósł biodro, krzywiąc się pod wpływem przeszywającego bólu w plecach, i znalazł swój portfel. Pod czterystoma dwudziestoma dwiema rupiami i kartką z adresem kuzyna Frankiego odnalazł pogniecione zdjęcie.

– Proszę – powiedział. – Tak właściwie to jest Hari, ale to bez znaczenia. Jesteśmy identyczni.

Śanti patrzyła na fotografię, wygładzając jej brzegi.

– Nie jesteście.

– Owszem, jesteśmy.

– Nie, naprawdę, ty wyglądasz inaczej. Zupełnie inaczej. Widzisz?

Spojrzał i zobaczył dobrze znany skręcony tułów, ten uśmiech. Dokładnie znał też liście za tą głową, drzewo i ogród.

– Może – odparł. – Może.

– Tak – powiedziała, pewna swej racji. – Jesteś inny. – Wzięła od niego zdjęcie. Otworzyła torebkę, znalazła czarny kalendarzyk i schowała je w nim.

– A twoja fotografia? – zapytał.

Śanti zawahała się, po czym otworzyła kalendarzyk z tyłu. Na zdjęciu, które wręczyła Śiwowi, śmiała się, nachylona ku obiektywowi. Przed nią stał jednak uśmiechnięty mężczyzna, bardzo przystojny, ciemne włosy i bystre oczy pilota, a jej dłoń spoczywała na szlifach na jego kurtce.

– Ty też jesteś inna – zauważył.

– Tak, byłam wtedy młodsza.

– Mam na myśli to, że teraz jesteś piękniejsza – rzekł Śiw. Śanti uśmiechnęła się do niego i bardzo chciał ją pocałować, ale w przedziale powstało poruszenie. Podróżni odchylali się do tyłu i odsuwali od siebie, budząc się z gromkimi ziewnięciami. Śiw włożył fotografię do kieszeni koszuli i podciągnął roletę w oknie. Wysunął głowę w strumień świeżego powietrza, w przyjemną wczesnoporanną szarość ziemi. Zmieniłaś się – pomyślał – i ja też się zmieniłem, i teraz każde z nas jest kimś nowym. Uniósł wzrok i ujrzał czerwoną tarczę słońca na górskim grzbiecie. Był podniecony i pełen złych przeczuć. Nie znał tutejszych gór, różniły się wiekiem, układem pasm i ukształtowaniem koryt rzek od znanych mu masywów.

– Bombaj już pewnie blisko – powiedział.

Jeden z komiwojażerów nachylił się do okna, podrapał pod pachą, rozejrzał się z pewnością zawodowego podróżnego i pokręcił głową.

– Nie, niezupełnie – stwierdził. – Jeszcze nie, *beta.*

Śiw roześmiał się i spojrzał na Śanti. Śmiała się razem z nim.

– Dotrzemy tam – powiedział.

Za oknem była noc. W ciemności otarłem twarz i słuchałem wyraźnego brzęku lodu w szklance Subramaniama. Chciałem coś powiedzieć, ale okazało się, że nie mogę wydobyć z siebie głosu. Wtedy usłyszałem zgrzyt klucza w drzwiach.

– To pewnie moja żona – rzekł Subramaniam i wstał. – Ona i jej przyjaciółki urządzają w niedziele herbatki w damskim gronie. Na których piją wszystko, tylko nie herbatę.

W korytarzu zapaliło się światło.

– Siedzisz po ciemku? – zawołała i rozbłysło jeszcze jedno, lampa tuż za progiem pokoju. Żona Subramaniama miała takie same białe włosy jak on, okulary w okrągłych złotych oprawkach i nosiła ciemnoczerwone sari.

– To jest młody Randźit Śarma – rzekł Subramaniam. – Pamiętasz, z baru.

– *Namaste, namaste,* Randźicie – rzuciła w odpowiedzi. – Nie wstawaj. A ty co, częstowałeś go tymi okropnymi chrupkami? Czy on też je jadł, Randźicie? I pił? Wiesz, że nie powinien. A czy poszedłeś do doktora Mehdiego po lekarstwo?

Nie poszedł, więc wygoniła go z domu, a ja przyrządziłem jej drinka. Piła szkocką z wodą i mówiła o koniach. Oraz o długich wczasach, na które mieli się wybrać, i o swoich zastrzeżeniach.

– Zatem czuje się pani lepiej? – zapytałem.

– Ja? Ja? Och, rozumiem. Nie wolno ci wierzyć ani jednemu jego słowu. – Zdjęła okulary. W świetle lampy jej oczy miały ładny niejednolicie brązowy kolor. Subramaniam nic nie mówił o jej oczach. – To lekarstwo jest dla niego, nie dla mnie.

– Czy to poważna sprawa?

– Owszem.

– Przykro mi.

Wzruszyła, dokładnie tak samo jak on, ramionami. Pomyślałem, że wyglądają identycznie, przeistoczeni przez wspólnie przeżyte lata, i spróbowałem się uśmiechnąć.

– Nie smuć się – powiedziała. – Mamy za sobą nasze życie, nasze bombajskie życie. Chodź, zostaniesz na kolację. Ale najpierw posiekasz cebulę.

Jest noc, a ja spaceruję po moim mieście. Po kolacji Subramaniam odprowadził mnie kawałek. Zapytałem, co się stało z jego przyjacielem. Czy przyjechał do Bombaju i został gwiazdorem filmowym? Przez długi czas szliśmy w milczeniu. „Nie" – odparł – „nie. Prawdę mówiąc, Frankie zmarł. Został zabity. To były złe czasy. Ale był jeszcze ktoś, kto przyjechał do Mumbaju i stał się gwiazdą filmu. Kiedy wrócę z wakacji, opowiem ci tę historię". „Powinien pan" – odparłem. Przy *nace* uścisnął mi rękę. „Do widzenia, szefie" – powiedziałem.

Spaceruję po swoim mieście. Wyspa śpi i czuję, jak tłoczą się śnione na niej sny. Wiem, że one tam są: Mahalakszmi, Mazagaon, Umerkhadi, Pajdhuni oraz wspaniała melodramatyczna Marine Drive. W mojej głowie pobrzmiewa muzyka, melodyjna kompozycja tych starych nazw: Wadala, Matunga, Koliwada, Sakinaka, kiedy zaś przechodzę na drugą stronę biegnącej groblą drogi, słyszę miarowe, wieczne pulsowanie morza i przepełnia mnie straszna tęsknota. Wiem, że idę do Bandry, wiem też, że szukam Aiszy. Stanę przed jej budynkiem, a gdy nadejdzie ranek, zadzwonię do niej. Może zaproszę ją na spacer, może poproszę, żeby za mnie wyszła. Myślę, że gdy poszukamy razem, uda nam się znaleźć w Andheri, Kolabie, w Bhuleśwarze może nie niebo ani jego przeciwieństwo, ale samo życie.

Miłość i tęsknota w Bombaju – słownik terminów

Autor: Krzysztof Iwanek

adźi-ha – „tak"

agarbatti – kadzidełko

akhara – tym terminem określa się miejsce, gdzie ćwiczy się zgodnie z indyjską zapaśniczą tradycją

akka – starsza siostra

alphonso – odmiana mango; w Indiach uznaje się *alphonso* za najlepszą odmianę tego owocu

Andheri – dzielnica Bombaju

apsara – w indyjskiej mitologii: nimfa

are – wykrzyknienie używane przy zwracaniu się do kogoś: „Hej!", „O!"

artha – cel, znaczenie, bogactwo, pożytek

Starożytna indyjska filozofia uznaje, iż człowiek winien mieć cztery cele (*artha*) w swoim życiu i są to:

– ***kama*** („miłość", „pożądanie", „pragnienie"),

– ***dharma*** („obowiązek"; por. hasło *dharma* w niniejszym słowniczku),

– ***artha*** (tu w znaczeniu: „bogactwo, środki materialne")

– ***i moksza*** („zbawienie", „wyzwolenie z koła wcieleń").

Jak widać, trzy z tytułów opowiadań w niniejszym zbiorze nawiązują do tej klasyfikacji, brak jedynie czwartego, ostatecznego celu – *mokszy*.

autoriksza – trójkołowy pojazd o napędzie mechanicznym (w przeciwieństwie do riksz działających na tej samej zasadzie co rower); autoriksze to tani środek transportu w indyjskich miastach

Baba – ojciec, ale także generalny zwrot wyrażający szacunek, którego można używać w stosunku do osób obu płci

babul – gatunek akacji

Bachchan, Amitabh [wym. Amitabh Baććan] – ur. 1942, jeden z najpopularniejszych aktorów indyjskiego kina

Bahadur Szah Zafar [wym. Bahadur Śah Zafar, ang. Bahadur Shah Zafar] (1775–1862) – ostatni cesarz z dynastii mogolskiej, poeta i patron twórczości muzycznej i literackiej

Bahadur Śah [ang. Bahadur Shah] – szesnastowieczny gudźaracki sułtan, który podarował terytorium współczesnego Bombaju Portugalczykom

bai – tu: służąca

Bandra – jedno z przedmieść miasta Bombaj

Bangalur [ang. Bangalore] – miasto w płd. Indiach, w stanie Karnataka

banijan – ubranie noszone przez mężczyzn na górnej połowie ciała, używane często w charakterze podkoszulka

bara khana – w indyjskiej armii: posiłek, do którego zasiadają wspólnie dowódca, wyżsi oficerowie i szeregowi żołnierze

Bareli [ang. Bareilly] – miasto w stanie Uttar Pradeś, na północy Indii

bas – „dość", „wystarczy", „to wszystko"

behenćod – siostrojebca

ben – pani

Benares – miast w północnych Indiach, słynne m.in. z wyrobu sari

besan – mąka z grochu włoskiego

beta – syn; tego zwrotu używa się również często w stosunku do córek, a także do osób, które nie są naszymi dziećmi (por. nasze ,,synku")

bethak – rodzaj ćwiczenia, podobnego do przysiadów (ale bardziej skomplikowanego i trudniejszego)

bewda – pijak

bhadźi – warzywa obtaczane w panierce z mąki i zasmażane

bhadźija – patrz: *bhadźi*

bhai – „brat"; słowem tym określa się również członka gangu

bhaija – „brat" lub „starszy brat"; słowa tego używa się również w stosunku do osób, z którymi nie jesteśmy spokrewnieni

bhedźa – mózg, móżdżek

Bhendi Bazar [ang. Bhendi Bazaar] – dzielnica i targ w Bombaju

bindi – ozdoba o kolistym kształcie noszona przez indyjskie kobiety na czole

biri – tanie indyjskie papierosy: kiepskiej jakości tytoń zawinięty w liście

birjani – pikantne danie, stanowiące mieszankę ryżu i mięsa (lub rzadziej: warzyw)

Bombay Central – jeden z bombajskich dworców kolejowych

BSES – jedno z największych indyjskich przedsiębiorstw komunalnych

BSF – Border Security Force, indyjskie siły graniczne

Cathedral School – właśc. The Cathedral and John Connon School, jedna z najbardziej prestiżowych szkół w Bombaju

„Coolie" [czyt. Kuli, *Kulis*] – indyjski film z 1983 r., w którym jedną z głównych ról gra Amitabh Bachchan

ćabutra – tu: taras lub platforma przed domem, służąca do spotkań towarzyskich

ćaj – herbata

ćala – „poszedł"

ćameli – jaśmin

Ćandni Cok [ang. Chandni Chauk] – jedna z najsłynniejszych ulic starej części miasta Delhi

ćapati – podpłomyk; mączne placki stanowią jeden z podstawowych elementów północnoindyjskiej kuchni;

ćappale – sandały

ćarpai – prostej budowy łóżko: drewniana rama wypełniona plecionką ze sznurków; używane raczej przez ludzi niezamożnych

ćatai – mata

Ćembur – jedno z przedmieść Bombaju

ćik – trzcinowa zasłona na okna

ćiwra – tu: przekąska z prażonych orzechów

ćol – kilkupiętrowy budynek mieszkalny

ćoli – bluzka

ćulha – piec

ćuridar – zwężające się ku dołowi cienkie, bawełniane spodnie lub cały komplet, którego te spodnie są elementem

ćut – cipa

ćutija – kretyn

dada – dosł. „dziadek", przenośnie: ktoś, kto znęca się nad słabszymi (np. w klasie szkolnej), bandyta

dal – ogólna nazwa dla różnych gatunków soczewicy; także nazwa potrawy przyrządzanej na tym warzywie (pikantnego sosu)

Dalhousie – miejscowość w północnych Indiach, w górskim stanie Himaćal Pradeś

darban – odźwierny

Dardżyling [właśc. Dardźiling, ang. Darjeeling] – miasto w indyjskim stanie Bengal Zachodni, popularna górska miejscowość wypoczynkowa

daroga – komisarz policji

Deewar [czyt. Diwar, *Ściana*] – słynny indyjski film z 1975 r. z Amitabhem Bachchanem w jednej z głównych ról

desehri – odmiana mango, uważana w Indiach za jedną z najlepszych

Dharawi – dystrykt Bombaju, jedne z największych slumsów świata

dharma – jeden z najbardziej wieloznacznych sanskryckich terminów. *Dharma* może określać wszelakie obowiązki danej jednostki przypisane mu z racji urodzenia, np. obowiązki związane z zawodem (kto urodził się wojownikiem, winien walczyć; kto sprzątaczem nieczystości, powinien taki właśnie zawód wykonywać), obowiązki wobec rodziców i obowiązki wobec bogów, tj. religijne.

Co za tym idzie, *dharma* oznacza również właściwe, słuszne, dobre postępowanie.

Równocześnie jednak *dharma* określa sumę wszystkich *dharm* jednostek, to jest cały system, sposób funkcjonowania, naturę świata.

Współcześnie *dharma* znaczy również„religia".

Por. hasło *artha*

dhoti – męskie okrycie wierzchnie: kawałek materiału owijany wokół bioder

didi – starsza siostra; również uprzejmy sposób wyrażania się o kobietach

dija – gliniana lampka, używana w hinduskich rytuałach

Diwali – wesołe hinduskie święto, obchodzone na jesieni ku czci bogini Lakszmi (a także, według innych mitów, jako upamiętnienie powrotu boga Ramy z wojny do swojej stolicy, Ajodhji); jednym z elementów obchodzenia Diwali jest wręczanie sobie prezentów

Dixit, Madhuri [wym. Madhuri Dikszit] – indyjska aktorka (ur. 1967)

Doon – skrót od Doon School

Doon School – słynna szkoła oficerska o tradycjach brytyjskich, znajdująca się w miejscowości Dehradun [ang. Dehradoon], mieście na północy Indii. Stąd jej nazwa

Droh Kaal [czyt. Droh Kal, *Czas Zdrady*] – indyjski film z 1994 r.

dupatta – chusta

dźaj – dosł. „zwycięstwo dla…"; termin można też tłumaczyć jako: „Chwała…", np. patriotyczne indyjskie zawołanie „Dźaj Hind" – „Zwycięstwo dla Indii" można byłoby również przełożyć jako: „Chwała Indiom"

dźalebi – rodzaj indyjskich słodyczy, bardzo słodkie, smażone ciastka

dźamsahib – tytuł używany przez niektórych indyjskich władców

dźanab – „pan", „szanowny panie"

dźharu – miotła

dźi – „pan", „pani"; partykuła wyrażająca szacunek i dodawana po różnych słowach, np. po imieniu, nazwisku, terminie pokrewieństwa czy tytule; i tak „Guru-dźi" to dosłownie „pan nauczyciel" – uprzejmy sposób wypowiadania się o nauczycielu, „Ronak-dźi" – „pan Ronak", „Ma-dźi" – uprzejmy sposób wyrażania się o matce, „Ha-dźi" – uprzejma odpowiedź „tak", odpowiednik naszego: „Tak, proszę pana/pani" itd.

dźira – kminek

dźite raho – „Obyś żył jak najdłużej", forma pozdrowienia i błogosławieństwa

dźori – maczuga, której używa się do ćwiczeń w *akharach*

Dźuhu [ang. Juhu] – jedno z przedmieść Bombaju, słynne ze swojej plaży

faluda – deser przygotowywany z użyciem mleka i makaronu

Film City – Miasteczko Filmowe – to nazwa studia w Bombaju, gdzie kręcone są filmy bollywoodzkie

Fontanna Flory – jedno z najbardziej charakterystycznych miejsc w centrum Bombaju

Gandhi, Mohandas „Mahatma" (1869–1948), największy indyjski polityk pierwszej połowy XX wieku, najwybitniejsza postać indyjskiego ruchu niepodległościowego. Był człowiekiem wielkiej duchowości i w związku z tym żył bardzo skromnie, nakładając na siebie różne ograniczenia i obowiązki. Jednym z nich był ślub milczenia przez jeden dzień w tygodniu

Gandhi, Rajiv [czyt. Gandhi Radźiw, 1944–1991], syn Indiry Gandhi, wnuk J. Nehru. Został zamordowany przez tamilskich terrorystów

Ganeśa – kobiece spodnie o bardzo szerokich nogawkach

garara – luźne kobiece spodnie

gazel (ang. *ghazal*) – forma poetycka uprawiana w wielu krajach muzułmańskich, przede wszystkim w literaturze perskiej. Wraz z islamem *gazele* przeniknęły do Indii. Mają one ściśle określone reguły, m. in. muszą być rytmiczne, składają się z dwuwersów, a pierwsza linijka utworu stanowi równocześnie jego tytuł. W Indiach i Pakistanie *gazele* i ich muzyczne wykonania są popularne po dziś dzień

Na język polski *gazele* indyjskich poetów tłumaczyli m.in. Surender Bhutani i Janusz Krzyżowski

ghagra – spódnica do kostek

ghat – to najczęściej „brzeg", ale w znaczenie wybrzeża zorganizowanego, zabudowanego (zazwyczaj w postać schodów schodzących do wody) i używanego przez ludzi

ghati – tu: nadbrzeżny

Ghaty – tu: Ghaty Zachodnie, pasmo górskie ciągnące się wzdłuż zachodniego wybrzeża Indii

ghi – klarowane masło

Godrej [czyt. Godredź] – jedna z największych indyjskich firm, produkująca m.in. sprzęt gospodarstwa domowego np. lodówki. Godrej to również określenie produktów tejże firmy

gola – kulka

Goregaon – jedno z przedmieść Bombaju

Gudźarat – prowincja na północnym zachodzie Indii, granicząca od południa ze stanem Maharasztra

Gurkhowie – lud zamieszkujący góry Indii i Nepalu; Gurkhowie są uważani za jednych z najlepszych żołnierzy na świecie

guru – nauczyciel

Guru Gowind Singh *(1666-1708)*– dziesiąty guru sikhizmu (por. hasło *sikh*)

Guru Nanak (1469–1539) – twórca sikhizmu i pierwszy guru tej religii (por. hasło *sikh*)

gymkhana – siłownia, klub

ha – „tak"

Hadźi Ali [ang. Haji Ali] – meczet i grobowiec muzułmańskiego świętego, umieszczony na wyspie, połączonej z miastem Bombaj wąskim przejściem

Hassan, Mehdi [czyt. Hasan Mehdi] – słynny piosenkarz, nazywany „Królem gazeli". Urodził się w 1927 w Indiach brytyjskich, a po podziale kraju w 1947 przeniósł się z rodziną do Pakistanu, gdzie żyje do chwili obecnej

hawaldar – sierżant

haweli – rezydencja, pałac

hindi – jeden z języków używanych w północnych Indiach. Obecnie w hindi mówi się także poza jego rdzennym obszarem, jest to jeden z *lingua franca* całych północnych i środkowych Indii. Dlatego też w kosmopolitycznym Bombaju, którego pierwotni mieszkańcy posługują się językiem marathi, język hindi również odgrywa tę rolę: pozwala na komunikację między rdzennymi mieszkańcami Mahararasztry a niektórymi przybyszami. Z tego powodu, mimo że akcja większości opowiadań w niniejszym zbiorze rozgrywa się w Bombaju, wiele dialogów pomiędzy postaciami odbywa się w języku hindi, jak np. w opowiadaniu *Artha*, gdy Ikbal rozmawia z pochodzącym z północy Indii Guru-dźi

hindus – wyznawca hinduizmu (przymiotnik: hinduski)

IFS – Indian Forest Service

IIT – Indian Institute of Technology

INA – Indian National Army

Indus – obywatel, mieszkaniec Indii (przymiotnik: indyjski)

ISRO – Indian Space Research Organisation

jar – przyjaciel, kumpel; wyrażenie w potocznym języku używane bardzo często jako wykrzyknik, odpowiednik naszego: „O, stary!"; w tym kontekście może być użyte wobec osób obu płci

kaććhi – jeden z języków używanych w stanie Gudźarat

Kala Ghora – dystrykt Bombaju

Kalkuta – miasto w północno-wschodnich Indiach, stolica stanu Bengal Zachodni

kama – pragnienie, pożądanie, miłość. Por. hasło *artha*

Kamasutra – starożytny sanskrycki tekst przypisywany Mallanadze Watsjajanie. Wbrew powszechnym wyobrażeniom nie jest to utwór poświęcony jedynie pozycjom miłosnym. *Kamasutra* zajmuje się różnymi aspektami erotyki i relacji damsko-męskich i w tym sensie jest to traktat poświęcony wypełnianiu jednego z czterech celów ludzkiego życia: *kamy* (pożądania, miłości). Por. hasło *artha*

Polskie wydanie: *Kamasutra, czyli traktat o miłowaniu*, przeł. M. K. Byrski, Warszawa 1985

kara – żelazna bransoletka noszona przez sikhów

karhai – głębokie, półokrągłe naczynie służące do smażenia i duszenia

Katarzyna Bragança (1638–1705) – księżniczka portugalska, którą wydano za króla Anglii, Karola II. W jej posagu Portugalia przekazała Anglii Tanger i Bombaj. Od tej chwili aż do wyzwolenia Indii w 1947 r. Bombaj pozostawał pod władzą brytyjską

Kerala – stan na południu Indii

kejsa he? – „Jak się masz?"

khadi – w ramach walki z władzą brytyjską M. Gandhi zaproponował, by nie kupować maszynowo wytwarzanych ubrań, co przynosiło zysk państwu brytyjskiemu, ale by tkać ubrania samemu. *Khadi* jest właśnie ręcznie wykonywanym materiałem z wełny. Noszenie ubrań z *khadi* było symbolem uczestnictwa w walce z brytyjską władzą

Khandala – położone w górach miasto w stanie Maharasztra; popularna miejscowość wypoczynkowa

Khar – jedno z przedmieść Bombaju

kholi – tu: jednopokojowy dom, należący do ludzi biednych

Khyber [czyt. Chajber] – nazwa znanej luksusowej bombajskiej restauracji

Kolaba [ang. Colaba] – jedna z dzielnic Bombaju

Kongres – Indyjski Kongres Narodowy, jedna z największych indyjskich partii. Kongres był organizacją, która w największym stopniu przyczyniła się do uzyskania niepodległości przez Indie w 1947. W ostatnich dziesięcioleciach walki o niepodległość Kongresem przewodzili M. Gandhi i J. Nehru

Kryszna – jeden z hinduskich bogów

kukri – bardzo ostry nóż, używany przez Gurkhów

kulhar – gliniany dzban, w którym sprzedawano herbatę na kolei

kulis – tragarz

kurta – męskie odzienie wierzchnie; podłużna tunika, sięgająca nawet do kolan, noszona najczęściej razem z *padźamą*

Lakhnau [ang. Lucknow] – miasto w północno--środkowych Indiach, słynne m.in. z wyrobu *kurt*

Lakszmi – hinduska bogini pomyślności

land – chuj

langot – kawałek materiału noszony na biodrach, używany np. podczas zapasów

lathi – kij, pałka

Leharia – fikcyjna miejscowość w stanie Madhja Pradeś

Ma – „mama"

maderćod – matkojebca

Madhja Pradeś [ang. Madhya Pradesh] – stan w środkowych Indiach

Mahalakszmi – dzielnica w Bombaju, również jedna z najsłynniejszych świątyń w tym mieście, poświęcona bogini Lakszmi

Maharasztra [ang. Maharashtra] stan w środkowo-zachodnich Indiach. Jego stolicą jest Bombaj

Mahim – dzielnica Bombaju

Mahindra – nazwa firmy produkującej samochody, jak i pojazdów produkowanych przez nią

mejdan – otwarta przestrzeń, plac

Malabar – Wybrzeże Malabarskie, obszar geograficzny obejmujący południowo-zachodnie wybrzeże Indii, nad M. Arabskim

Malabar Hill – Wzgórze Malabarskie, jedna z najbardziej ekskluzywnych dzielnic Bombaju. W niniejszym zbiorze często określane po prostu jako „Wzgórze"

Mama – wujek (brat matki)

mandźha – tu: sznurek od latawca; również nazwa lepkiej substancji, którą pokrywa się sznurek od latawca, by móc pokryć go kawałkami tłuczonego szkła

mandźhe – tu: „to znaczy"

marathi – język używany w stanie Maharasztra

Marine Drive – ciągnący się wzdłuż morza, a znajdujący się na południu Bombaju bulwar

Maruti – firma Maruti jest jednym z największych producentów samochodów w Indiach. Pojazdy jej produkcji również określa się nazwą maruti (tak jak jest np. z w języku polskim z określeniem „jeep")

Mata – matka

matka – duży gliniany pojemnik na wodę lub inne substancje

memsaab, memsahib – „pani", „szanowna pani"

mistri – wykwalifikowany robotnik, fachowiec, mechanik

Mogołowie – muzułmańska dynastia, której państwo obejmowało dużą część terytorium Indii. Mogołowie obecni byli w Indiach od XVI w., a ich panowanie ostatecznie zakończyło się wraz z detronizacją Bahadura Szaha przez Brytyjczyków w 1857 r.

mogra – gatunek jaśminu (*Jasminum sambac*)

MTNL – Mahanagar Telephone Nigam Limited; państwowa firma dostarczająca usługi telefoniczne w kilku indyjskich metropoliach

Mumbai – obecna oficjalna nazwa miasta Bombaj. Nazwa „Bombaj" narodziła się za czasów władzy portugalskiej i brytyjskiej. W 1996 r. wprowadzano nazwę Mumbai, uważaną za odpowiadającą pierwotnej, prekolonialnej nazwie Jednakże określenie „Bombaj" jest wciąż obecne w potocznym języku

Muqaddar ka Sikandar [czyt. Mukaddar ka Sikandar, *Władca Przeznaczenia*] – indyjski film z 1978 r. Główną rolę odgrywa Amitabh Bachchan.

Nadijad – miasto w stanie Gudźarat

naka – początek lub koniec ulicy, skrzyżowanie, rogatki, granica

namaste – „Dzień dobry", „Do widzenia"

nara – sznurek

Nariman Point – jedno z bombajskich centrów biznesu

Nasik – miasto w stanie Maharasztra

nawab – jeden z tytułów używanych przez indyjskich władców; w języku angielskim przenośnie: ktoś bardzo bogaty (określenie to narodziło się po obrabowaniu państwa *nawaba* Bengalu przez Kompanię Wschodnioindyjską: ci, którzy się na tym wzbogacili, nazywani byli „nawabami")

Nehru, Jawaharlal [czyt. Dźawaharlal Nehru, 1889–1964] – jeden z najważniejszych polityków indyjskich XX wieku. Jako członek Indyjskiego Kongresu Narodowego odegrał jedną z kluczowych ról w indyjskim ruchu niepodległościowym. Po wyzwoleniu Indii w 1947 r. został pierwszym premierem tego kraju

nim – gatunek drzewa (miodła indyjska, *Azadirachta indica*)

padźama – luźne, cienkie bawełniane spodnie

pajale – ozdobne łańcuszki noszone na kostkach przez indyjskie kobiety

pajsa – jedna setna rupii

pakka – dojrzały, pewny, stuprocentowy, „na pewno". W odniesieniu do zabudowań: murowany, zbudowany z trwałych materiałów.

pallu – końcówka, skraj sari

paltan – horda, banda, oddział, pluton

pan – popularna w Indiach używka: kawałki orzechów palmy arekowej, które zawija się w liście betelu, przyprawia na różne sposoby i żuje. Żucie *panu* wzmaga aktywność gruczołów ślinowych, równocześnie używka ta wydziela czerwoną substancję. W efekcie żująca *pan* osoba raz na jakiś czas spluwa zabarwioną na czerwono śliną. Stąd w powieści jest mowa o plamach czy zaciekach z panu, które widać w Indiach w wielu miejscach

panćnama – raport sporządzany w indyjskiej policji, pod którym winien podpisać się prowadzący śledztwo policjant i dwóch bezstronnych świadków

pańćajat – dosł. „rada pięciu", instytucja zarządzająca w Indiach daną wsią lub lokalną społecznością, kastą

papar – rodzaj przekąski; cienkie, prażone i przyprawiane placki

Parameśwar – dosł. „najwyższy bóg"; w niektórych konserwatywnych środowiskach hinduskich uważa się, że żona winna traktować męża niczym boga, stąd w opowiadaniu *Artha* mąż Sandhji określany jest jako *„Parameśwar"*

Patijala – miejscowość w stanie Pendżab

patka – chusta

patta – pas

patty – karty do gry

Pendżab [właśc. Pandźab, ang. Punjab] – stan w północno-zachodnich Indiach

Peri pona – forma uprzejmego pozdrowienia, którą oddać można jako: „Dotykam stóp". Dotykanie stóp starszych jest w Indiach oznaką szacunku

Peszawar [ang. Peshawar] – miasto w Pakistanie (przed rokiem 1947 w Indiach brytyjskich),blisko granicy z Afganistanem

pipal – gatunek drzewa, uważanego przez hindusów za święte

Pran (ur. 1920) – słynny indyjski aktor, znany przede wszystkim z ról czarnych charakterów

pranam – pokłon

Puna – miasto w stanie Maharasztra, kulturowe i naukowe centrum tegoż stanu

puri – małe placki smażone w klarowanym maśle

Radźasthan – stan w północno-zachodnich Indiach

radźput – nazwa (trudnej do zdefiniowania) grupy społecznej, występującej głównie w północno-zachodnich Indiach

radża – król

ragra-pati – przekąska ze smażonych ziemniaków

rakszak – dosł. „obrońca, strażnik". W niniejszym zbiorze nazwa fikcyjnej, fanatycznej hinduskiej organizacji. Ta sama organizacja pojawia się również w późniejszej niż niniejszy zbiór powieści Chandry *Święte Gry*

randi – dziwka

Randźit Sinh-dźi [ang. Ranjitsinhji, 1873–1933] – indyjski książę, który podczas studiów w Wielkiej Brytanii zaczął grać w drużynie krykieta. Z czasem stał się jednym z najsłynniejszych graczy w historii tej dyscypliny i występował nawet w brytyjskiej reprezentacji. Jego wielbiciele bardzo często zdrabniali jego imię do „Randźi"

RIAF – Royal Indian Air Force; tak w czasach kolonialnych nazywały się indyjskie siły powietrzne

Rurki [ang. Roorkee] – miejscowość, gdzie znajduje się słynny Indian Institute of Technology. Przed rokiem 1947, czyli w czasach, gdy rozgrywa się akcja opowiadania *Śanti*, instytucja ta nosiła miano Thomason College of Civil Engineering

Rygweda – najstarszy zabytek literatury indyjskiej, będący zbiorem hymnów do bóstw. Rygweda dzieli się na dziesięć *mandali* (dosł. „koło, krąg")

saab – pan

sabr – cierpliwość

sadra – koszula noszona przez parsów

safa – turban

sahajak – ordynans; termin używany w indyjskiej armii

Sahar – tu: dystrykt Bombaju

sahib – pan

salam – forma powitania i pozdrowienia

sanskryt – starożytny język Indii, w którym skomponowana została większość najważniejszych religijnych, literackich i filozoficznych indyjskich tekstów. Choć jest to język martwy, to odgrywa on nadal ogromną rolę jako język kultury, religii i filozofii

Widać to chociażby po tytułach opowiadań w niniejszym zbiorze, z których każdy jest sanskryckim terminem

Santa Cruz – dzielnica Bombaju

sarpanć – przewodniczący *pańćajatu*

Sasoon Dock – obszar w dzielnicy Bombaju o nazwie Kolaba [ang. Colaba], na którym znajduje się znany targ owoców morza

seraj – położone na trasach między miastami miejsce wypoczynku dla podróżnych. Liczne seraje budowano w Indiach za dynastii mogolskiej

seth – kupiec

sikh – wyznawca sikhizmu, religii powstałej w Indiach w XVI w. Twórcą sikhizmu był Guru Nanak i od jego czasów najwyższym autorytetem duchowym sikhizmu był jeden guru („nauczyciel"). W XVII wieku dziesiąty guru, Gowind Singh, zorganizował sikhijską społeczność we wspólnotę militarną, aby uchronić ją przed wrogami, i między innymi dzięki temu otoczony jest kultem podobnym do tego oddawanego Nanakowi. Choć sikhowie czczą jednego boga, to w istocie kultem otoczeni są także guru i ich obrazy można znaleźć we wszystkich miejscach zamieszkanych i używanych przez sikhów. Sikhizm powstał na terenie Pendżabu i sikhowie, niezależnie od obecnego miejsca zamieszkania, używają między sobą języka pendżabskiego. Sikhijscy mężczyźni noszą charakterystycznie drapowane turbany i brody, co czyni ich łatwo rozpoznawalnymi. Każdy mężczyzna sikh nosi nazwisko Singh („Lew")

W niniejszym zbiorze sikhem jest Sartadź Singh.

sitar – indyjski (i perski) podłużny instrument strunowy

St. Xavier's College – jeden z najstarszych i najbardziej prestiżowych college'ów Uniwersytetu Bombajskiego

śakti – moc, siła. Przenośnie wieloznaczny termin, oznaczający między innymi kobiecy aspekt mocy każdego bóstwa. Zatem każdy bóg ma swoją *śakti*, moc personifikowaną jako odpowiednia bogini

Śalimar [ang. Shalimar] – prawdopodobnie odwołanie do „ogrodów Śalimaru", którą to nazwę nosi kilka miejsc (m.in. w Lahaur w współczesnym Pakistanie i obok Śrinagaru w indyjskim Kaszmirze)

samijana – ogromny namiot, pod którym odbywa się indyjskie wesele

śanti – spokój; również hinduskie imię

Śiwa – jeden z hinduskich bogów

śokin – pożądliwy, kochliwy

Taj [wym. Tadź] – tu chodzi o słynny hotel Taj, jeden z najbardziej luksusowych w całym Bombaju

takath – tu: kanapa

talwar – miecz

tamaśa – przedstawienie

tantra – jedna z indyjskich tradycji filozoficznych, dzieląca się na wiele szkół. Potocznie tantra kojarzy się m.in. z magią, stąd w opowiadaniu *Śanti* do rozwiązania nietypowego problemu zostają wezwani „mistrzowie tantry"

tapori – przestępca, bandyta

Tardeo – Tardeo Road, jeden z obszarów Bombaju

thali – taca o kilku zagłębieniach, na której w Indiach często spożywa się posiłki, przy czym w każdym z zagłębień umieszcza się inną potrawę (w jednym pikantny sos z warzyw, w innym ryż itd.) *Thali* używa się również w hinduskich rytuałach

thela – torba

Tin Batti [ang. Teen Batti] – obszar w Bombaju

tonga – rodzaj dwukółki, do której zaprzęga się konie. Na prowincji indyjskiej tani środek lokalnego transportu

Tygrys Pataudi – właśc. Mansur Ali Khan, „Tygrys" (ur. 1941), słynny indyjski krykiecista

uttapam – rodzaj placka robionego m.in. z mąki ryżowej

wadi – (czyt. ładi) z języka arabskiego: dolina wyschniętej lub okresowej rzeki

Wakola [ang. Vakola] – dzielnica Bombaju

Wande mataram (oryg. *Wande Mataram*) – *Składam pokłon matce.* Tytuł słynnej indyjskiej piosenki patriotycznej, równie popularnej jak narodowy hymn Indii. Wymieniona w tytule „matka" to oczywiście Indie

Wiwekanada, Swami [ang. Vivekananda, 1863–1902] – słynny indyjski filozof

Victoria Terminus – czyli Dworzec Kolejowy im. Królowej Wiktorii to stara nazwa najważniejszego dworca kolejowego w Bombaju. Został on w czasach niepodległych Indii przemianowany na Chhatrapati Shivaji Terminus [czyt. Ćhatrapati Śiwadźi]. Mimo to bardzo często w potocznym języku nadal określa się ten dworzec mianem VT

Zanjeer [czyt. Zandźir, *Okowy*] – to indyjski film z 1973 r. Główną rolę gra Amitabh Bachchan

Spis treści